Drogue & criminalité

PERSPECTIVES CRIMINOLOGIQUES

La criminologie s'intéresse à la transparence des normes, mais aussi à leur création et à leur application selon un point de vue qui lui est propre. Dans ces différents domaines, la collection *Perspectives criminologiques* vise à contribuer à une meilleure connaissance de la personne, de la société et des rapports qu'elles entretiennent.

•

•

BROCHU S., *Drogue et criminalité. Une relation complexe.*

DEBUYST Ch., DIGNEFFE F., LABADIE J.-M., PIRES A. P.,
Histoire des savoirs sur le crime et la peine.
Volume 1. *Des savoirs diffus à la notion de criminel-né.*

DECOURRIÈRE A., *Les Drogues, histoire et problématique. Le droit en question.*

KAMINSKI D., *Entre criminologie et droit pénal. Un siècle de publications en Europe et aux États-Unis.*

LABADIE J.-M., *Les Mots du crime. Approche épistémologique de quelques discours sur le criminel.*

LABERGE D., LANDREVILLE P., MORIN D., ROBERT M. et SOULLIÈRE N.,
Maladie mentale et délinquance. Deux figures de la déviance devant la justice pénale.

LAPLANTE J., *Psychothérapies et impératifs sociaux. Les enjeux de la connaissance de soi.*

TRÉPANIER J., TULKENS F., *Délinquance et protection de la jeunesse. Aux sources des lois belge et canadienne sur l'enfance.*

PERSPECTIVES CRIMINOLOGIQUES

Serge BROCHU

Drogue & criminalité

UNE RELATION COMPLEXE

PRÉFACES DE DOLLARD CORMIER
ET DE CHRISTIAN DEBUYST

De Boeck Université
LES PRESSES DE L'UNIVERSITÉ D'OTTAWA

Données de catalogage avant publication (Canada)

Brochu, Serge

Drogue et criminalité. Une relation complexe

(Perspectives criminologiques)

Publ. en collab. avec Presses de l'Université d'Ottawa, De Bœck Université

Comprend des références bibliogr.

ISBN 2-7606-1645-2

1. Drogue et criminalité. 2. Toxicomanie et criminalité. I. Titre. II. Collection.

HV5801.B76 1995 364.2'4 C95-940674-3

Les Presses de l'Université de Montréal tiennent à remercier le ministère du Patrimoine canadien, le Conseil des Arts du Canada, le ministère de la Culture et des Communications du Québec et l'Université de Montréal pour le soutien constant qu'ils apportent à leur programme éditorial.

La rédaction de cet ouvrage a été réalisée lorsque l'auteur se trouvait en année sabbatique à l'Institut des sciences pénales et de criminologie de l'Université d'Aix-Marseille.

La publication de cet ouvrage a bénéficié du soutien financier du Conseil québécois de recherche sociale.

Diffusion exclusive pour l'Europe et l'Afrique
De Boeck-Wesmael s.a., Bruxelles

D 1995/0074/027, Bibliothèque royale de Belgique
Dépot légal, 2e trimestre 1995,
Bibliothèque nationale du Québec
Bibliothèque nationale du Canada

ISSN 1370-0766
ISBN DBU 2-8041-2046-5
ISBN PUM 2-7606-1645-2
ISBN PUO 2-7603-0408-6

Imprimé au Canada

Préface de Dollard Cormier

Enfin ! Un livre qui traite de façon scientifique de la relation entre les drogues prohibées et le crime, entre la pharmacodépendance et la criminalité. Je me suis réjoui, il y a deux ou trois ans, lorsque l'auteur, l'un de mes plus brillants étudiants des premières heures, puis par la suite un franc collaborateur, me présenta le plan d'un ouvrage qu'il voulait rédiger sur la relation du crime et de la drogue. Devant la valeur du schéma et de son exhaustivité quant à la question traitée, mes commentaires ne pouvaient être que très favorables à une telle entreprise. Je me suis réjoui à nouveau quand, peu après, le *Conseil québécois de la recherche sociale* accorda une subvention substantielle pour faciliter le travail de recherche requis. Je me réjouis maintenant d'avoir entre les mains le manuscrit de l'étude terminée et de songer à la présente parution.

Il n'est pas trop tôt pour qu'un tel ouvrage paraisse dans ce domaine après tout ce que charrient impunément les mass médias et les « rapports de police ». Les premiers, portés vers le sensationnalisme, ne prennent à peu près jamais la peine de vérifier la légitimité de la nouvelle dans le domaine ou d'exercer un minimum de critique à son sujet. C'est le triomphe du *politically correct*. Les seconds, le plus souvent accompagnés de bandes vidéo saisissantes de descentes dans les « piqueries » et d'arrestations de petits revendeurs, afin de bien frapper l'imaginaire populaire, attribuent à la drogue tous les malheurs de ce monde et en font le facteur explicatif majeur du viol et de la violence. Peut-être cherche-t-on à masquer l'inefficacité de la répression, effectuée d'ailleurs à prix fort. Qu'arrivait-il donc avant l'apparition progressive de la drogue dans les années 1950 ? Les prisons n'étaient-elles pas tout aussi remplies ? Alors, et parfois même aujourd'hui, c'était l'alcool qui était la source de tous les maux sociaux, affirmait-on.

On soutient encore que ces substances psycho-actives contiennent des éléments propres à se substituer au meilleur de la personne et à la mener à de graves écarts de conduite et à des crimes que jamais elle n'aurait commis en état de sobriété. Toute la *croyance* se résume dans l'apophtegme suivant : « La drogue est en soi criminogène, mène d'elle-même au crime ou crée une telle dégénérescence chez la personne que celle-ci donne obligatoirement dans la criminalité. » On se croirait encore au siècle dernier. La responsabilité personnelle est ainsi perçue comme soluble aux psychotropes. Les conditions de vie personnelles et sociales n'y contribueraient en rien.

De nombreux groupes d'entraide et, malheureusement, bien des gouvernements préconisent toujours ce point de vue que la personne et la société ne comptent que pour très peu. C'est la drogue qui est responsable de tout. Cesser la consommation, c'est assurer la sérénité personnelle et la paix sociale. Que de désillusions alors !

Le terrorisme qui s'exerce à propos de la drogue apparaît partout de nos jours, d'abord dans la famille, puis dès la petite école et dans les milieux de travail. Et plus encore, même si la consommation *indue* n'est le lot que d'un très faible pourcentage de la population, on clame partout que c'est là le « fléau » du siècle menant le monde à sa perdition. On oublie qu'à vouloir trop faire peur, on obtient exactement ce que l'on cherche à éviter : la multiplication des consommateurs, l'intensification de la consommation et l'abréaction dans la commission des crimes.

Quoi qu'il en soit, toute la problématique de la drogue et du crime ne cesse de résider dans les arcanes clairs-obscurs des fantasmes et des chimères. Toute anecdote particulière sert de démonstration. La présente étude, basée sur la documentation scientifique disponible — ce qu'illustrent à profusion les nombreuses références citées provenant de divers pays — et sur les recherches personnelles de l'auteur, en plus de sa longue expérience professionnelle en psychologie et en criminologie, cherche à en dissiper les vapeurs. Il y réussit assez bien.

C'est ainsi que l'ouvrage consacre plusieurs chapitres à la révision d'un ensemble de variables susceptibles d'intervenir dans la relation entre la drogue et le crime afin de déterminer la nature de cette dernière. Il se dégage alors un certain nombre d'associations qui, quoique bien réelles, ne doivent pas s'interpréter comme des « causes », mais plutôt comme des éléments contribuant à toute la complexité du phénomène. Ainsi, par exemple, s'il existe une relation entre la consommation et l'implication délinquante chez les jeunes, on observe que ces derniers sont déjà initiés à la délinquance avant toute consommation. Il faut donc chercher les causes ailleurs. Ou encore, comme seule une faible minorité de consommateurs de drogues donne dans la criminalité, on ne peut conclure, comme le dit l'auteur, que les substances psycho-actives déterminent et contrôlent, d'elles-mêmes, l'activité délinquante. La grande criminalité n'apparaît le plus souvent que chez les toxicomanes, c'est-à-dire ceux dont la consommation est devenue utilitaire. Elle devient alors le moyen privilégié d'assurer ce style de vie. Le vol, la prostitution, le trafic, la violence, etc., servent à protéger ce dernier.

L'auteur conclut que les circonstances associées aux crimes font d'elles des « facteurs de risque », non des causes. Pour devenir intelligibles, servir d'explications réalistes, ces facteurs doivent s'intégrer à des schèmes plus étendus, plus compréhensifs. Et c'est de façon magistrale qu'il extrait de la documentation spécialisée une bonne dizaine de modèles jouissant d'une certaine notoriété. Certains se veulent de nature causale, tel le paradigme psychopharmacologique qui réduit pourtant tout le phénomène aux perturbations du système nerveux central, comme si ce dernier était le seul à décider de tout pour la personne. D'autres apparaissent d'ordre corrélationnel, comme le schéma psychopathologique, dans lequel on fait appel à des construits hypothétiques, par exemple la « personnalité », qui recèle les variables émotionnelles s'associant de façon linéaire à l'expression de l'abus de drogues et à la criminalité. On y oublie trop souvent que le recours aux drogues est un phénomène interactif bio-psycho-social.

Jugeant avec raison ces modèles comme à la fois trop fragmentaires, réductionnistes et peu explicatifs de la relation complexe liant la drogue et le crime, l'auteur élabore son propre système, qu'il qualifie d'« intégratif », à partir des facteurs de risque cités et du style de vie du consommateur-délinquant. Il cherche à expliquer trois niveaux d'implication drogue–criminalité. *À un premier niveau*, les facteurs de risque conjugués au style de vie du consommateur rendent compte de la simple occurrence de la consommation irrégulière, sans délinquance. *À un deuxième niveau*, la situation devient plus complexe. Les facteurs de risque et le style de vie se combinent chez ceux dont la consommation devient plus régulière et qui donnent déjà dans une «petite délinquance» menant même au trafic du petit revendeur. Là où les choses se compliquent, et là où la compréhension de la vraie relation de la drogue et du crime apparaît, c'est *au troisième niveau* de l'interaction des facteurs de risque et du style de vie. De la consommation irrégulière prenant sa source dans une activité délinquante importante, les consommateurs-criminels tombent progressivement dans la consommation régulière et l'expression accentuée, habituelle, de leur délinquance. C'est alors le toxicomane-délinquant, car tous les toxicomanes ne sont pas nécessairement criminels, hormis la consommation elle-même. Les facteurs d'interruption, comme les valeurs, la volonté, les aspirations, l'image de soi, les conditions de vie plus favorables, etc., qui se conjuguaient aux facteurs de maintien et de progression des deux niveaux précédents en empêchant la grande délinquance de s'instaurer, n'ont plus aucune valeur dynamique à ce stade.

L'intervention auprès du consommateur-délinquant n'est pas oubliée dans ce livre. Il y est surtout question de l'intervention politico-juridique, comme il se doit, démontrant l'inefficacité presque totale de la répression sociologique et policière, de même que du « traitement » très spécialisé tel que pratiqué en milieu carcéral. La réadaptation dans ce contexte dépend en grande partie de la motivation personnelle du délinquant-consommateur, car dans un tel milieu persiste toujours le contrôle social où l'abstinence totale de drogues devient la condition de mise en liberté et les tests d'urine, le critère exclusif de succès.

Et l'auteur de se demander: «Et si on faisait appel, dès le jeune âge, à l'information *juste* concernant les drogues et au développement systématique du sens de responsabilité vis-à-vis de soi et d'autrui, qu'adviendrait-il de toute la problématique? La prévention par l'éducation à la responsabilité, dans laquelle chacun élabore ses propres valeurs organismiques, ne présente-t-elle pas un espoir qu'on n'exploite pas ou très peu, ni au sujet de la consommation de drogues prohibées, ni au sujet de la délinquance comme telle?»

Il faut espérer que la lecture et l'étude approfondie de cet ouvrage sauront susciter une meilleure compréhension du phénomène des liens entre la drogue et le crime. Tout est orienté vers cette fin dans ce livre. Le découvrir pour ensuite élaborer de meilleurs modes d'intervention dans ce domaine en les délestant de la répression et de la déshumanisation qui affligent trop souvent les stratégies utilisées pourrait sans doute assurer plus d'efficacité et de succès auprès de ceux pour qui la problématique est malheureuse.

Dollard Cormier, Ph.D.
Professeur émérite,
Université de Montréal

Eastman, Québec,
Hiver 1994

Préface de Christian Debuyst

Si une préface consiste normalement à «présenter un livre», celle-ci serait dans une grande mesure inutile, tant l'auteur, dans son *introduction*, en trace clairement les lignes et en balise le parcours. C'est sa première qualité.

En ne prenant en compte que les drogues *prohibées* et en mettant l'accent sur le fait que la prohibition était une caractéristique essentielle pour comprendre le lien entre drogue et délinquance, il importait effectivement, pour un psychologue ou un criminologue, de faire dans un premier temps le point de la littérature pour vérifier ce que valent, dans ce domaine, les «vérités» de sens communs et les affirmations plus ou moins étayées par les diverses autorités en cause.

Trois questions sont posées au départ qui constituent la charpente du livre : **Qui** sont les personnes impliquées à la fois dans l'abus de drogue et la criminalité ? **Pourquoi** cette double implication ? **Comment** peut-on les aider ? Les deux premières questions sont plus descriptives ; la troisième pose en arrière fond l'impact du politique : pénalisation ou dépénalisation, puisque c'est sur cet arrière-fond que l'*aide* prend place et s'organise.

L'intérêt de l'ouvrage de Serge Brochu est d'abord qu'il s'appuie sur une information bibliographique abondante et sérieuse. Celle-ci se réfère plus particulièrement à la littérature anglo-américaine des vingt dernières années qui, dans ce secteur, est extrêmement riche et, pour cette raison, peu facile à maîtriser. La référence à une telle littérature donne à l'ouvrage sa «caractéristique» générale. Sur ce thème particulier, on pourrait le définir comme un bon ouvrage de références (particulièrement anglo-américaines) et présentant de ce fait-là, pour un lecteur francophone, une grande utilité.

Il n'est pas que cela. C'est également un travail qui organise ces références de façon telle que l'on peut mieux aborder un certain nombre de questions. Comme nous l'avons dit, les unes sont celles du sens commun (Tous les drogués sont-ils délinquants? Tous les délinquants sont-ils drogués? etc.) et l'on connaît l'impact qu'ont ces interrogations sur l'opinion publique. Les autres sont des questions de professionnels non spécialisés dans la drogue et que les informations données obligent à repenser les domaines qui les préoccupent. Lorsque l'on sait, par exemple, que dans les prisons de nombreux pays, le pourcentage des détenus qui, d'une manière ou d'une autre, ont eu affaire avec la drogue atteint les 50 %, il leur est impossible de ne pas tenir compte de cette réalité et de ne pas « réajuster » la manière de se représenter ce « milieu » en fonction de cette nouvelle donne. L'ouvrage de Serge Brochu non seulement clarifie ces questions, mais la manière dont l'auteur organise les données qu'il recueille introduit les nuances qu'il faut aux différents niveaux auxquels la question se pose.

Pourquoi cette implication dans la drogue et la criminalité? La difficulté, lorsqu'on aborde les modèles explicatifs classiques, est qu'il ne s'agit pas simplement de se demander pourquoi certains prennent de la drogue ou deviennent délinquants, mais bien la manière dont s'établissent les rapports entre les deux et les enchaînements qui ainsi se nouent. On voit très vite qu'au delà d'une *explication,* il importe de *comprendre* comment un certain nombre de données inter-réagissent et de le faire en abandonnant des modèles qui supposent une causalité linéaire. Comme le souligne l'auteur, il devient essentiel d'inclure *la personne comme acteur social capable de raisonnement logique et tributaire de l'environnement dans lequel elle évolue.*

Nous touchons ce qui sans doute est le plus original dans le travail de Serge Brochu et dont malheureusement il n'a pu présenter qu'une rapide esquisse[1]. Le type de compréhension qu'il introduit est axé principalement sur la notion de *style de vie déviant*, c'est-à-dire *un construit qui définit une tendance à adopter des comportements plus ou moins condamnés; à opter pour la non-conformité aux règles de la culture ambiante.* L'intérêt est que dans la manière dont elle est utilisée, cette notion de *style de vie* participe à une double orientation : celle d'abord de prendre place dans une perspective intégrative[2], qui nous paraît d'ordre plus structural en ce sens qu'elle intègre dans un même ensemble des caractéristiques que l'on cherche à rattacher à des facteurs causals susceptibles de jouer simultanément (nous pourrions d'ailleurs avoir, comme c'est le cas en criminologie, des recherches qui suivent un modèle purement intégratif). Par contre, l'autre orientation, dans un sens plus phénoménologique, met l'accent, à travers la notion de *style de vie*, sur le processus temporel selon lequel ce style progressivement se constitue; il le fait à travers d'éventuelles adaptations ou au contraire des ruptures plus ou moins

1. Les recherches auxquelles S. Brochu se réfère sont celles qui furent réalisées avec son équipe dans l'Unité de toxicomanie qui prend place dans le Centre international de criminologie comparée (C.I.C.C.) de l'Université de Montréal.
2. Le chapitre VIII dans lequel il en parle est intitulé : *Modèle conceptuel intégratif*.

nettes d'avec le milieu social. Dans ce cas, l'accent sera donc mis, au sens propre, sur le sujet comme *acteur social* envisagé dans son histoire, dans les choix ou les absences de choix que cette histoire suppose, dans l'environnement particulier qui est le sien et qui détermine l'horizon dans lequel l'histoire se déroule, etc. Ici également nous trouvons, en criminologie, des analyses qui utilisent cette notion en mettant l'accent sur les différents stades ou phases à partir des quels ce *style* s'organise. La position originale de S. Brochu est, me semble-t-il, de ne pas séparer ces deux orientations, même si, dans le chapitre qu'il y consacre, il paraît donner l'avantage à la seconde. Il faut reconnaître que la quinzaine de pages qu'il y consacre nous laisse en état d'attente, et c'est toujours très heureux qu'un ouvrage qui se définit comme une « fresque générale sur un problème déterminé », suscite dans certaines de ses parties de telles attentes.

Nous avons déjà dit, en commençant cette présentation, que dans le dernier point envisagé : *Comment aider*, nous retrouvions la question très actuelle de la pénalisation ou de la dépénalisation. Ce qui nous paraît particulièrement intéressant, dans les rappels historiques qui commencent cette partie et que l'auteur présente sous l'intitulé *Interventions politico-juridiques*, c'est l'ébauche que nous y trouvons d'une « législation pénale en train de se faire » ; ou si l'on veut, une certaine vue sur la manière dont une loi se crée à la fin du XIXe siècle et au début du XXe dans le cadre des guerres coloniales en Asie et décide la prohibition d'un certain nombre de drogues. De telles analyses nous rappellent que la pénalisation de celles-ci est le résultat d'une « construction » légale faite sous diverses pressions, qu'un « public de drogués/trafiquants et délinquants » s'est constitué à partir de là et que c'est dans ce contexte particulier – c'est-à-dire judiciaire – que prennent place cette aide ou ces interventions psycho-pharmaceutiques que l'auteur décrit et qu'il est intéressant de pouvoir apprécier. Se trouve dès lors impliquée, à travers le contexte dans lequel l'*aide* se déroule, la logique d'une décision sociétale, avec ses avantages et ses inconvénients.

Christian Debuyst
Professeur émérite
à l'École de criminologie
de l'Université catholique
de Louvain

Remerciements

Je tiens d'abord à rendre un hommage tout particulier à mon épouse, Diane Duplessis, psychologue à la Commission des écoles catholiques de Montréal, qui, par son soutien constant, de même que par sa lecture attentive et critique des premières versions de ce manuscrit, m'a permis d'approfondir ma pensée sur la nature de la relation drogue–crime.

J'ai eu le bonheur de rédiger ce manuscrit sous le chaud soleil de la Provence. Je voudrais donc remercier le professeur Jacques Borricand, de même que tout le personnel de l'Institut de sciences pénales et de criminologie, en particulier Mesdames Maryvonne Autesserre et Christiane De Mare, qui m'ont si gentiment accueilli pendant mon année sabbatique à Aix-en-Provence. Ils ont su m'entourer d'un climat propice à la réflexion et à la rédaction.

Je suis, depuis quelques années, entouré d'une équipe de recherche formidable. Je m'en voudrais donc de passer sous silence le travail de mes assistants de recherche. Je pense, entre autres, à Natacha Brunelle, Sonia Laflamme, Pascal Schneeberger ainsi que Marion Vacheret qui ont réalisé un excellent travail sur le plan de la recherche bibliographique ainsi que des travaux connexes reliés à cet ouvrage.

Enfin, j'adresse des remerciements chaleureux à Line Beauchesne, professeure au Département de criminologie de l'Université d'Ottawa ; à Dollard Cormier, professeur émérite au Département de psychologie de l'Université de Montréal ; à Candido da Agra, professeur à la Faculté de psychologie et des sciences de l'éducation de l'Université de Porto ; à Andrée Drapeau, avocate et criminologue ; à Guy Lemire, professeur à l'École de criminologie de l'Université de Montréal ; à Louise Nadeau, professeure au Département de psychologie de l'Université de Montréal et chercheure au RISQ ; ainsi qu'à Gilles Rondeau, professeur à l'École de service social de l'Université de Montréal, pour avoir accepté de lire des versions antérieures de ce manuscrit. Leurs commentaires m'ont permis d'affiner l'expression de ma pensée.

Serge Brochu

Table des matières

Préface de Dollard Cormier V
Préface de Christian Debuyst IX
Remerciements XIII
Introduction 1

Première partie
Qui est impliqué dans l'abus de drogues illicites et la criminalité? 7

Chapitre 1 **Les «criminels» sont-ils tous «drogués»?** 9
- Les jeunes 9
- Les adultes 16

Chapitre 2 **Les «drogués» sont-ils tous «criminels»?** 27
- La relation drogue–crime chez les toxicomanes 28
- Les toxicomanes sont-ils avant tout des délinquants? 30
- L'implication criminelle des usagers de drogues illicites fortement proscrites 32
- Le crime: une façon parmi d'autres de subvenir à ses besoins 34
- Et les femmes alors? 37

Chapitre 3 **Les éléments de risque** 41
- Les facteurs de risque 41
- Des niveaux de risque 46

Chapitre 4 **La «carrière toxicomane»** 51
- La carrière de l'héroïnomane 53
- La carrière de l'usager de crack 59

Deuxième partie
Pourquoi s'implique-t-on dans la drogue et dans le crime? 63

Chapitre 5 **Les drogues et la criminalité lucrative** 65
- Les drogues et l'argent 65
- Les crimes d'accord commun 67
- Les crimes acquisitifs 77

Chapitre 6 **Les drogues et la violence** 83
Des drogues aux propriétés criminogènes ? 83
L'interaction triangulaire drogue–personne–contexte 88
La loi du plus fort 90

Chapitre 7 **Les modèles conceptuels** 95
Les modèles causals 95
Les modèles corrélationnels 104

Chapitre 8 **Un modèle conceptuel intégratif** 111
Des facteurs de risque 113
Un style de vie déviant 113
Des facteurs de maintien, de progression ou d'interruption 119

Troisième partie
Comment aider ? 125

Chapitre 9 **Les interventions politico-juridiques** 127
De la vente libre à la criminalisation 127
La guerre contre les drogues 130
De la criminalisation à la vente libre 143

Chapitre 10 **Les interventions psycho-socio-sanitaires** 149
Les interventions curatives 149
Les interventions préventives 162

Conclusion 171

Références 179

Annexe 1 **Peut-on se fier à la parole d'un délinquant ou d'un toxicomane ?** 211

Annexe 2 **L'organisation du trafic de drogues illicites** 219

Introduction

Deux pistes s'offrent à qui désire entreprendre l'étude de la relation drogue–crime, celle des crimes commis à l'endroit du consommateur et celle de la criminalité que celui-ci manifeste. Dans cet ouvrage, nous opterons pour la deuxième voie. Ainsi, trois aspects de la criminalité du consommateur-abuseur constitueront l'objet de notre analyse, soit a) les crimes commis au regard des lois sur les drogues ou du marché illicite de distribution ; b) la délinquance commise par la personne intoxiquée ; c) les comportements criminels manifestés en vue de l'obtention de sa ration de drogues. Le lecteur aura bien saisi que ces trois types de criminalité ne s'excluent pas mutuellement, mais peuvent se regrouper en différentes combinaisons selon les circonstances et les personnes impliquées.

Après de nombreuses heures d'hésitation et quelques discussions avec des collègues, il a été décidé d'exclure les substances psychoactives licites de cette étude. Non pas que les usagers de ces drogues n'entretiennent aucun lien avec la criminalité (l'alcool demeure la substance la plus souvent associée aux délits de violence ; l'accumulation des taxes sur le tabac a fait de celui-ci un objet de trafic illicite), mais la prohibition d'un produit lui confère un caractère particulier en intensifiant son lien avec la déviance (Kandel, Simcha-Fagan et Davies, 1986 ; White, Pandina et LaGrange, 1987). C'est justement ce lien bien particulier qui intéresse d'abord ce travail[1].

Ce texte a été écrit pour satisfaire à la curiosité des lecteurs qui ne se contentent pas du simple énoncé voulant que la drogue cause le crime : la relation triangulaire entre une personne, un produit et un comportement est complexe et ne peut se définir en une courte phrase. Le lecteur trouvera dans cet ouvrage le résultat des principales recherches effectuées au cours des vingt dernières années concernant la relation drogue–crime. Ce présent bilan a été réalisé afin d'analyser les recherches, de les confronter les unes avec les autres et de les interpréter de manière à définir leur sens. Les réponses apportées aux élémentaires, mais néanmoins fondamentales, questions qui, pourquoi et comment, constitueront la triple finalité de cet ouvrage. Qui sont les personnes impliquées dans l'abus de drogues et la criminalité ? Pourquoi s'impliquent-elles dans la drogue et dans le crime ? Comment peut-on les aider ?

1. Nous sommes toutefois conscients qu'en d'autres temps ou circonstances, la relation ne serait pas définie de la même façon.

Plus spécifiquement, le premier chapitre sondera le savoir scientifique actuel afin de déterminer si les criminels sont tous drogués. Le chapitre suivant posera naïvement la question inverse : Les drogués sont-ils tous des criminels ? Ces deux chapitres rendront compte des conclusions des études épidémiologiques concernant la consommation de drogues de la part des personnes condamnées à la détention et celles d'études plus ciblées tentant de mieux cerner la réalité criminelle des toxicomanes. Cette analyse nous forcera à nuancer le discours relatif à la relation drogue–crime. Les contrevenants ne font certainement pas tous usage de drogues, et ceux qui en consomment le font peut-être pour des motifs variés. Pour leur part, les toxicomanes n'empruntent pas tous la même trajectoire. On s'interrogera alors sur des facteurs de risque possibles pour l'adoption de comportements délinquants et toxicomanes (chapitre 3) et on poussera plus avant cette analyse en observant le cheminement délinquant d'une personne qui entreprend une carrière toxicomane (chapitre 4).

La deuxième partie du livre est consacrée à l'étude plus spécifique du lien entre la consommation de drogues illicites et la criminalité. Les chapitres 5 et 6 seront consacrés respectivement à l'étude de la criminalité lucrative, et de la violence. L'analyse qui y sera effectuée introduira les modèles explicatifs de la relation drogue–crime actuellement en vogue qui feront l'objet du chapitre 7. Enfin, le dernier chapitre de cette section (chapitre 8) sera l'occasion de présenter les éléments d'un modèle conceptuel qui a pour objectif d'intégrer les connaissances actuelles dans le domaine de la relation drogue–crime. La modélisation constitue en soi une activité réductionniste. Il importe d'en être conscient et de ne voir autre chose dans cet exercice qu'un outil permettant de mieux approcher la réalité. Toutefois, l'économie d'ensemble du livre ne permet pas une élaboration considérable sur ce modèle. Seuls les grands traits seront tirés.

Les deux derniers chapitres du livre s'attardent à analyser les interventions politico-juridiques (chapitre 9) et psycho-sociales-sanitaires (chapitre 10) actuelles à la lumière du modèle intégratif déjà présenté.

Deux annexes complètent la lecture du livre. La première se questionne sur la fidélité des propos rapportés par les contrevenants ou les toxicomanes lorsqu'on les interroge sur des thèmes délicats tels que leur consommation actuelle de drogues illicites ou les délits pour lesquels ils n'ont pas encore été accusés. La deuxième dresse un portrait de l'organisation du trafic des drogues illicites. Quoique non essentielles à la compréhension du contenu du livre, il nous apparaît que ces deux annexes permettront une réflexion plus complète.

On peut cependant hésiter sur la manière d'aborder ces thèmes. Faut-il dresser un bilan de l'état actuel des recherches, ou plutôt s'attarder à la subjectivité des concepts étudiés ? Ces deux optiques s'avèrent essentielles et interdépendantes. La dernière partie de cette introduction portera brièvement sur la conception des objets à l'étude et ouvrira le chemin à une meilleure compréhension du bilan des recherches.

Ce qui détermine un champ de recherche, c'est avant tout la façon de concevoir et d'aborder un objet spécifique. Il en existe de nombreuses, qui ne sont certes pas totalement détachées des intérêts personnels ou corporatistes (Szabo, 1992). La science, faut-il le rappeler, se forge dans un contexte économique et sociopolitique où les rapports de pouvoir peuvent influencer la façon de connaître et les délimitations de l'objet d'étude. En ce sens, la science n'est jamais pure, elle se construit dans un contexte socio-historique donné qui aura une influence sur la perception des objets d'étude. En ce sens, elle est tout simplement humaine.

Cela apparaît particulièrement lorsque l'on discute de drogues et de crimes, ces deux termes étant chargés d'un fort contenu idéologique et émotionnel. Voilà bien un problème de taille pour qui s'intéresse à la nature de la relation entre l'abus de substances psycho-actives et la criminalité. Qu'est-ce que l'abus de drogues ? De quelle manière conçoit-on le crime ? Voilà des questions centrales sur lesquelles les écrits scientifiques demeurent peu loquaces. Pourtant, la définition de ces termes constitue le fondement de la connaissance acquise en ce domaine.

Durant le dernier quart de siècle, on a assisté à une remise en question des modèles théoriques principaux expliquant la consommation abusive de substances psycho-actives et le comportement criminel. À l'orée du XXIe siècle, comment se situe la recherche sur la nature de la relation drogue–crime face aux différents paradigmes présents dans les domaines d'étude de l'abus de substances psycho-actives et des comportements criminels ?

La consommation de substances psycho-actives illicites

On peut adopter plusieurs attitudes face à la consommation de substances psycho-actives illicites. Pour les moralistes, ces drogues constituent des produits diaboliques pouvant ensorceler les faibles qui s'adonnent à la délectation de plaisirs épicuriens et causer le désordre social. En ce sens, leur usage constitue un vice et devrait être objet de réprobation. Les tenants de cette position approuvent toute action visant la condamnation et le repentir. Il est donc essentiel, à leurs yeux, que la possession de drogues soit punissable par la loi. Les légalistes, pour leur part, perçoivent ces drogues comme des ennemis à abattre. Ils leur livrent une véritable guerre et exigent des gestes coercitifs à l'égard des usagers de ces drogues de la part des législateurs. Pour les tenants de cette conception, l'usager s'inscrit en marge de la société par sa déviance, sinon par sa délinquance. Pour leur part, les défenseurs du modèle médical préfèrent s'attarder sur l'interaction maladive entre un consommateur et sa drogue (Nadeau, 1993). Le gros consommateur devient alors un malade qu'il faut soigner, peu importe les lois. Enfin, les adeptes de la conception psychosociale conçoivent l'usage des substances psycho-actives comme l'expression d'un style de vie particulier (Cormier, 1984). Pour certains, cet usage constitue une manière d'être qu'il faut éviter à tout prix. Les lois prohibitives leur apparaissent alors comme une stratégie de prévention adéquate. Pour d'autres, ce mode de vie n'a rien en soi de délinquant. Ceux-ci croient que l'on devrait alors décriminaliser, sinon légaliser les différentes activités entourant la consommation, de façon, précisément, à ne pas obliger ces personnes à s'insérer dans un milieu criminel. Le scientifique qui conçoit l'abus de drogues comme un vice n'observera certainement pas le phénomène sous le même angle que celui qui, par exemple, le considère comme une maladie.

La notion de comportement criminel, de la même manière, n'est pas à l'abri de cette influence contextuelle.

Le comportement criminel

Selon Durkheim, « un acte est criminel quand il offense les états forts et définis de la conscience collective » (Durkheim, 1930, p. 47). Opérationnellement, le comportement criminel se définit en fonction des normes et critères de la procédure pénale. Beaucoup de praticiens de la criminologie acceptent cette définition. Par contre, d'autres s'interrogent sur la façon dont on décrit un acte comme offensant : l'acte criminel est-il le fait d'une personnalité psychopathologique, de l'interaction entre un individu mal adapté et une société peu accommodante, ou encore d'un processus complexe d'inadaptation, d'étiquetage, d'exclusion et de stigmatisation ?

Il faut également être bien conscient qu'une grande partie des discussions qui se font à travers les écrits scientifiques relèvent de modèles conceptuels relativement étroits, opposant d'un côté les tenants de la punition et de l'autre ceux de la réadaptation. Ces sentiers battus ne laissent que très peu d'espace pour l'éclosion de nouvelles options. En conséquence, il faut retenir de la documentation scientifique traitant des thèmes touchant à la drogue et à la criminalité qu'elle est malheureusement parsemée de préjugés, d'impressions et d'hypothèses non scientifiques qui sont trop souvent présentés comme des conclusions s'appuyant sur des données solides (Inciardi, 1987). Il faut donc être extrêmement prudent lors de l'analyse de ces études.

La consommation de substances psycho-actives illicites et les comportements criminels

Les études concernant la nature de la relation drogue–crime ne sont pas à l'abri des biais qui viennent d'être mentionnés. Le chercheur adopte une conception à la fois personnelle et professionnelle face à la consommation de substances psycho-actives illicites ou à la manifestation de comportements criminels. Ainsi, la criminalité est généralement définie selon les normes du législateur. Cette façon de faire, dans la plupart des cas, ne tient compte que des actes commis par des personnes ayant un statut socio-économique précaire. Ainsi, très peu de recherches portent sur la criminalité des employés cocaïnomanes[2]. L'extrapolation des études doit donc être limitée aux personnes provenant des mêmes couches socio-économiques que celles qui furent l'objet de l'étude.

Par ailleurs, bien que le processus d'accumulation des connaissances dans le domaine des drogues et dans celui de la criminalité ait suivi des routes différentes, il est tout de même possible d'observer certains aboutissements similaires. C'est ainsi que les deux champs d'étude utilisent la notion de carrière pour décrire la trajectoire des personnes observées. Bien plus, dans les deux cas, les chercheurs dirigent simultanément leur lorgnette vers une interaction complexe de facteurs prédictifs. Curieusement, la liste de ces facteurs semble parfois interchangeable. Ne serait-ce pas là le signe qu'il convient d'examiner les facteurs reliés à la fois à la consommation abusive de substances psycho-actives illicites et à la manifestation de comportements criminels ?

Le lien entre drogue et crime demeurera une question d'actualité importante en Amérique et en Europe au cours des années à venir. Cet ouvrage aura atteint son but s'il réussit à démontrer la complexité de la nature de cette relation.

2. Il faut également noter qu'il existe relativement peu d'études sur la cocaïne ou le crack en comparaison du nombre d'études concernant l'héroïne.

Première partie

Qui est impliqué dans l'abus de drogues illicites et la criminalité ?

1. Les « criminels » sont-ils tous « drogués » ?
2. Les « drogués » sont-ils tous « criminels » ?
3. Les éléments de risque
4. La « carrière toxicomane »

1. Les «criminels» sont-ils tous «drogués»?

La consommation de drogues illicites parmi les personnes judiciarisées

Si elle représente un problème relativement important au sein de la population, la consommation de drogues illicites constitue une situation très préoccupante lorsque l'on considère les personnes arrêtées ou détenues. On croit que la concentration de consommateurs et de toxicomanes s'élève à un niveau exceptionnel dans les centres carcéraux. Plusieurs surveillants de prison prétendent que jusqu'à 80% des individus incarcérés éprouvent des problèmes de toxicomanie.

Un certain nombre d'études scientifiques sont publiées chaque année sur le thème de la prévalence de la consommation de substances psycho-actives illicites parmi les personnes judiciarisées[3]. Pourtant, dans le domaine de la relation drogue–crime, les conclusions des recherches empiriques ne font pas le poids devant les opinions tenaces sur le sujet. La publication de telles conclusions dans une revue scientifique devra entrer en concurrence avec la manchette de la presse locale relatant une nouvelle saisie record de drogue ou la récidive violente d'un toxicomane en libération conditionnelle. En fait, les résultats d'études sont le plus souvent éclipsés de la scène publique. Quelles conclusions peut-on vraiment tirer de la production scientifique récente? Examinons d'abord les études de prévalence effectuées auprès d'adolescents.

Les jeunes[4]

Les médias véhiculent souvent l'idée que la consommation de substances psycho-actives, et plus particulièrement l'utilisation de drogues de rue, s'avère la cause principale de la délinquance. Si cette hypothèse se révélait exacte, nous devrions rencontrer un plus grand nombre de consommateurs parmi les jeunes en centre d'accueil de réadaptation pour troubles de comportements. Il devrait également être possible d'observer un enchaînement séquentiel ordonné entre l'initiation aux drogues et le début de la délinquance. Enfin, nous devrions être à même de constater un lien d'interdépendance directionnel entre la

3. Plus de deux cents études ont été recensées au cours des vingt dernières années.

4. La majorité des études rapportées dans cette section ont été réalisées auprès d'échantillons constitués uniquement ou majoritairement de garçons. Il va sans dire que l'on se doit d'être extrêmement prudent avant de généraliser les résultats obtenus à la population féminine.

consommation et l'agir délinquant. Ces points seront tour à tour abordés dans les pages suivantes.

Il importe cependant de procéder avec une extrême prudence lors de l'interprétation des résultats obtenus auprès d'adolescents. En effet, l'adolescence, par nature, constitue une période d'essais variés. Que signifient, à cet âge, l'expérimentation de drogues ou l'initiation à une petite délinquance en rapport avec l'orientation globale du style de vie ?

1. La prévalence de consommation de drogues illicites chez les jeunes contrevenants

En ce qui a trait à la prévalence de consommation de substances psycho-actives chez les jeunes se trouvant en centre d'accueil de réadaptation, les résultats sont éloquents. Leur usage de drogues constitue un phénomène important, sinon inquiétant. Au Québec, plus des trois quarts de ces jeunes rapportent avoir déjà utilisé une substance psycho-active illicite **au cours de leur vie** (Brochu et Douyon, 1990). Bien sûr, le cannabis constitue la plus populaire de ces drogues (78 % des jeunes de l'échantillon rapportent une telle consommation). Pourtant, il n'en demeure pas moins qu'un bon nombre de ces jeunes ont déjà fait usage de drogues potentiellement plus coûteuses sur le plan économique. Ainsi, la moitié de ces adolescents rapportent avoir déjà fait usage de cocaïne. Quand on sait que cette drogue n'est utilisée que par environ 1 % de la population adulte canadienne (Santé et Bien-être social Canada, 1989), il devient possible de constater l'ampleur de la consommation chez ces sujets.

Pour la majorité de ces adolescents, cette consommation de drogues a eu lieu *dans l'année* qui précédait l'enquête. Ainsi, un peu moins des deux tiers (62 %) de ces jeunes avaient eu recours au cannabis et plus du tiers de ces jeunes mentionnaient avoir absorbé de la cocaïne durant cette période (Brochu et Douyon, 1990). Plus les sujets étaient âgés, plus leur consommation était importante (Groulx, Brochu et Poupart, 1992 ; LeBlanc et Tremblay, 1987).

De même, LeBlanc (1986) relève auprès des pupilles du tribunal que l'intoxication à l'alcool ou aux drogues illicites se manifeste dans au moins le tiers des délits. De plus, à 15 ans, 45 % des jeunes contrevenants ont recours à des drogues illicites ; à 17 ans, cette proportion grimpe à 53 % et à 22 ans, elle atteint le sommet des 80 %. Plus l'âge augmente, plus les drogues semblent s'enchâsser dans le style de vie adopté par les contrevenants.

Le niveau d'expérimentation ou d'utilisation de substances psycho-actives parmi les jeunes se trouvant en centre d'accueil ou en contact avec les tribunaux du Québec s'avère, dans l'ensemble, semblable à celui des adolescents américains placés dans un contexte de judiciarisation comparable (Brochu, 1994 ; Brochu, 1995 ; Jackson, 1992). Il faut cependant mentionner que les méthodes utilisées pour connaître la consommation de drogues illicites des jeunes Américains paraissent beaucoup plus « intrusives ». En effet, la technique d'enquête privilégiée aux États-Unis consiste à recourir à des tests d'urine pour y détecter des traces de substances psycho-actives. Ainsi, Wish et Gropper (1990) évaluaient que plus du tiers (35 %) des adolescents de Washington D.C. éprouvant des problèmes avec la justice (échantillon total composé de 1 182 sujets) présentaient des résultats positifs à un test d'urine pour l'un ou l'autre des produits suivants : cocaïne, marijuana, opiacés ou PCP, la drogue la plus fréquemment utilisée étant le PCP (27 % des sujets). Il faut tout de suite mentionner que Washington a éprouvé, à cette époque, un problème sérieux et unique face à la consommation de cette substance. Les résultats montrent également que plus les sujets avançaient en âge, plus les risques d'obtenir un test positif étaient grands. Ainsi, à 14 ans, moins d'un jeune sur cinq (17 %) présentait des traces de drogues dans son urine, révélant ainsi un usage récent[5], alors qu'à 17 ans, plus de deux jeunes sur cinq (40 %) fournissent un spécimen d'urine maculé d'au moins une drogue psycho-active. De même, les jeunes considérés par les policiers comme constituant des risques importants pour la société présentaient une plus grande proportion de tests positifs que les autres. Des résultats similaires ont été obtenus lors d'études menées parallèlement par d'autres chercheurs (DeWitt, 1992 ; Dembo *et al.*, 1990).

L'ensemble de ces résultats indique, sans l'ombre d'un doute, que la consommation de substances psycho-actives illicites demeure beaucoup plus élevée parmi les adolescents éprouvant des problèmes avec la justice que chez les adolescents qui fréquentent régulièrement un établissement scolaire (Brochu, 1994 ; Dembo *et al.*, 1990 ; Jackson, 1992).

Pourtant, cette constatation de l'ampleur de la prévalence de la consommation de ces drogues parmi les jeunes pris en charge dans

5. Le nombre d'heures ou de jours durant lesquels il est possible de détecter la présence d'une drogue varie d'une substance à l'autre. Ainsi, des traces d'opiacés, de cocaïne ou d'amphétamines ne demeurent guère plus de 24 à 72 heures dans l'urine, alors qu'on peut y retrouver des traces de PCP ou de cannabis près d'un mois après leur usage. Par ailleurs, d'autres facteurs telles la condition physique du sujet, sa balance de fluides de même que la fréquence et la méthode d'ingestion du produit doivent être considérés lors de l'interprétation de la durée de la « détectabilité » d'une substance (Wish et Gropper, 1990 ; Wish et O'Neil, 1991).

les centres d'accueil ou par les tribunaux ne suffit pas à soutenir l'hypothèse d'un lien causal drogue – crime. Ce postulat doit tout d'abord être étayé par l'apparition d'une organisation séquentielle typique entre ces deux comportements. Examinons donc maintenant les âges d'initiation aux drogues et à la délinquance.

2. Les âges d'initiation

Les recherches tentant d'étudier la séquence d'apparition temporelle de ces deux comportements (drogue et crime) apporteront un certain éclairage sur la relation en cause. Toutefois, ces résultats doivent être interprétés avec beaucoup de prudence. Il n'est pas rare de lire deux études semblables dont les conclusions s'opposent concernant la primauté d'un des comportements sur l'autre. Ces désaccords sont habituellement dus à la définition des variables étudiées. En effet, certains chercheurs observent l'initiation à toute forme de comportement interdit par la loi, y compris le vol d'un paquet de gomme à mâcher au restaurant du coin ; d'autres, à l'opposé, ne considèrent que l'adoption de comportements délinquants ayant fait l'objet d'une plainte et d'une poursuite. Il est donc aisé d'imaginer des âges d'initiation très différents pour ces deux types de conduites. Il en est de même pour la consommation initiale de substances psycho-actives illicites. Pour certains, il s'agit de l'âge auquel la personne a goûté un produit pour la première fois, pour d'autres, c'est plutôt le début de la consommation régulière qui est mesuré. Il n'est donc pas surprenant de lire des résultats de recherche très discordants.

L'analyse des nombreuses études publiées ayant trait à la primauté chronologique d'une conduite par rapport à l'autre indique généralement qu'une légère majorité de jeunes ont manifesté leur premier comportement délinquant mineur avant d'avoir consommé pour la première fois une drogue illicite (Blumstein *et al.*, 1986).

L'observation des moyennes d'âge auxquelles les jeunes se sont initiés à chacun des comportements en cause permet de mieux cerner les résultats précédents. Ainsi, les enquêtes récentes indiquent que parmi les jeunes pris en charge par les centres d'accueil, l'initiation à l'alcool s'effectue vers l'âge de 12 ou 13 ans, mais certains jeunes n'étaient guère plus âgés que 10 ans lorsqu'ils ont goûté la dive bouteille. Par ailleurs, l'initiation aux drogues illicites se fait habituellement par l'entremise du cannabis vers les âges de 13 ou 14 ans. Si l'apprentissage illicite se poursuit, c'est vers leur quatorzième ou quinzième année de vie que ces adolescents feront usage de cocaïne (Brochu et Douyon, 1990 ; Girard, 1993 ; LeBlanc et Tremblay, 1987). On est donc à même de constater une initiation précoce et une progression rapide vers des substances potentiellement plus coûteuses pour le portefeuille de l'utilisateur et peut-être même pour sa santé.

Par ailleurs, chez ces mêmes groupes de jeunes, les premières activités délinquantes[6] apparaissent vers l'âge de 10 ans (Brochu et Douyon, 1990 ; Girard, 1993 ; LeBlanc et Tremblay, 1987). Ainsi, on constate que les premières activités délinquantes précèdent de deux ans en moyenne la consommation d'alcool et de trois à quatre ans l'usage de cannabis. De plus, l'utilisation de drogues plus dispendieuses ne survient en moyenne que quatre à cinq ans après le premier comportement jugé délinquant. On est donc à même de constater que ces déviances aux normes pénales précèdent nettement la consommation de drogues illicites.

De plus, ces adolescents ne rapportent habituellement pas de consommation régulière de substances psycho-actives licites ou illicites au cours de l'année de l'initiation à la délinquance. En fait, parmi les sujets rencontrés lors de nos travaux de recherche en centre d'accueil (Brochu et Douyon, 1990 ; Groulx, Brochu et Poupart, 1992 ; Normand et Brochu, 1993), très peu d'adolescents avaient fait usage de drogues (y inclus l'alcool) durant cette année d'initiation à la délinquance mineure[7]. Pour ceux qui en avaient consommé, il s'agissait d'un usage très occasionnel d'alcool ou de cannabis.

Pour cette majorité de jeunes contrevenants qui se sont initiés à une petite délinquance avant leur consommation initiale de substances psycho-actives, la drogue ne représentait certainement pas la cause première de l'engagement criminel[8]. D'ailleurs, le développement de la trajectoire délinquante n'avait pas pour but premier de supporter une habitude de consommation de substances psycho-actives (Faupel, 1991[9]). On est plutôt en présence d'une relation beaucoup plus complexe.

Cependant, on ne doit pas se borner à observer cette simple séquence temporelle d'initiation à la consommation de substances psycho-actives et à la délinquance. Il faut plutôt s'attarder à observer

6. Toute activité pouvant être punissable selon la loi.

7. Première année durant laquelle le sujet a manifesté des comportements interdits par la loi.

8. Rappelons-nous bien que notre échantillon de départ est ici constitué de jeunes contrevenant(e)s. Il est possible que la séquence temporelle d'initiation à la délinquance et à la consommation de drogues soit inversée pour un échantillon de jeunes qui se trouvent en traitement à la suite de leur consommation de substances psycho-actives illicites (Inciardi, 1987).

9. Voir également Groulx, Brochu et Poupart (1992), Huizinga, Menard et Elliott (1989) ou Normand et Brochu (1993).

le cycle dans son plein développement afin d'être à même d'identifier la nature de la relation en cause. Peut-on cependant croire que la consommation de drogues illicites soit innocente et candide face à la continuation ou à la progression de la trajectoire délinquante ?

3. Le lien d'interdépendance

Les écrits scientifiques établissent un rapport entre l'importance de la consommation de substances psycho-actives illicites et la manifestation de problèmes polymorphes de conduite, entre autres dans des comportements délinquants. En d'autres mots, la probabilité qu'un adolescent manifeste des comportements délinquants s'accroît avec sa consommation de drogues illicites. Ainsi, il a été noté que, indépendamment des types de drogues étudiés, les consommateurs de substances psycho-actives illicites se trouvaient significativement plus impliqués dans des activités punissables par la loi que les adolescents qui ne s'adonnaient pas à cette consommation (Brochu et Douyon, 1990). Cela ne signifie pas que tous les adolescents consommateurs de substances psycho-actives illicites s'impliquent nécessairement dans la délinquance. Néanmoins, ces jeunes encourent davantage de risques d'être mêlés à un ensemble de comportements jugés antisociaux, d'entretenir une mauvaise relation avec leurs parents et d'éprouver des problèmes scolaires[10, 11]. De plus, l'importance de la consommation semble être fonction de la fréquence d'apparition de ces troubles d'adaptation à l'adolescence (Forslund, 1977). En outre, les types de drogues utilisés risquent de se modifier.

Les drogues telles l'héroïne et, plus récemment, la cocaïne ont acquis une très mauvaise réputation. Leur utilisation est fortement réprouvée socialement. Cette aura de perversité opère une sélection parmi les jeunes attirés par la consommation. Pourtant, plus l'adolescent est impliqué dans une certaine forme de déviance au regard de la loi, moins il risque de se laisser dissuader par la condamnation sociale de ces drogues. Bien au contraire, cet anathème risque de l'attirer (Wish et Johnson, 1986).

Non seulement y a-t-il une relation statistique entre l'usage de substances psycho-actives et les comportements définis légalement comme délinquants, mais leur consommation chez les jeunes contrevenants apparaît être intégrée à la préparation et à la commission de

10. Voir également Beachy, Petersen et Pearson (1987), LeBlanc (1986), Normand et Brochu (1993), Ouimet et LeBlanc (1993), Tuchfeld, Clayton et Logan (1982) ou Van Kammen, Loeber et Stouthamer-Loeber (1991).

11. Ces éléments seront analysés plus en détail dans le chapitre ayant pour thème les facteurs de risque.

leurs délits. Ces jeunes ont recours aux drogues tant licites qu'illicites pour des motifs identiques à ceux qui les poussent à commettre des délits : pour le plaisir et la recherche de sensations (Brochu et Douyon, 1990 ; Groulx, Brochu et Poupart, 1992 ; LeBlanc, 1986). Il est donc probable que « la consommation de drogues illégales et d'alcool s'insère dans le développement des activités délictueuses, des délits mineurs aux infractions graves » (LeBlanc et Tremblay, 1987, p. 61).

Enfin, l'utilisation plus régulière de substances psycho-actives illicites peut marquer une étape qui conduit très souvent à l'intensification de l'implication criminelle. Cette amplification des manœuvres délinquantes apporte une entrée d'argent qui permettra à son tour l'initiation à des drogues plus coûteuses (Faupel, 1991 ; James, 1969 ; Willis, 1971). La relation à l'étude n'est peut-être pas aussi simple qu'on ne l'aurait cru à première vue.

Les recherches précédentes ont toutes été réalisées auprès de garçons ou d'échantillons dominés par une écrasante majorité de garçons en provenance de milieux socio-économiques défavorisés. Cette constatation permet d'établir quelques limites à ces études.

La première remarque a trait à la différence probable des profils selon le sexe des sujets. Ainsi, certaines études réalisées auprès des filles indiquent que la relation drogue–crime ne serait pas aussi étroite pour celles-ci que pour leurs pairs masculins. En fait, les filles présenteraient un processus de maturation accéléré en comparaison des garçons, de sorte que, vers l'âge de 15 ans, leurs comportements délinquants auraient déjà atteint une certaine stabilité et seraient, dans bien des cas, à la veille de décroître (White, Johnson, et Garrison, 1985).

En second lieu, il importe d'insister sur le fait que les jeunes sujets de ces études provenaient presque exclusivement de milieux socio-économiques défavorisés. En fait, il y a fort à parier que la relation drogue–crime n'est pas aussi forte chez des étudiants universitaires aisés, population très sollicitée pour un ensemble d'études psychologiques, mais négligée de la part des chercheurs s'intéressant à la relation drogue–crime. En ce sens, les variables socio-économiques pourraient constituer des facteurs de risque importants lors de l'étude de la relation drogue–crime.

En somme, il existe une forte relation entre la consommation de substances psycho-actives et l'implication délinquante chez les jeunes adolescents *déjà initiés* à la délinquance. La relation à l'étude n'apparaît cependant pas causale, mais contributive. En effet, *bon nombre de consommateurs de substances psycho-actives illicites ne s'initieront jamais à une trajectoire criminelle*. Pour ceux qui sont impliqués à la fois dans la consommation de drogues et la délinquance, il est généralement possible d'observer qu'une certaine forme de délinquance a pris naissance bien avant l'initiation aux drogues. Les actes délinquants constitueront pour certains jeunes issus de classes sociales défavorisées une des seules manières de se procurer le produit convoité[12]. En ce sens, la délinquance ne constitue pas uniquement la manifestation d'une rébellion adolescente, mais sert des fins instrumentales.

Enfin, les probabilités que ces jeunes poursuivent leur consommation de substances psycho-actives illicites à l'âge adulte sont plus élevées, même s'ils abandonnent leur trajectoire délinquante au profit d'autres sources pécuniaires (Kandel, Simcha-Fagan et Davies, 1986). Par contre, pour ceux qui auront développé une dépendance envers ces drogues, la délinquance sera probablement associée et exacerbée par le besoin d'argent ainsi créé.

Les adultes

La situation dépeinte jusqu'à maintenant se retrouve-t-elle chez les adultes judiciarisés ? Quel est le niveau de consommation de ces contrevenants ?

Il convient de distinguer la consommation en fonction des sexes. En fait, l'usage de substances psycho-actives des hommes et des femmes semble différer, tant en termes de produits et de quantités consommés que de fréquences d'utilisation. Il aurait également été souhaitable d'apporter cette même distinction pour les jeunes contrevenants, cependant le très petit nombre d'études effectuées auprès de cette population n'a pas permis d'opérer cette distinction.

1. Les hommes judiciarisés

Le bilan des recherches est éloquent : les contrevenants incarcérés constituent une sous-population chez qui la prévalence de consommation de substances psycho-actives illicites est très élevée. Ainsi, les résultats d'une enquête récente réalisée par Forget (1990) indiquent que plus des trois quarts des personnes écrouées dans une des prisons du Québec ont fait usage de substances psycho-actives illicites au moins cinq fois au cours de leur vie. Plus de la moitié ont rapporté

12. Il peut s'agir d'un jean, du tabac, de l'alcool ou d'une drogue illicite.

avoir fait usage d'au moins une de ces drogues durant le mois précédant leur incarcération. Ces statistiques contrastent fortement avec les résultats de l'Enquête Santé Québec indiquant que moins de 30 % des Québécois âgés de 15 à 24 ans ou de 25 à 44 ans ont déjà consommé une substance psycho-active illicite cinq fois au cours de leur vie. Ces résultats, bien qu'impressionnants, n'établissent cependant pas de relation causale entre la consommation de ces drogues et la délinquance.

Poursuivons cette description de la consommation de substances psycho-actives de la part des hommes judiciarisés afin de tenter de mieux la comprendre.

Les substances psycho-actives illicites les plus couramment employées par les détenus avant leur incarcération sont, par ordre d'importance : le cannabis, la cocaïne, les médicaments, les hallucinogènes, l'héroïne, les solvants et enfin les autres opiacés (Forget, 1990). Entre le tiers et la moitié des détenus canadiens présenteraient une dépendance à une substance psycho-active allant de modérée à grave[13, 14] (Brochu *et al.*, 1992).

Forget (1990) a interrogé un échantillon de détenus sur la relation drogue–criminalité. Plus du tiers des personnes rencontrées ont alors indiqué avoir participé à des activités criminelles afin d'augmenter leurs revenus de façon à payer les coûts de leur consommation de drogues illicites. D'ailleurs, près du tiers des répondants mentionnaient avoir contracté des «dettes de drogues».

L'utilisation de drogues illicites parmi les personnes incarcérées aux États-Unis s'avère au moins aussi importante que celle observée jusqu'à présent au Canada. Ainsi, Harlow (1991) constate que plus des trois quarts (78 %) des détenus américains interrogés sur leur consommation antérieure à leur emprisonnement ont indiqué avoir déjà fait usage d'au moins une drogue illicite au cours de leur vie. Bien plus, près de six détenus sur dix (58 %) ont mentionné avoir consommé des substances psycho-actives illicites de façon régulière[15]. La moitié de ces consommateurs habituels employaient de la cocaïne ou du crack. Plus du tiers (44 %) des détenus ont eu recours à une drogue illicite au cours du mois qui a précédé le délit pour lequel ils se

13. Voir également Forget (1990), Hodgins et Côté (1990) et (1991), Lightfoot et Hodgins (1988), Lévesque (1993) et Service correctionnel du Canada (1991).

14. La polytoxicomanie s'avère également un problème courant puisque, parmi les détenus qui utilisent des drogues illicites de façon abusive (selon les critères énumérés dans le DSM III), les trois quarts (74,7 %) font également usage d'alcool avec excès (Hodgins et Côté, 1990).

15. Une fois ou plus par semaine pour une période minimale d'un mois.

trouvaient incarcérés au moment de l'enquête, et plus du quart (30 %) consommaient de façon quotidienne. La majorité (57 %) de ces personnes incarcérées se trouvaient en état d'intoxication au moment de commettre leur délit. Pourtant, c'était un produit tout à fait légal, l'alcool, qui constituait alors la substance principale d'intoxication pour la majorité d'entre eux (alcool : 29 % ; autres substances psycho-actives : 15 % ; les deux : 12 %). Enfin, plus d'un détenu sur dix (13 %) a avoué avoir perpétré son délit dans le but précis d'obtenir de l'argent pour se procurer de la drogue. D'ailleurs, la majorité (65 %) des utilisateurs de substances psycho-actives avaient été arrêtés pour des délits reliés au commerce illicite de drogues ou au vol (vol à main armée, vol par effraction, vol simple).

Certains croient même que, parmi la population judiciarisée, la consommation de drogues illicites constituerait un très bon prédicteur de l'activité criminelle après la sortie de prison (Smith et Polsenberg, 1992). Ces résultats semblent donc, à première vue, étayer l'hypothèse selon laquelle les gros consommateurs de drogues illicites s'impliquent dans un grand nombre de délits rémunérateurs de façon à répondre aux besoins pécuniaires engendrés par leur assuétude. Cependant, bien que la prévalence de consommation d'alcool, qui ne fait pas l'objet de ce travail, n'ait pas été rapportée, il est clair que la consommation de cette drogue licite arrivait bonne première parmi les contrevenants. Bien plus, il y a fort à parier que la consommation de tabac ou de café aurait dépassé la consommation de bon nombre de drogues illicites. Faut-il pour autant attribuer un lien entre la consommation de tabac et de café et l'activité criminelle observée ? Un lien corrélationnel ne peut certainement pas prouver une hypothèse causale !

Il faut également faire preuve d'une extrême prudence lorsque l'on demande aux sujets d'expliquer en une courte phrase les raisons de leurs gestes socialement réprouvés. La réponse fournie risque davantage de satisfaire des critères d'acceptation sociale que d'être la traduction fidèle de la dynamique impliquée[16].

Enfin, les résultats obtenus auprès des contrevenants adultes confirment ceux recueillis auprès des adolescents en indiquant qu'une grande partie de ces personnes se sont initiées à la consommation de substances psycho-actives illicites après s'être engagées dans la délinquance (Chaiken et Johnson, 1988 ; Innes, 1988). Ainsi, lors de leur étude approfondie portant sur l'usage de drogues de la part d'hommes

16. C'est le cas pour l'alcool, alors que les hommes violents préfèrent attribuer le motif des gestes posés à leur intoxication plutôt qu'à une dynamique plus complexe tenant compte de la réalité des rapports de pouvoir entre les sexes (voir Brochu, 1995).

institutionnalisés à la suite de la commission d'actes criminels, Yochelson et Samenow (1986) ont observé que les sujets rencontrés avaient fait une série de choix irresponsables qui les ont entraînés dans un style de vie criminel bien avant que ne débute leur consommation de substances psycho-actives illicites. Pourtant, ce n'est qu'après avoir commencé à utiliser ces drogues que bon nombre d'entre eux ont été mis en contact pour la première fois avec le système de justice (Chaiken et Johnson, 1988 ; Innes, 1988). La consommation de drogues a-t-elle amené une prise de risques plus importante ? Les observations cliniques de Yochelson et Samenow (1986) suggèrent que oui. L'usage de substances psycho-actives illicites faciliterait l'élargissement de la palette des actes déviants et délinquants commis.

L'administration de la Justice des États-Unis, consciente de l'ampleur de la consommation de substances psycho-actives illicites de la part des personnes judiciarisées, a mis sur pied le *Drug Use Forecasting System* afin de mieux évaluer les tendances de la consommation de drogues illicites parmi les personnes arrêtées dans les grands centres urbains. Vingt-quatre villes américaines participent à cette étude nationale[17]. Durant environ 14 soirées/nuits, un personnel spécialement entraîné demande aux personnes arrêtées[18] de fournir un spécimen d'urine[19] et de répondre à un certain nombre de questions. Sur chaque site, un échantillon d'environ 225 hommes est constitué. Dans certaines villes, on recueille également des données auprès de femmes (21 villes) et de jeunes contrevenants (11 villes). Le tout se fait sous le sceau de la confidentialité et du « volontariat »[20]. La procédure ne constitue pas une mesure visant à récolter des preuves supplémentaires pouvant mener à la condamnation du sujet, mais

---

17. En date de mars 1993.

18. Des études préalables ont démontré que les personnes accusées de vente ou de possession de drogues risquent davantage d'avoir consommé des substances psycho-actives illicites que l'ensemble des personnes arrêtées. De façon à obtenir une distribution suffisante de délits et ainsi éviter une surestimation de la prévalence de consommation de substances psycho-actives illicites de la part des personnes arrêtées, les interviewers ont reçu la consigne de limiter à 25 % le nombre de sujets appréhendés pour des délits de vente ou de possession de drogues (Herbert et O'Neil, 1991 ; Wish et Johnson, 1986 ; Wish et O'Neil, 1991).

19. Les traces de drogues sont détectées à l'aide du test EMIT™. Les drogues pouvant être décelées sont la cocaïne, les opiacés, le PCP, la marijuana, les amphétamines, le méthaqualone, les benzodiazépines, les barbituriques et le propoxyphène.

20. Certains pourront à juste titre contester la notion de volontariat lorsque l'étude se déroule dans un poste de police auprès de personnes qui viennent tout juste de se faire arrêter. Des craintes concernant les répercussions possibles d'un refus de collaborer doivent à tout le moins traverser l'esprit des sujets.

représente plutôt une sonde servant à jauger les tendances de la consommation de substances psycho-actives illicites parmi les personnes arrêtées. Près de 90 % des sujets approchés ont accepté de répondre aux questions de l'interviewer et environ 80 % des personnes interviewées ont consenti à fournir un échantillon d'urine aux fins d'analyses (voir DeWitt, 1992, ou National Institute of Justice, 1993, pour une description plus complète de ce programme).

Un rapport récent (O'Neil, 1993) montrait que la proportion d'hommes arrêtés présentant des traces de drogues illicites dans leur urine variait entre 28 % et 77 % selon les villes étudiées[21]. Dans la majorité des sites, la cocaïne représentait le produit le plus souvent retracé lors du test d'urine. Ces chiffres sont d'autant plus spectaculaires et troublants que les tests d'urine ne mesurent souvent qu'une consommation relativement récente[22]. Ce système permanent de collecte de données a également permis de constater que, parmi les personnes judiciarisées, la consommation de substances psycho-actives illicites s'est amplifiée au cours des années 1980 pour ensuite se stabiliser au début des années 1990. Cette augmentation est attribuable, en grande partie, à l'énorme popularité de la cocaïne auprès de cette population. C'est ainsi que des traces de cocaïne étaient retrouvées dans l'urine de plus du quart des personnes arrêtées. Dans certaines grandes villes américaines, les trois quarts de ces personnes appréhendées avaient consommé ce produit dans les deux ou trois jours précédant leur arrestation. Dans l'ensemble, le niveau de consommation de cocaïne de la part des personnes arrêtées dépasse de 17 à 25 fois celui enregistré auprès de l'ensemble des Américains (DeWitt, 1992 ; Wish, 1991 ; Wish et O'Neil, 1991).

Les détenus nord-américains ne constituent certes pas les seuls groupes de contrevenants à connaître des niveaux de consommation de substances psycho-actives plus élevés que la moyenne nationale. Les prisons d'Europe abritent également un bon nombre d'usagers de drogues illicites et de toxicomanes[23]. À titre d'exemple, Ingold et Ingold (1986) estimaient que les toxicomanes représentaient 27 % des admissions des établissements pénitentiaires parisiens. La situation y est tout de même différente de celle de l'Amérique du Nord,

21. Pour 20 des 24 villes étudiées, plus de la moitié des personnes arrêtées présentaient des traces de drogues dans leur urine.

22. À titre de rappel mentionnons que des traces d'opiacés, de cocaïne, d'amphétamines ou de méthadone ne demeurent guère plus de 24 à 72 heures dans l'urine alors qu'on peut y retrouver des traces de PCP ou de cannabis près d'un mois après leur usage.

23. Les personnes intéressées par ce thème sont priées de consulter, entre autres, les travaux de Facy (1991), Griffiths (1988), Ingold et Ingold (1986), Maden, Swinton et Gunn (1992), Kensey et Cirba (1989), ou Lahosa (1989).

puisque la cocaïne y trouve beaucoup moins d'adeptes[24]. Par ailleurs, l'héroïne représente une drogue très populaire, étant consommée par près des trois quarts des toxicomanes incarcérés en France. L'usage journalier caractérise le modèle de consommation de la majorité de ces individus. La moitié d'entre eux deviennent dépendants durant l'année de leur première consommation. Tout comme en Amérique, cette consommation abusive est associée à la récidive, alors que plus de la moitié de ces personnes avaient été réincarcérées dans un délai inférieur à un an (Facy, 1991 ; Ingold et Ingold, 1986 ; Kensey et Cirba, 1989).

2. La drogue en prison

La majorité des détenus présentaient donc une histoire de consommation importante de drogues illicites avant leur incarcération[25]. Cette aventure ne se termine certes pas avec la détention :

> L'introduction illicite de drogues en milieu carcéral est un phénomène inévitable. Phénomène de société, la drogue a pénétré dans les pénitenciers au même moment où ceux-ci ont commencé à « s'ouvrir » sur le monde, vers la fin des années 1960. Les boissons fermentées et l'alcool distillé clandestinement y ont circulé bien avant. Les mesures prises en vue d'humaniser l'incarcération et de favoriser le contact avec la communauté, la famille et les amis sont devenues autant d'instruments utilisés pour faire la contrebande de drogues (Lévesque, 1994, p. 265).

Les drogues sont facilement disponibles dans les prisons ou les pénitenciers (Inciardi, Scarpetti et Lockwood, 1993 ; Inciardi, Lockwood et Quinlan, 1993 ; Yochelson et Samenow, 1986). On estime que parmi les détenus qui avaient pris l'habitude de consommer des drogues illicites lorsqu'ils se trouvaient en liberté, 70 % continuent à en utiliser lorsqu'ils sont incarcérés (Sobell *et al.*, 1983). Les absences temporaires créées pour aider au maintien des liens sociaux constituent des moments idéaux pour faire pénétrer des drogues en pénitencier lors du retour en détention. Même si la fouille des vêtements du détenu peut s'effectuer sans grand problème et de façon routinière, il est plus difficile de mettre en place un système de détection obligatoire visant à explorer les cavités corporelles du détenu

24. On doit cependant mentionner que la cocaïne semble gagner en popularité parmi les Européens. En effet, les saisies de cocaïne signalées au Secrétariat général de l'Organisation internationale de police criminelle (1990) n'ont cessé d'augmenter depuis 1984. On note une augmentation de 154 % en trois ans.

25. Seule une infime minorité de détenus (1,4 % selon Thomas et Cage, 1977) s'initieraient à la consommation de substances psycho-actives illicites au moment de leur incarcération.

ayant bénéficié d'une absence temporaire[26]. Les visiteurs peuvent également participer à l'entrée de drogues en prison. Ainsi, un détenu et son frère se sont acheté des chaussures sport de la même marque et de la même pointure. Le frère en question a cependant pris soin de modifier ses chaussures pour y fabriquer une fausse semelle pouvant y contenir de la drogue. Au moment de la visite, le détenu et son frère se déchaussent. À la fin de la rencontre, le détenu aura pris soin d'enfiler les chaussures de son frère et vice versa. La drogue fera maintenant son chemin dans les cellules. Il ne s'agit là que d'un exemple parmi bien d'autres. On pourrait également penser à l'utilisation de timbres-poste imbibés de LSD, à l'introduction de fruits farcis de drogues ; au transfert d'un condom contenant de la drogue lors d'un baiser passionné... Pour un détenu qui fait du temps, l'ingéniosité ne manque pas. Enfin, certains membres du personnel peuvent s'impliquer dans le trafic de drogues. Il ne s'agit pas là d'une pratique courante, puisque la majorité d'entre eux craignent les débordements soulevés par l'intoxication des détenus. Plus souvent, par contre, les membres du personnel peuvent fermer les yeux sur la consommation de drogues illicites par les détenus (Yochelson et Samenow, 1986). Ils croient ainsi pouvoir maintenir un état de paix relative parmi les personnes incarcérées.

Interdire la circulation d'un bien lui confère une valeur financière accrue. Le prix de la drogue de rue s'accroît donc proportionnellement à la difficulté de se la procurer dans le contexte carcéral. Ces coûts astronomiques entraîneraient alors la commission d'une série d'actes de violence à l'intérieur des prisons et des pénitenciers. À titre d'exemple, un rapport administratif établissait que 106 des 181 (58 %) incidents violents qui se sont déroulés en 1985-1986 dans les pénitenciers canadiens étaient reliés à l'usage et au commerce illicite des drogues :

> Sur ces 106 incidents en question, il y a eu 6 meurtres de détenus, 54 agressions graves contre des prisonniers, 15 agressions graves contre des employés, 26 émeutes, 2 prises d'otage(s) et 3 suicides (Fullerton, 1989, p. 6).

À ces substances psycho-actives illicites en usage dans le monde libre s'ajoute l'utilisation de produits « techniques » qui permettent aux détenus de jouir d'un moment de liberté frelatée : la colle, la lotion après rasage, le cirage à chaussure, la peinture... et la fameuse « bière »[27] de fabrication artisanale produite à partir de fruits et de légumes. Enfin, il ne faudrait pas oublier le trafic de psychotropes initialement prescrits par le médecin de l'établissement pour des problèmes

---

26. Il faut alors se conformer à la Charte des droits et libertés.
27. Souvent appelée « broue » ou « baboche » au Québec.

spécifiques, mais qui sont parfois accumulés pour être consommés en plus fortes doses, ou réacheminés dans les circuits du marché illicite qui prévaut même en prison (Carter, 1981).

3. La consommation des femmes judiciarisées

Jusqu'au début des années 1980, la consommation de substances psycho-actives illicites de la part des femmes judiciarisées n'attira que très peu l'attention des chercheurs. On peut expliquer cet apparent manque d'intérêt par le petit nombre de femmes incarcérées et le fait que trop souvent on niait la spécificité des femmes en les incluant dans les études effectuées auprès d'une grande majorité d'hommes. Heureusement, certaines chercheuses féministes ont jeté une certaine lumière sur ce problème de taille.

On sait qu'au sein de la population générale, la consommation de substances psycho-actives des hommes et des femmes est marquée par un certain nombre de différences. Les femmes consomment moins d'alcool et moins de drogues de rue, mais en revanche, elles avalent plus de médicaments que leurs vis-à-vis masculins. De plus, la recherche de l'intoxication semble moins intense pour les femmes et, lorsqu'elles s'y adonnent, il y a fort à parier qu'elles le font avec des médicaments prescrits par un médecin (Brochu, Mercier et Ouimet, 1993 ; Silverman, 1982).

De façon déconcertante, toutes ces différences semblent s'atténuer lorsque l'on compare les femmes et les hommes judiciarisés. C'est comme si l'égalité entre les sexes s'était ici réalisée de façon perverse. Ainsi, ces femmes consomment tout autant que leurs homologues masculins, sinon plus (Brochu *et al.*, 1992[28]). Elles se démarquent cependant des hommes par la nature des produits privilégiés et le type de délits perpétrés.

La cocaïne constitue la drogue illicite la plus populaire parmi les contrevenantes d'Amérique du Nord ; on note même parfois que son utilisation semble plus répandue parmi les femmes que les hommes judiciarisés (Desjardins, Brochu et Langelier-Biron, 1992[29]). Pourtant, les médicaments conservent une place de choix auprès des femmes incarcérées, et ces dernières sont beaucoup plus nombreuses à en consommer que les détenus masculins (Brochu *et al.*, 1992). Enfin, il apparaît que les femmes incarcérées présentent un niveau très élevé d'utilisation de drogues par intraveineuse (Van Hoeven,

28. Voir également DeWitt (1992), Harlow (1991), Lahosa (1989), Sanchez et Johnson (1987), ou Van Hoeven, Stoneburner et Rooney (1991).
29. Voir également Harlow (1991), Sanchez et Johnson (1987), ainsi que National Institute of Justice (1993).

Stoneburner et Rooney, 1991). Il n'est alors pas surprenant que la séropositivité et les hépatites virales soient très fréquentes chez les femmes toxicomanes détenues (Facy, 1991).

En ce qui concerne l'analyse des délits commis par les femmes toxicomanes, il semble que ces dernières soient moins impliquées que les hommes dans des délits reliés aux vols, mais en revanche, elles utilisent davantage la prostitution pour se procurer l'argent dont elles ont besoin. Par contre, quoi qu'on en pense, cette dernière activité n'est le lot que du tiers des femmes contrevenantes toxicomanes américaines (Chaiken et Johnson, 1988).

SYNTHÈSE

Pour le jeune contrevenant, la délinquance acquisitive constitue une source d'argent incomparable. Cet argent, faute de mieux, est souvent investi dans la consommation de drogues. En se sens, il apparaît que le crime est un facteur contributif à la consommation de drogues par son apport d'argent :

Pour les plus vieux, la relation apparaît cependant moins claire. Toutefois, plus le contrevenant prend de l'âge, plus la drogue risque d'occuper une place importante dans sa trajectoire criminelle. La consommation de drogues illicites, qui accompagnait initialement la délinquance du jeune contrevenant afin d'accentuer ses plaisirs et ses sensations, deviendra, pour certains d'entre eux, leur source principale de débours. Pourtant, quelques adultes judiciarisés, une minorité à l'époque actuelle, poursuivront leur trajectoire criminelle sans jamais s'adonner à la consommation de drogues illicites.

De plus, il faut insister sur un point, le passage du « jeune contrevenant expérimentateur de drogues illicites » au « criminel toxicomane » ne se fait pas automatiquement. Un bon nombre de jeunes contrevenants qui font usage de drogues illicites ne deviendront jamais des « criminels » ou des « toxicomanes » adultes. En fait, l'analyse des résultats obtenus à l'aide de rapports auto-révélés indique que plus des deux tiers des jeunes contrevenants consommateurs vont continuer à utiliser des drogues illicites une fois l'âge adulte atteint, mais que près de la moitié vont interrompre leur implication criminelle (Chaiken et Johnson, 1988).

L'un des sous-groupes qui mérite l'attention des autorités socio-sanitaires au regard de la consommation de drogues illicites est, sans contredit, celui des personnes judiciarisées. Ces gens consomment beaucoup plus que l'ensemble de la population. Cela s'avère particulièrement vrai pour les femmes contrevenantes, chez qui l'on relève un taux de consommation de cocaïne qui dépasse 73 fois le taux enregistré pour l'ensemble de la population (Desjardins, Brochu et Langelier-Biron, 1992). L'utilisation de tests standardisés (par exemple le *Drug Abuse Screening Test*) révèle qu'une grande proportion des personnes judiciarisées deviennent dépendantes de l'une ou l'autre des substances psycho-actives illicites. Pour ces personnes, une fois le processus de dépendance amorcé, une bonne part de leur criminalité sera reliée à l'abus de drogues. Il n'est pas question ici de croire que la consommation de drogues illicites constitue nécessairement l'origine de la criminalité. En fait, elle n'en est pas la cause initiale pour la grande majorité des contrevenants. Pourtant, elle se marie très bien avec les valeurs véhiculées par leur milieu de vie et contribue alors à rendre le toxicomane plus dépendant du crime pour subvenir aux besoins ainsi créés.

Avant de terminer ce chapitre, il importe d'insister à nouveau sur le fait que les personnes judiciarisées et de surcroît incarcérées proviennent généralement de milieux socio-économiques défavorisés. Les études effectuées auprès des personnes en détention souffrent donc des limites imposées par la clientèle visée par le système pénal.

2. Les « drogués » sont-ils tous « criminels » ?

La criminalité parmi les toxicomanes

Les analyses effectuées au cours du chapitre précédent témoignent de l'existence d'une relation entre la consommation de substances psycho-actives illicites et l'implication criminelle chez les contrevenants appréhendés par le système de justice pénale. Par ailleurs, l'hypothèse d'un lien causal unidirectionnel drogue–crime a subi l'assaut d'éléments contradictoires. Elle a donc dû être écartée pour une majorité de contrevenants qui s'étaient déjà initiés à des activités délinquantes avant même de faire usage de drogues illicites.

Le portrait jusqu'ici tracé demeure cependant partiel[30]. En effet, il est bien évident que les statistiques criminelles ne font état que des personnes appréhendées et condamnées, laissant alors une inconnue de taille dans la compréhension de la relation drogue–crime pour l'ensemble des contrevenants. Ainsi, plusieurs délits ne sont jamais rapportés ou identifiés[31]. Bon nombre de transgresseurs contre lesquels une plainte a été portée ne seront jamais appréhendés[32], et ceux qui font l'objet du processus judiciaire proviennent généralement de classes socio-économiques défavorisées. Enfin, certains contrevenants appréhendés seront relâchés, faute de preuves.

Par ailleurs, il est probable que les toxicomanes n'ayant pas de contacts avec le système de justice entretiennent une relation différente avec les drogues illicites de celle de leurs pairs qui ont été appréhendés. Aussi, il y a tout lieu de croire que la relation jusqu'ici esquissée entre la consommation de drogues illicites et les personnes appréhendées par le système de justice pénale ne peut se généraliser à l'ensemble des contrevenants, et encore moins à la majorité des toxicomanes ou consommateurs de drogues.

30. L'étude de Inciardi et Chambers (1972), et plus récemment, celle de Mott (1986) montrent bien les limites de l'extrapolation des résultats obtenus auprès des sujets connus du système de justice.

31. On peut penser aux fraudeurs d'impôts, aux voleurs de matériel d'entreprise ou encore à toute une série de crimes d'accord commun.

32. Inciardi et Chambers (1972) estimaient que seulement 4 % des crimes contre la propriété et 5 % des crimes contre la personne commis par les sujets de leur échantillon de toxicomanes étaient recensés dans les statistiques nationales américaines. Une décennie plus tard, Johnson *et al.*, (1985) formulaient des conclusions très semblables.

La relation drogue–crime chez les toxicomanes

D'entrée de jeu, il nous faut insister sur le fait que la majorité des études qui seront mentionnées au cours de ce chapitre fondent leurs conclusions sur les résultats obtenus à partir d'échantillons formés de sujets toxicomanes provenant de milieux socio-économiques défavorisés. On sera donc à même d'observer l'implication criminelle des toxicomanes à faibles revenus licites.

Il importe de signaler que les études consultées indiquent d'un commun accord que les jeunes utilisateurs occasionnels de drogues n'ont pratiquement pas de contacts avec la justice. Le problème typique de ces adolescents, lorsqu'ils en ont, consiste en la conduite avec facultés affaiblies. Il n'en est pas de même pour les jeunes usagers réguliers ou pour ceux qui adoptent des modes de consommation brutaux (par exemple, l'injection intraveineuse). En effet, ces jeunes, qui proviennent très souvent de classes sociales défavorisées, risquent d'être impliqués dans une délinquance accentuée pouvant les mettre en contact avec le système de justice (Chaiken et Johnson, 1988).

Il faut bien comprendre qu'un jeune qui s'adonne régulièrement à la consommation d'un produit qui se transige à des prix élevés se trouve devant un éventail de choix très restreint lui permettant de se procurer l'argent nécessaire à la satisfaction de son habitude. La situation s'avère d'autant plus difficile pour un jeune provenant d'une couche sociale économiquement défavorisée. Quelle autre avenue que la délinquance s'offre à un bon nombre de ces jeunes[33]?

En ce qui concerne plus spécifiquement les toxicomanes qui demandent des soins aux services publics de réadaptation, les études réalisées indiquent qu'une majorité de cette clientèle a déjà éprouvé des problèmes avec la justice. À titre d'illustration, l'analyse descriptive de la population en traitement à Domrémy-Montréal fait cette constatation inattendue pour les auteurs du rapport:

> Une partie importante de la clientèle de Domrémy-Montréal a connu, au cours de sa vie, des démêlés avec la justice. Plus de 70 % déclarent avoir été arrêtés et inculpés pour un délit criminel, au cours de leur vie. Un peu moins de la moitié a déjà été condamnée pour de tels délits au moins une fois et, de ceux-ci, 30 % sont actuellement en instance d'inculpation, de procès ou d'une sentence (Guyon et Landry, 1993, p. 41).

Ces données sont en accord avec les résultats rapportés par les grandes études d'évaluation de programmes américains (Hubbard *et al.*, 1989).

33. Parmi les conduites délinquantes, nous comprenons la prostitution, même si elle n'est pas toujours criminalisée officiellement.

Par ailleurs, les écrits scientifiques demeurent muets en ce qui concerne la relation avec le crime qu'entretiendrait une clientèle toxicomane plus aisée.

Non seulement la clientèle toxicomane provenant de milieux socio-économiques défavorisés a-t-elle déjà eu des démêlés avec la justice, mais habituellement, pour ces personnes, la délinquance a précédé la toxicomanie :

> Notre pratique nous a amenés à nuancer l'affirmation selon laquelle, comme malgré eux, et simplement poussés par le besoin de drogue, les toxicomanes seraient amenés au *deal*, à la prostitution ou à la délinquance. Nul doute que la prohibition entraîne, par la pénalisation de l'usage, un champ artificiel de délinquance. Elle crée aussi, par le trafic, un champ spécifique d'activités criminelles. Surtout, le prix de la drogue entraîne ou maintient une majorité de toxicomanes dans la prostitution ou la délinquance.
>
> Mais nombre de nos clients ont commencé, souvent très jeunes, leur vie de marginaux par une «carrière» de délinquants ou de prostitués (Valleur, 1992, p. 15-16).

Ainsi, d'autres études effectuées auprès des toxicomanes confirment celles analysées au chapitre précédent en démontrant que 60 à 80 % de ces personnes présentent un passé judiciaire avant même le début de leur assuétude (Anglin et Hser, 1987[34]). Il serait alors aisé de clore la discussion et de conclure que la drogue constitue un élément innocent face à l'implication criminelle.

Ce raisonnement apparaît toutefois bien téméraire et présomptueux lorsque l'on sait que les activités criminelles des consommateurs d'héroïne se trouvent multipliées par un facteur de trois à six lors de l'établissement de la dépendance aux opiacés (Ball *et al.*, 1981).

Les gros consommateurs d'héroïne et de cocaïne constitueraient les plus grands producteurs de criminalité parmi les usagers de drogues (Inciardi, 1985). En effet, une personne qui abuse de cocaïne ou d'héroïne commettrait entre 100 et 400 crimes par année[35] (Ball *et al.*, 1981[36]). À cela doivent s'ajouter les centaines de transactions de drogues perpétrées par ces gros consommateurs (Ball *et al.*, 1982[37]). Ces usagers de substances psycho-actives commettent donc

34. Voir également Chaiken et Chaiken (1990), Faupel (1991), ainsi que Kandel, Simcha-Fagan et Davies (1986).
35. En excluant les délits reliés au commerce illicite de la drogue.
36. Voir également Ball, Shaffer et Nurco (1983), Johnson *et al.* (1985), Johnson et Kaplan (1988), Inciardi (1979), Inciardi et Pottieger (1986), ainsi que Sanchez et Johnson (1987).
37. Voir également Inciardi (1979), Inciardi et Pottieger (1986), Johnson *et al.* (1985), ou Johnson et Kaplan (1988).

des milliers de délits au cours de leur carrière toxicomane. L'élément déclencheur de l'affermissement du lien drogue–crime apparaît ici comme l'installation d'une consommation importante[38] et de la dépendance.

La recrudescence du nombre de crimes de nature acquisitive correspond généralement à un besoin d'argent supplémentaire engendré par l'établissement de la dépendance à une drogue dispendieuse. Il s'agit donc ici d'une criminalité économico-compulsive. Par ailleurs, l'évolution du nombre des assauts ou des délits de drogues est attribuée à l'implication dans des transactions sur le marché illicite de la consommation de substances psycho-actives. Il s'agit ici d'une criminalité liée au système illicite de distribution des drogues. Nous discuterons plus amplement de ces types de délinquance au cours des chapitres qui suivront.

Ces formes de criminalité se résorberaient généralement à la fin du cheminement toxicomane, ne laissant qu'une criminalité résiduelle, que ce dénouement coïncide ou non avec un épisode de traitement (Anglin et Speckart, 1988[39]). La consommation de drogues telles l'héroïne ou la cocaïne n'est donc pas totalement innocente face à la croissance de l'implication criminelle des personnes toxicodépendantes.

Des études multi-sites parrainées par les Nations unies indiquent clairement que cette association statistique drogue–crime comporte un caractère universel, bien que les types de drogues utilisées et le niveau d'importance du problème puissent varier (Bruno, 1984).

Les toxicomanes sont-ils avant tout des délinquants?

«Ce n'est pas la drogue qui mène à la délinquance mais le contraire.» Voilà ce qu'indiquait un article du *Journal de Montréal* en date du jeudi 30 mai 1991. L'article provenait de l'Agence France-Presse (AFP) et se basait sur le rapport annuel d'une association française d'aide aux toxicomanes, le Trait d'union. Voilà bien une phrase accrocheuse qui va à l'encontre d'un courant assez bien établi. On l'a vu précédemment, la consommation de substances psycho-actives ne représente pas nécessairement la cause première de la délinquance, puisqu'un bon nombre de gros consommateurs s'étaient déjà initiés à

38. Plus d'un «*fix*» par jour.

39. Voir également Ball *et al.* (1975), Ball, Shaffer et Nurco (1983), Barton (1980), Inciardi (1979), Hammersley *et al.* (1989), McGlothlin, Anglin et Wilson (1978), Nurco, Cisin et Ball (1985), Nurco *et al.* (1984) et (1986), Shaffer, Nurco et Kinlock (1984) ou Winick (1962).

quelques formes de criminalité mineure avant même leur première consommation de drogues et certainement bien avant l'apparition de la dépendance. Mais peut-on aller jusqu'à conclure que la population toxicomane n'est constituée que de criminels ?

Bien sûr, les toxicomanes consomment des substances illicites et, dans le contexte de la majorité des législations nord-américaines et européennes, peuvent être considérés comme des contrevenants du fait de leur possession de substances psycho-actives illicites[40]. Mais la question posée ici dépasse ce truisme. Il s'agit plutôt de savoir si les toxicomanes ont *d'abord* fait le choix d'un mode de vie délinquant.

À cet effet, si l'on en croit l'AFP, 38 % des toxicomanes rencontrés en région parisienne avaient commis un délit « avant de se droguer ». Pourtant, cet article laisse perplexe. Ces chiffres signifient-ils que 62 % de ces toxicomanes se sont « drogués » avant de commettre leur premier délit ? Comment peut-on alors croire en l'affirmation du début d'article selon laquelle la délinquance mène à la drogue ?

Voilà donc un exemple des informations trop souvent véhiculées dans les médias. On débute par un titre provocateur qui est vite discrédité lorsque le lecteur procède à une analyse fine et avisée des chiffres proposés.

Par ailleurs, les scientifiques, de par leur langage hermétique et leurs objets de préoccupation (parfois fort limités), n'apportent pas toujours les réponses aux questions de l'heure. Force est de constater que la criminalité des consommateurs de cannabis ou d'hallucinogènes, par exemple, ne constitue pas un intérêt majeur pour les chercheurs[41]. Ces fumeurs de marijuana ou de haschich, bien qu'ils représentent une grande portion des personnes arrêtées pour possession simple de drogues (voir Brochu, 1995), ne semblent guère portés vers la délinquance, si l'on en croit les quelques recherches publiées (Gandossy *et al.*, 1980 ; Sarnecki, 1989).

Il en est tout autrement pour les opiacés et la cocaïne. Les chercheurs préfèrent donc s'attarder à ces substances qui provoquent une tolérance marquée ou qui se transigent à des prix élevés. On suppose ici que ces deux facteurs vont concourir à créer la criminalité économico-compulsive que nous évoquions plus haut.

40. Bien que dans certains pays ou dans quelques États la possession de petites quantités de drogue visiblement destinées à une consommation personnelle ne soit passible d'aucune sanction.

41. Celle des consommateurs de tabac encore moins.

Mais peut-on affirmer pour autant que les héroïnomanes ou les cocaïnomanes constituent avant tout des déviants impliqués dans une forme ou une autre de criminalité ?

L'implication criminelle des usagers de drogues illicites fortement proscrites

Le cheminement individuel des usagers de substances psycho-actives illicites fortement proscrites par la société ne s'avère pas constant et exempt de sinuosités. L'examen de l'itinéraire de ces consommateurs démontre qu'il s'agit habituellement d'un parcours ponctué de périodes d'utilisation réduite et même d'abstinence (Cromwell *et al.*, 1991; Hammersley *et al.*, 1989 ; Zinberg, 1984). En fait, l'usager se trouve soumis aux aléas de la disponibilité des drogues et des arrestations. De plus, la conduite criminelle n'est jamais totalement prévisible et le toxicomane conserve toujours une certaine part de choix face aux actes qu'il posera (Grapendaal, Leuw et Nelen, 1991).

Les observations précédentes ont conduit certains chercheurs à adopter des méthodes d'analyse rétrospective pouvant tenir compte de ces fluctuations dans le temps. Une des techniques employées, que l'on nomme « calendrier des jours de crime[42] par année à risque[43] », apporte donc une lunette d'observation unique permettant d'étudier la convergence des fluctuations entre la consommation de l'héroïne (ou parfois de cocaïne) et la criminalité (Ball *et al.*, 1981, 1982). Il a ainsi été possible de constater que, pendant leur période « active », les gros consommateurs d'héroïne se trouvent les deux tiers du temps en phases toxicomanes ou de consommation régulière abusive (Ball *et al.*, 1981[44]). Pendant ces épisodes, ces gros consommateurs multiplient leurs activités criminelles. Durant ce cycle, leur taux de criminalité se voit multiplié par un facteur de deux à six (Ball *et al.*, 1981[45]). C'est également lors de ces périodes de consommation régulière importante que l'on voit apparaître une criminalité plus sérieuse. Les vols avec violence de même que les vols par effractions

42. Période de 24 heures pendant laquelle une personne a commis un crime ou plus.
43. Période durant laquelle la personne avait la possibilité de commettre des crimes. On exclut donc les périodes d'emprisonnement ou d'hospitalisation.
44. Voir également Ball *et al.* (1982) et (1983), Johnson et Kaplan (1988), ainsi que Nurco *et al.* (1988).
45. Voir également Anglin et Speckart (1988), Ball *et al.* (1982), Cushman (1974), File, McCahill et Savitz (1974), Freuge (1972), Greenberg et Adler (1974), Hunt, Lipton et Spunt (1984), McGlothlin, Anglin et Wilson (1978), O'Donnell (1966), Speckart et Anglin (1986a et 1986b), Stephens et Ellis (1975), Voss et Stephens (1973), ainsi que Weissman, Marr et Katsampes (1976).

atteignent alors leur apogée (Anglin et Speckart, 1988[46]). Cela ne signifie pas pour autant que les gros consommateurs d'héroïne s'éloignent nécessairement de la criminalité lors de leurs cycles d'abstinence (ou de consommation minimale), mais le niveau moyen de jours de crime se trouve considérablement réduit (moins de 50 jours de crime par années à risque)[47] (Ball *et al.*, 1981[48]).

Les vols (surtout les vols à l'étalage) de même que les activités reliées au trafic de drogues constituent les types de crime les plus souvent perpétrés par ces toxicomanes (Ball et Nurco, 1983[49]). Bien que la grande majorité de ces gros consommateurs de stupéfiants aient été interceptés par la justice au moins une fois au cours de leur vie[50], moins de 1 % de tous ces crimes se sont soldés par l'arrestation[51] de l'infracteur (Ball, 1991). On comprend alors le pouvoir d'attraction de la délinquance pour la personne qui ne réussit pas, par des moyens légaux, à satisfaire ses besoins financiers engendrés par la dépendance ; il s'agit là d'un moyen rapide et sûr de combler ses besoins. Par ailleurs, devant un si faible pourcentage d'arrestations, il n'est pas difficile de comprendre le doute des chercheurs en ce qui concerne les statistiques judiciaires qui n'offrent pas un portrait représentatif de la population des contrevenants[52].

On est donc à même de constater un certain nombre de similarités entre les individus étiquetés « criminels » ou « toxicomanes ». Pourtant, il devient impérieux d'insister sur le fait que certaines nuances et parfois même des divergences fort importantes sont notables quant à l'implication criminelle et à la succession d'épisodes toxicomaniaques chez les héroïnomanes ou les cocaïnomanes étudiés. Ainsi, un premier niveau d'observation a permis de constater que certains usagers compulsifs commettent très peu d'infractions ou se spécialisent dans une activité criminelle, alors que d'autres vont

46. Voir également Ball, Shaffer et Nurco (1983), Dobinson (1989), Hunt, Lipton et Spunt (1984), Johnson *et al.* (1985), Johnson et Kaplan (1988), Nurco *et al.* (1985), ainsi que Speckart et Anglin (1986a et 1986b).

47. Il faut bien comprendre que les échantillons étudiés sont généralement constitués de personnes provenant de milieux socio-économiques défavorisés. La situation s'avère peut-être fort différente pour des personnes de classes plus aisées.

48. Voir également Ball *et al.* (1982) et (1983), ainsi que Nurco *et al.* (1988).

49. Voir également Johnson *et al.* (1985), Nurco *et al.* (1988), ainsi que Nurco, Hanlon et Kinlock (1991).

50. On note, en moyenne, une arrestation par année (Johnson et Kaplan, 1988).

51. En 1991, Ball estimait que les risques d'arrestation des toxicomanes se situent à 1 sur 1 000.

52. Le lecteur qui désire en savoir plus concernant les limites des méthodes de recherches utilisées dans le domaine de la relation drogue-crime sont priés de consulter l'annexe 1.

s'impliquer dans des centaines de délits de nature très variée (Nurco *et al.*, 1984; Shaffer *et al.*, 1984 et 1987). Bien plus, l'étude spécifique des sous-groupes de toxicomanes a permis d'isoler certains types méconnus. Nous pensons ici aux «criminels prospères» qui tirent de leurs activités illicites plus d'argent qu'il ne leur en faut ou aux «toxicomanes au travail» qui occupent un emploi régulier rémunéré et qui ne présentent qu'une implication minimale au niveau de la délinquance[53] (Nurco *et al.*, 1985 et 1991).

Ainsi, d'une part, l'installation d'une habitude toxicomane régulière semble précipiter un accroissement important de l'implication criminelle; pourtant, on le voit bien ici, tous les toxicomanes ne sont pas nécessairement contraints de mener une vie criminelle plus active. En d'autres termes, la drogue ne contrôle pas l'activité délinquante; des sources de revenu autres s'offrent également aux toxicomanes. Ceux qui s'impliquent entièrement dans la criminalité faisant le plus l'objet de l'attention du système pénal partagent généralement deux caractéristiques communes: ils proviennent de milieux socio-économiques défavorisés et ils ont une expérience préalable du monde criminel. Bref, une fraction seulement des consommateurs de substances psycho-actives illicites s'engageront activement dans une criminalité autre que leurs activités reliées directement à leur consommation (par exemple possession de stupéfiants); ces personnes possèdent un certain nombre de caractéristiques qui leur sont propres. Nous reviendrons sur ce sujet lors du chapitre consacré aux facteurs de risque.

Le crime: une façon parmi d'autres de subvenir à ses besoins

Notre connaissance du style de vie des toxicomanes se nourrit très fréquemment de mythes et de préjugés extrêmement difficiles à éradiquer. On associe très souvent les toxicomanes à des loques humaines dont la pensée et le sens moral sont gravement affectés par la consommation. Telles des épaves, ils se laisseraient porter au gré de la marée de la marginalité, de la déviance et de la criminalité. Pourtant, l'observation de leur mode de vie en trace un portrait plus actif. Ces recherches démontrent que les gros consommateurs de stupéfiants utilisent généralement six grandes façons de gérer le fardeau économique engendré par leur consommation (voir Faupel, 1991;

53. D'autres (Anglin et Speckart, 1988) ont démontré qu'une relation négative existe entre l'implication criminelle et l'occupation d'un emploi rémunéré chez l'héroïnomane.

Johnson *et al.*, 1985 ; Grapendaal, Leuw et Nelen, 1991, pour une description plus complète des sources de revenu des toxicomanes). Ces façons de faire ne sont pas mutuellement exclusives, bien au contraire, l'implication dans plus d'un type d'activités lucratives constitue souvent la seule solution envisageable pour satisfaire aux besoins financiers engendrés par la toxicomanie.

Le moyen le plus connu repose, bien entendu, sur une importante **implication criminelle** plus ou moins directement en vue de l'achat de drogues. Elle consiste donc en une compromission dans des activités délinquantes lucratives. Il s'agirait de la source principale de revenu pour plus de 90 % des héroïnomanes (Nurco, Hanlon et Kinlock, 1991 ; Inciardi, 1987). Un chapitre sera entièrement consacré à ce type de criminalité de la part des gros consommateurs de drogues illicites en quête d'argent.

Une deuxième manœuvre consiste à **réduire l'ensemble des dépenses** (Faupel, 1991 ; Johnson *et al.*, 1985 ; Grapendall, Leuw et Nelen, 1991). C'est ainsi que les toxicomanes tenteront de bénéficier de repas gratuits, qu'ils demeureront tour à tour chez des amis et des connaissances et qu'ils se procureront l'objet de leur dépendance en échange de menus services. Ils pourront également acheter leur drogue en plus grand volume. Ainsi, le prix de revient étant moindre, il leur sera possible d'en revendre de petites quantités à des usagers moins expérimentés au prix qui prévaut dans la rue ou de faire profiter leurs copains de cette aubaine. Cet accès facile à la drogue deviendra cependant, pour bon nombre d'entre eux, un facteur favorisant la surconsommation.

Certains héroïnomanes (plus de 40 %) vont parvenir à conserver un **emploi**, du moins un certain temps (Grapendaal, Leuw et Nelen, 1991 ; Johnson *et al.*, 1985 ; Inciardi, 1987). Il s'agit souvent de travaux au noir ou à temps partiel, mais rien n'exclut l'occupation d'un emploi régulier. Pour un grand nombre de toxicomanes, le fait d'occuper un emploi leur apportera une structure de vie qui aura pour effet de limiter leur consommation de drogues (Faupel, 1991 ; Reuter, MacCoun et Murphy, 1990).

Plusieurs toxicomanes (plus du quart) jouiront des **largesses de leur entourage** et quémanderont les faveurs ou l'argent de leurs proches (Inciardi, 1987). Les moins fortunés iront tout simplement mendier sur la place publique.

Un bon nombre de gros consommateurs de substances psychoactives (moins du quart aux États-Unis) profiteront d'un **soutien public** (Inciardi, 1987). Ceux qui ont occupé un emploi dans un passé récent réclameront des indemnités d'assurance-chômage.

D'autres arriveront à retirer des prestations d'accident de travail. Enfin, certains bénéficieront d'allocations du bien-être social.

Enfin, on observera également qu'un certain nombre d'héroïnomanes s'impliquent dans des **activités périphériques à la vente de drogues** (MacCoun et Reuter, 1992[54]). C'est ainsi qu'ils agiront à titre de rabatteurs en conduisant des clients potentiels vers des revendeurs. Ils pourront louer leur seringue ou d'autres instruments servant à la consommation de drogues à des néophytes. Certains aideront des usagers moins expérimentés à s'injecter leur drogue. D'autres pourront tester la qualité de la substance pour un revendeur intermédiaire, transporter des quantités plus ou moins importantes de drogues d'un endroit à un autre ou même en entreposer temporairement dans leur maison. Un certain nombre revendront la méthadone qui leur est prescrite. Ces activités sont habituellement pratiquées selon les occasions rencontrées et rémunérées selon les risques encourus.

Ainsi, l'implication criminelle peut varier d'une personne à l'autre. Cela dépend en grande partie du lien qu'elle a établi avec la drogue (par exemple tolérance, dépendance...), des coûts du produit, des attirances de la personne envers certains types d'activités et du milieu dans lequel elle évolue (par exemple niveau socio-économique, contacts, occasions, circonstances...). De plus, la décennie semble associée à des pratiques délinquantes différentes. Ainsi, alors que les héroïnomanes du début des années 1980 s'impliquaient surtout dans des crimes contre la propriété, ceux du milieu des années 1980 et du début des années 1990 préfèrent trouver la plus grande partie de leurs revenus illicites dans le trafic de drogues (Nurco, Hanlon et Kinlock, 1991). Enfin, il faut noter que la grande majorité des toxicomanes réservent une partie de leur budget régulier pour des besoins (par exemple logement, nourriture, vêtement...) qui ne sont pas reliés directement à leur usage de drogues (Hammersley *et al.*, 1989).

La structure des activités quotidiennes constitue sûrement ce qui différencie le plus le toxicomane qui ne dispose plus du choix de commettre un grand nombre d'activités criminelles de celui qui peut encore les limiter. Ainsi, une personne qui ne cultive d'autre intérêt que la consommation de substances psycho-actives éprouvera d'extrêmes difficultés à bien la gérer. Plus elle en aura à sa disposition, plus elle en voudra. Ses besoins en drogues rendront nécessaire un apport d'argent important. Son voisin toxicomane qui conserve

54. Voir également Faupel (1991), Johnson *et al.* (1985), ainsi que Grapendaal, Leuw et Nelen (1991).

un emploi devra, quant à lui, planifier, agencer, organiser sa consommation et son travail de façon à ce que ces deux activités ne soient pas incompatibles.

Dans un livre publié en 1991, Faupel présentait l'exemple d'un héroïnomane qui occupait un emploi dans une boutique de vêtements pour hommes. Cet individu s'injectait quatre fois par jour : au lever, à la pause du midi, au terme de sa journée de travail ainsi qu'au coucher. Il s'adonnait à son emploi selon un horaire normal tout en vendant certaines quantités de drogues pendant ses heures libres et en « supervisant » quelques prostituées. Il s'agit là d'individus qui réussissent à « gérer » les activités reliées à leur consommation tout en préservant une occupation légitime rétribuée. Cet exemple ne constitue pas un cas unique, mais représente plutôt une catégorie de gros consommateurs d'héroïne dont on entend généralement peu parler. D'une part, ce type de consommateur ne fréquente pas les services d'aide pour les toxicomanes et n'est pas pris en charge par le système de justice ; il est donc difficilement identifiable par les chercheurs. D'autre part, il ne satisfait pas aux critères véhiculés dans l'imaginaire collectif voulant qu'un gros consommateur de substances psycho-actives illicites, telle l'héroïne, soit nécessairement avili par sa consommation.

La structure des activités quotidiennes pourrait donc constituer un élément stabilisant auquel le toxicomane peut s'accrocher pour ne pas se laisser engouffrer dans une liaison servile avec la drogue. Pourtant, tout le monde ne peut pas se raccrocher à cette structure. Les jeunes provenant de certains quartiers moins fortunés n'ont pas un accès facile au marché de l'emploi ou à un revenu décent. On n'a qu'à examiner les statistiques de la distribution du nombre des sans-emploi selon l'origine socio-économique pour constater le cul-de-sac culturel dans lequel ils sont enlisés.

Le vide laissé par un héritage socio-économique indésiré constitue un lieu fertile pour le développement de certains types d'implication criminelle (par exemple celles qui font l'objet d'une plus grande attention de la part du système pénal) de même que pour l'adoption de modes de consommation potentiellement plus dangereux pour leurs utilisateurs (par exemple consommation de crack, injection intraveineuse...).

Et les femmes alors ?

Il apparaît que les femmes commencent leur carrière d'abus de drogues illicites plus tard que les hommes. Cette initiation a souvent été faite sous la pression de leur partenaire sexuel (Anglin et Hser, 1987). Une fois entamée, leur progression est plus rapide. Ce qui fait qu'elles consomment autant, sinon plus, que leurs homologues masculins (Inciardi, 1987).

Pour celles qui s'impliquent dans la criminalité, il est possible de noter certains écarts face à la situation qui vient d'être dépeinte pour les hommes. En effet, il appert que les femmes présentent une plus forte implication que les hommes dans des activités illégales qui représentent une extension des attentes traditionnelles à leur égard (Faupel, 1986 ; Sanchez et Johnson, 1987 ; Silverman, 1982). Ainsi, elles s'impliquent fréquemment dans des crimes tels la revente de drogues, le vol à l'étalage de même que les activités reliées à la prostitution. On note également une tendance à présenter une délinquance non spécialisée et circonstancielle (Hser, Chou et Anglin, 1990).

Même si une grande majorité des femmes contrevenantes toxicomanes se sont déjà fait appréhender au moins une fois par le système de justice pénale, leur criminalité lucrative – très souvent d'accord commun – les conduit moins fréquemment que les hommes derrière les barreaux. Lorsqu'elles sont arrêtées, c'est généralement pour une courte période de temps[55] (Inciardi et Pottieger, 1986).

En effet, plus de 99,9 % des 61 285 crimes commis par les 133 femmes héroïnomanes de l'échantillon interviewé par Inciardi et Pottieger (1986) ne donnèrent pas lieu à l'arrestation de l'auteur de l'infraction. De plus, selon Inciardi (1987), le nombre médian d'arrestations s'élève à 3,5 pour les hommes (sur une carrière toxicomane moyenne de 12,8 ans) contre 2,6 pour les femmes (au cours d'une carrière moyenne de 11,0 ans). Enfin, selon cette dernière étude, 84 % des hommes héroïnomanes ont déjà été incarcérés contre 62 % des femmes.

D'autre part, bon nombre d'entre elles choisiront un petit ami trafiquant qui soutiendra, pour un temps du moins, leurs besoins en drogues sans qu'elles aient à s'impliquer directement dans la criminalité (Anglin et Hser, 1987; Goldstein, 1979).

SYNTHÈSE

La consommation illicite de substances psycho-actives a constitué une préoccupation importante de ce dernier quart de siècle. On est à même de constater que parmi les toxicomanes s'instaure souvent un lien important entre drogue et crime.

55. Voir également Ball *et al.* (1975), Chambers, Hinesley et Moldestad (1970), Covington (1985), Cuskey, Premkumar et Sigel (1972), Ellinwood, Smith et Vaillant (1966), Inciardi (1987), ainsi qu'Inciardi et Chambers (1972).

On a d'abord cru que la consommation de drogues conduisait à la délinquance. C'est effectivement le cas pour un certain nombre de personnes dépendantes. Le besoin en drogues exige une entrée d'argent importante qui est souvent satisfaite par des activités criminelles lucratives :

Pourtant, la fin des années 1980 a vu naître une conception inverse : les toxicomanes ne seraient-ils pas avant tout des criminels ?

Cette question dénote bien un désir de classer, d'étiqueter et de résoudre de façon élémentaire un phénomène complexe. Ainsi, on place toutes les substances psycho-actives illicites dans un seul ensemble ; on assimile tous et chacun dans une même iconographie, en confondant mythes et théories fondées sur des axiomes démontrés. Peut-on vraiment croire qu'un gros consommateur de cannabis est avant tout un délinquant ? Aurait-on jamais l'idée, à notre époque, de croire que tous les alcooliques sont des criminels ? Et que dire des fumeurs de tabac ? Est-ce parce qu'un certain nombre d'entre eux se procurent leur drogue sur le marché illicite qu'ils sont avant tout des criminels ? Les Québécois sont bien placés pour comprendre que l'application de certaines politiques (telle l'imposition de taxes importantes) dans un contexte socioculturel particulier peut favoriser un trafic illicite de tabac encouragé par un grand nombre de personnes autrement sans passé criminel.

Il faut bien se rappeler que tous les usagers de drogues licites ou illicites n'en deviennent pas dépendants, certains arrivant à bien gérer leur consommation[56]. Tous ne sont pas impliqués dans des activités criminelles autres que l'achat et la possession de ces drogues puisque le fait d'en posséder ou d'en faire le trafic est illicite. Chez ceux qui s'impliquent plus à fond dans ces activités, les motifs et la fréquence de cette compromission peuvent varier énormément compte tenu des sujets et de leur classe socio-économique.

Devant cette complexité, certains chercheurs ont cessé de parler d'une relation causale directe pour discuter de facteurs de risque

56. Bien souvent, ces personnes demeurent inconnues des chercheurs qui, trop souvent, se contentent de recruter leurs sujets auprès des personnes admises dans les services de réadaptation pour toxicomanes ou qui se trouvent dans des centres de détention.

pouvant conduire à l'adoption de comportements problématiques. Le prochain chapitre est entièrement consacré à cette notion de facteurs de risque concernant la délinquance et l'abus de substances psychoactives illicites.

3. Les éléments de risque

Malgré l'analyse des études concernant la consommation de drogues des contrevenants (chapitre 1) et la délinquance des toxicomanes (chapitre 2), une question persiste : Qu'est-ce qui incite une personne à entamer et à poursuivre un parcours dans le circuit de la drogue et du crime alors que d'autres s'en éloigneront ? En effet, moins de 1 % des adolescents s'engageront de plain-pied dans une trajectoire délinquante *et* toxicomane (Elliott, Huizinga et Menard, 1989). Qu'est-ce que cette minorité d'adolescents ont en commun ? Afin de bien répondre à cette question, nous examinerons les études concernant les facteurs de risque.

Les facteurs de risque

Dans sa conception la plus déterministe, la notion de facteurs de risque se rapporte aux éléments présents dans le développement du pré-adolescent et de l'adolescent qui peuvent prédisposer le jeune à opter pour des conduites problématiques. Pourtant, si on veut l'utiliser dans toute sa force, cette notion ne doit pas se limiter à une lecture statique des éléments en place. Ces facteurs de risque doivent également être modulés selon leurs niveaux d'importance. Ainsi, l'adoption du comportement *X* (par exemple la consommation d'héroïne par injection à l'âge de 15 ans) serait davantage déterminante de la toxicomanie que l'expression du comportement *Y* (par exemple l'usage fréquent de cannabis à l'âge de 15 ans).

Les écrits scientifiques des dernières années ont rendu possible l'identification de quelques variables permettant de prédire avec une certaine justesse l'apparition d'agissements problématiques[57]. Voici les moins controversées. Tout d'abord la **précocité** de l'initiation à une conduite déviante représente un facteur de prédiction de la manifestation soutenue de ce comportement, et ce jusqu'à l'âge adulte. Également, **des parents absents ou avec lesquels un lien adéquat n'a pu se créer, une difficulté à résister à l'influence**

57. Fréchette et LeBlanc (1987) ont bien démontré que le statut socio-économique *n'est pas* associé statistiquement à la délinquance révélée. En fait, la délinquance se distribue également à travers toutes les classes sociales. Il n'en demeure pas moins que le système de justice pénal repère plus facilement les sujets provenant de classes socio-économiques défavorisées, traçant ainsi un lien entre le statut et les poursuites judiciaires entreprises.

des pairs ainsi que des **résultats scolaires faibles** constituent tous des facteurs associés à l'émergence d'agissements problématiques. Lorsque des jeunes contrevenants sont invités à discuter librement des thèmes de la drogue et de la délinquance, ces trois variables – la famille, les amis et l'école – se révèlent les facteurs habituellement évoqués pour expliquer leur implication déviante (Normand et Brochu, 1993). N'allons pas croire, cependant, qu'un garçon qui expérimente sa première cuite à l'âge de onze ans éprouvera de nombreuses difficultés scolaires, qu'il abandonnera nécessairement l'école précocement et qu'il deviendra un toxicomane dépendant du crime pour survivre. Pourtant, bon nombre de toxicomanes révèlent un passé chargé d'initiations précoces à des activités déviantes.

Examinons un à un les éléments exposés précédemment. On a constaté que l'initiation en bas âge à un comportement déviant apparaît comme un facteur de risque pour une implication criminelle au cours de l'âge adulte (Fréchette et LeBlanc, 1987[58]). En d'autres termes, les adolescents qui commencent leurs activités délinquantes ou l'abus de substances psycho-actives au même moment que (ou après) les jeunes de la même cohorte d'âge s'exposent moins à une implication délinquante ou toxicomane sérieuse que ceux qui se sont initiés à ces conduites de façon précoce (Robins et McEvoy, 1990 ; Windle, 1990). La période d'âge de 10 à 14 ans, avec un sommet entre 10 et 12 ans, est souvent considérée comme le moment critique servant à délimiter la **précocité** (Carpenter *et al.*, 1988 ; Hawkins *et al.*, 1988)[59]. C'est en effet la période durant laquelle la personne doit manifester son autonomie, ses valeurs et ses références (Fréchette et LeBlanc, 1987).

La **famille** et les **amis** constituent les deux sources d'influence les plus importantes pour les jeunes (Kandel, 1973 ; Kandel et Andrews, 1987). À travers leur exemple, la discipline inculquée et leur soutien, les parents fournissent les éléments qui faciliteront le processus de socialisation de leurs enfants (Elliott, Huizinga et Ageton, 1985[60]). Ainsi, c'est l'exemple des parents ou de membres de la famille qui incitera beaucoup d'adolescents à s'engager dans la consommation de tabac, d'alcool ou même de drogues illicites (Cormier,

58. Voir également Blumstein *et al.*(1986), LeBlanc et Fréchette (1989), Loeber (1982) et (1985), Loeber et Stouthamer-Loeber (1987), Tolan (1987), Tolan et Thomas (1988) ainsi que White *et al.*,1990.

59. Certains chercheurs en sont même arrivés à prédire, dès les premières années de scolarisation, l'implication dans un style de vie déviant (voir Tremblay, LeBlanc et Schwartzman, 1988 ; Tremblay *et al.*, 1991a et 1991b ainsi que 1992).

60. Voir également Akers (1984), Kandel et Andrews (1987), ainsi que Windle (1992).

Brochu et Bergevin, 1991[61]) ou à s'initier à la commission de délits (Blumstein, Farrington et Moitra, 1985).

Bien plus, il apparaît de plus en plus que les enfants négligés ou maltraités couvent des risques d'emprunter des parcours déviants (Dembo *et al.*, 1989 et 1992, ainsi que Welsh, 1976).

Parallèlement, un certain nombre d'études ont déjà démontré l'existence d'une relation inverse entre un environnement familial serein et la consommation de **substances psycho-actives** (Adler et Loteka, 1973[62]), ou la **délinquance** (Cernkovich et Giordano, 1987[63]) chez les adolescents. Ce sont en effet les parents qui fournissent aux enfants les premières normes leur permettant d'évaluer l'adéquation de leurs comportements. Si ces aspects normatifs ne sont pas bien intériorisés ou si l'attitude des parents en a provoqué le rejet, il est probable qu'ils seront alors fournis par les amis (Cormier, Brochu et Bergevin, 1991[64]). En ce sens, l'absence, la négligence, l'abus parental ou, d'autre part, l'incapacité des parents à s'intégrer aux normes dominantes contribuent à accroître l'importance accordée au groupe de pairs (Agnew, 1991 ; Elliott, Huizinga et Ageton, 1985 ; Hammersley, Forsyth et Lavelle, 1990).

Dans un rapport d'étude concernant les héroïnomanes hollandais, Grapendaal, Leuw et Nelen (1991) mentionnent que près de la moitié de ces gros consommateurs décrivaient leur relation avec leurs parents comme pauvre ou même très pauvre. Plus du tiers de leur échantillon avaient été en contact, dans le passé, avec les services de protection des enfants. Des résultats semblables ont également été obtenus par des chercheurs américains (White, Pandina et Lagrange, 1987).

L'attirance vers des **compagnons** impliqués dans la commission de délits ou consommateurs de substances psycho-actives illicites, l'acceptation de leurs valeurs et la difficulté de résister aux

---

61. Voir également Fawzy, Coombs et Gerber (1983), Gorsuch et Butler (1976), Groulx, Brochu et Poupart (1992), Halebsky (1987), Hawkins *et al.* (1988), Huba, Wingard et Bentler (1979), Johnson, Shontz et Locke (1984), Normand et Brochu (1993), ainsi que Silbert, Pines et Lynch (1982).

62. Voir également Akers (1984), Baer et Corrado (1974), Bell et Champion (1979), Hawkins *et al.*(1988), Hundleby et Girard (1980), Mercer, Hundleby et Carpenter (1978), Mercer et Kohn (1980), Spovack et Phil (1976), ainsi que Streit, Halsted et Pascale (1974).

63. Voir également Akers (1984), Fagan et Wexler (1987), Patterson, et Dishion (1985), ainsi que Wilson et Herrnstein (1985).

64. Voir également Fréchette et LeBlanc (1987), Hawkins *et al.* (1988) ainsi que Levine et Kozak (1979).

pressions qu'ils pourraient exercer forment le facteur de risque le plus important pour l'adoption future d'un style de vie déviant[65] (Fréchette et LeBlanc, 1987[66]). Plus spécifiquement, le comportement des proches semble associé de près à celui manifesté par le sujet. Les amis constituent très souvent le facteur d'initiation et la première source d'approvisionnement en drogues illicites (Fagan, Weis et Cheng, 1990). Aussi existe-t-il une forte corrélation entre la consommation d'un adolescent et celle de ses amis (White, Johnson et Garrison, 1985[67]).

Par ailleurs, il faut comprendre l'adhésion à un groupe comme un rapport d'amitiés. En ce sens, il ne s'agit pas de dépeindre ce processus tel un piège qui se referme graduellement sur son innocente victime. Il s'agit plutôt d'un mécanisme de sélection mutuelle fondée sur un certain nombre de traits ou d'expériences partagés (Kandel et Andrews, 1987). Il faut bien être conscient que la sous-culture formée par des pairs délinquants exerce un attrait certain pour les jeunes pour qui le monde des adultes n'offre que peu d'espoir. Nous pensons ici aux jeunes qui éprouvent des difficultés familiales ou scolaires et qui n'entretiennent que de faibles attentes de promotion sociale par l'application des valeurs normalement véhiculées. L'adhésion à cette sous-culture leur permet ainsi d'oublier leurs frustrations tout en adoptant un style de vie excitant (Cormier, Brochu et Bergevin, 1991 ; Elliott, Huizinga et Ageton, 1985 ; White, 1990).

Il apparaît cependant que l'influence des pairs tient un rôle moins important dans le développement d'activités déviantes de la jeune fille. Le petit copain consommateur a un ascendant beaucoup plus important que les copines. En effet, il favorise la consommation de l'élue de son cœur en partageant avec elle, outre son amour, sa drogue (Grapendaal, Leuw et Nelen, 1991).

Une pauvre performance, de pair avec une mauvaise **intégration scolaire**, constitue souvent une des causes de l'adoption de comportements problématiques (Fréchette et LeBlanc, 1987[68]). En

65. Valleur (1986) utilisera l'expression « carrière de transgressions répétées ».
66. Voir également Akers (1984), Fagan (1990), Fagan et Chin (1990), Fagan, Weis et Cheng (1990), Grapendaal, Leuw et Nelen (1991), Hammersley *et al.* (1989), Halebsky (1987), Johnson, Marcos et Bahr (1987), Johnston et O'Malley (1986), Kandel (1973), Kandel et Andrews (1987), Marcos, Bahr et Johnson (1986), ainsi que White, Pandina et LaGrange (1987).
67. Voir également Braucht, Brakarsh et Follingstad (1973), Elliott, Hunzinga et Ageton (1985), ainsi que Gorsuch et Butler (1976).
68. Voir également Loeber et Dishion (1983), Loeber et Stouthamer-Loeber (1987), Robins et Hills (1966) ainsi que Quay (1987).

effet, l'échec scolaire favorise le développement d'activités alternatives. Si le jeune s'absente de son école, il risque fort de ne rencontrer que des jeunes «décrocheurs». Il éprouvera beaucoup de difficultés à trouver, durant cette période de la journée, des loisirs intéressants ou un travail utile comme alternatives aux activités délictuelles. Le décrochage scolaire représente donc un facteur de risque considérable pour une implication au niveau de la consommation de drogues illicites et de la délinquance (Normand et Brochu, 1993[69]).

Bien sûr, les conditions de vie familiales inadéquates et le décrochage scolaire se retrouvent davantage dans les quartiers où les ressources sociales ou économiques font défaut. Ce n'est donc pas par hasard que les personnes provenant de classes socio-économiques défavorisées sont surreprésentées lors des études concernant la délinquance auto-révélée : la pauvreté coexiste avec le manque de ressources parentales et le décrochage scolaire et contribue ainsi à la marginalisation des sujets (Elliott, Huizinga et Menard, 1989[70]).

À ces facteurs, il faut également ajouter le sexe, puisque les garçons présentent plus de risques de s'impliquer fortement dans la drogue et dans la délinquance que les filles du même âge.

Devant la constatation que les facteurs de risque pour la délinquance sont similaires à ceux évoqués pour la consommation importante de drogues illicites, Donovan et Jessor (1985) ont élaboré leur concept de syndrome général de déviance. À l'instar de ces auteurs, il est possible de conclure que les facteurs de risque pour l'adoption d'un mode de vie déviant augmentent avec l'aliénation face aux institutions de socialisation en place[71]. D'autant plus que ces jeunes ne seront pas portés à discuter de leurs difficultés avec leurs parents ou leurs professeurs. Il s'avère donc essentiel d'intervenir le plus tôt possible (Tremblay, 1992). L'intervention ne devrait cependant pas se borner à cibler les jeunes à risque, mais devrait également tenter d'améliorer leur milieu de vie et leur permettre d'acquérir un ensemble d'attitudes et d'habiletés propres à mieux les prémunir contre l'adoption de comportements déviants négatifs (Cormier, Brochu et Bergevin, 1991).

En effet, des études récentes (voir une recension des écrits scientifiques publiée par Hawkins, Catalano et Miller en 1992), permettent

69. Voir également Blumstein, Farrington et Moitra (1985), Dryfoos (1990), Grapendaal, Leuw et Nelen (1991), ainsi que White, Pandina et LaGrange (1987).

70. Voir également Hawkins *et al.* (1988), Hawkins, Catalano et Miller (1992), Lorch *et al.* (1988), ainsi que Windle (1990).

71. Voir également Levine et Singer (1988).

de croire que malgré l'exposition à des facteurs de risque très tôt dans la vie, certaines personnes ne développent aucun problème d'adaptation significatif. On croit alors qu'un ensemble de facteurs de protection agissent tel un contrepoids aux facteurs de risque. Ainsi, le développement d'une solide relation avec un des parents pourra contrecarrer l'influence négative de certains pairs. Les études toutes récentes en ce domaine ne permettent pas encore de connaître avec précision l'ensemble des facteurs en cause. On croit cependant que certains traits de personnalité, des dispositions personnelles (telle une forte estime de soi), des habiletés de résolution de problèmes et de gestion des problèmes quotidiens ainsi qu'un milieu supportant constituent une toile de fond sur laquelle les facteurs de risque n'ont qu'une faible prise.

Des niveaux de risque

De façon à mieux préciser les facteurs de risque, plusieurs chercheurs ont cherché à définir les stades d'initiation aux différentes substances psycho-actives[72]. Ainsi, de façon générale, il apparaît que la consommation d'alcool précède l'usage de marijuana ; l'utilisation de ces deux substances peut ouvrir la voie à l'emploi d'autres drogues illicites (Kandel, 1988). Pourtant, il ne s'agit pas ici de donner du poids à la « théorie de l'escalade » selon laquelle la consommation de marijuana conduirait directement à l'usage d'héroïne et au cimetière à courte échéance. Bien que l'utilisation de marijuana constitue habituellement un facteur nécessaire à l'emploi de substances plus fortement réprouvées telles la cocaïne ou l'héroïne, elle ne s'avère pas un facteur suffisant pour en prédire l'apparition (Kandel, 1988).

Parallèlement, un certain nombre de chercheurs ont tenté de bien représenter le cheminement délinquant. Parmi les analyses les plus intéressantes se trouve celle développée par LeBlanc et Fréchette (1989). Selon ces chercheurs, le parcours délinquant serait influencé par trois processus : l'activation, l'aggravation et le désistement. L'« activation » désigne la façon dont le développement criminel débute et se poursuit. Les auteurs distinguent trois processus sous-jacents à cette étape : l'accélération, la stabilisation et la diversification. L'aggravation renvoie à la gradation des activités délictueuses. Ainsi, LeBlanc et Fréchette (1989) ont observé que les individus progressent ou régressent à travers différents stades de développement. Le désistement constitue le processus d'involution ou d'éloignement

72. Le lecteur intéressé par ce thème est prié de consulter Brook, Whiteman et Gordon (1983), Brunswick et Boyle (1979), Donovan et Jessor (1983), Hamburg, Kraemer et Jahnke (1975), Kandel (1975), Kandel et Faust (1975), O'Donnell et Clayton (1982), Welte et Barnes (1985), ainsi que Yamaguchi et Kandel (1984a et 1984b).

progressif face aux activités délictueuses. Les auteurs distinguent trois mécanismes composant le processus de désistement : la décélération, la spécialisation et le plafonnement.

Tout en conservant ces éléments en tête, tentons à l'instar de Chaiken et Johnson (1988) d'observer les niveaux d'implication criminelle des usagers-abuseurs de drogues illicites. Cette typologie présente le mérite de situer sur un spectre les diverses positions pouvant être empruntées par les adolescents impliqués à la fois dans une consommation de ces substances psycho-actives (dépassant le stade expérimental) et d'autres activités en marge de la loi. La voici résumée succinctement.

L'adolescent qui fait un usage occasionnel de substances psycho-actives illicites est généralement attiré par toute une gamme de comportements hors normes ou d'activités à risque – fumer, avoir des relations sexuelles non protégées, conduire une automobile en état d'ébriété, etc. (Akers, 1984; Elliott, Huizinga et Ageton, 1985 ; Gottfredson et Hirschi, 1990). La majorité de ces jeunes consommateurs occasionnels, bien qu'ils soient généralement impliqués dans un assez large spectre de comportements qualifiés de déviants, risquent cependant peu d'attirer l'attention du système de justice (Chaiken et Johnson, 1988).

On estime que, chaque année, environ 10 % des adolescents nord-américains s'engagent d'une façon ou d'une autre dans le trafic de substances psycho-actives illicites (Carpenter *et al.*, 1988). **Ces adolescents occasionnellement impliqués dans le commerce illicite de la drogue**[73] ne constituent pas encore des délinquants avérés. Un bon nombre d'entre eux consomment des drogues illicites, d'autres pas (Altschuler et Brounstein, 1991). Pour les consommateurs, cette entrée d'argent leur permet de se procurer leur drogue d'élection sans trop porter atteinte à leur budget ; les autres pourront s'offrir de « petits luxes ». Rares sont ceux qui considèrent cette « occupation » comme un crime sérieux[74]. Parallèlement, ces jeunes poursuivent des activités scolaires et sociales comparables à celles de leurs pairs. Bon nombre d'entre eux ne dépasseront pas ce stade de manœuvres délinquantes (Chaiken et Johnson, 1988).

Seul un petit nombre parmi les 10 % des adolescents impliqués dans le commerce de la drogue s'y compromet fréquemment. **Ces**

73. Carpenter *et al.*, dans leur étude publiée en 1988 basée sur le témoignage d'adolescents, différencient les « *sellers* » des « *dealers* ». Selon eux, le premier terme s'appliquerait aux jeunes occasionnellement impliqués dans le commerce de la drogue alors que le deuxième désigne les adolescents beaucoup plus impliqués dans ce trafic illicite.

74. Pas plus que le trafic du tabac au Canada en 1993-1994.

adolescents qui s'associent au commerce de la drogue illicite de façon relativement assidue ont passé une étape supplémentaire au niveau d'une implication délinquante. Ils ont dû établir des contacts avec des trafiquants adultes qui leur fournissent la marchandise en quantité suffisante et à des prix compétitifs. Ils entretiennent une clientèle assez régulière. Plus l'adolescent est compromis dans le trafic de la drogue, plus il risque d'en consommer fréquemment et en grande quantité (Brounstein *et al.*, 1990 ; Carpenter *et al.*, 1988). Bon nombre de ces adolescents utilisent donc des drogues illicites sur une base quotidienne (sans pour autant avoir nécessairement développé une tolérance ou une dépendance envers leur produit). Les profits de ce commerce illicite, outre qu'ils payent leur propre consommation, leur servent à se procurer de l'alcool et des cigarettes qu'ils partageront avec leurs amis, de même qu'à acheter des vêtements ou d'autres produits attrayants pour ce groupe d'âge (Carpenter *et al.*, 1988). Le profit constitue généralement la raison principale motivant ces jeunes gens à s'impliquer dans le commerce de la drogue (Brounstein *et al.*, 1990). Parallèlement, ils continuent à fréquenter l'école et à s'adonner à des activités de loisirs communes aux gens de leur âge. Un danger les guette cependant : l'attrait de l'argent vite gagné... et vite dépensé. Si ce style de vie ne les charme pas trop et si les activités scolaires et sociales les captivent suffisamment, ils mettront alors fin à leur occupation illicite au cours de leur adolescence (Chaiken et Johnson, 1988). Toutefois, bon nombre de ces jeunes usagers-revendeurs de drogues ne se limitent pas à cette seule activité. En effet, on estime que la moitié de ces jeunes sont également impliqués dans une criminalité polymorphe (Altschuler et Brounstein, 1991 ; Brounstein *et al.*, 1990).

Ce sont **les adolescents impliqués dans une criminalité polymorphe**, contrairement aux jeunes regroupés dans les catégories analysées précédemment, qui risquent le plus de poursuivre leur trajectoire criminelle jusqu'à l'âge adulte (Kandel, Simcha-Fagan et Davies, 1986 ; Fréchette et LeBlanc, 1987). Ce très petit segment de la jeunesse contemporaine se trouve compromis dans un très grand nombre d'activités délinquantes, parfois très sérieuses. Il en est de même pour la consommation de drogues illicites. Ainsi, moins de 5 % des jeunes commettent de 40 à 60 % des crimes (trafic, vols). Ce sont habituellement ces mêmes jeunes qui se trouvent disproportionnellement associés à la consommation de substances psycho-actives fortement réprouvées socialement, telles la cocaïne et l'héroïne (Johnson *et al.*, 1991 ; Sarnecki, 1989 ; Wish et Johnson, 1986). Ils participent au commerce de la drogue au profit d'un adulte qui leur avance les quantités nécessaires à la bonne marche des transactions. La vente ne constitue pas leur seule implication au niveau de ce commerce. En effet, ils agissent souvent en tant qu'indicateurs pour aiguiller les clients vers les endroits appropriés aux négoces ou pour surveiller les patrouilles policières. Les plus costauds fourniront la protection voulue face au vol de drogues ou d'argent fréquent dans ce milieu. Rares sont ceux qui commettent leur délinquance dans le but avoué de se procurer de la drogue (Brounstein *et al.*, 1990). Leur style de vie axé sur l'apparat attire le respect des plus jeunes qui envient leurs vêtements coûteux (jeans griffés, blouson de cuir, etc.) et leur façon de se comporter. Pourtant, un grand nombre de ces adolescents ne possèdent pas les habiletés nécessaires pour poursuivre très longtemps ce parcours illicite et ils l'abandonneront (Chaiken et Johnson, 1988).

Les adolescents pris en charge par les tribunaux constituent généralement ceux qui présentent la trajectoire délinquante la moins prospère. Leur arrestation fréquente est souvent attribuable à leur usage important de drogues licites ou illicites. Cette consommation ne leur permet pas de se joindre à des réseaux délinquants plus sophistiqués. Les trafiquants adultes les évitent, car ils pourraient attirer le regard des forces policières sur leurs propres activités illégales (Chaiken et Johnson, 1988).

Même si les deux tiers des adolescents regroupés dans les catégories précédentes continueront à consommer certaines drogues illicites lors de leur passage à l'âge adulte, la moitié mettront un terme à leur implication dans des activités délinquantes (Chaiken et Johnson, 1988). Ceux qui poursuivront cette trajectoire proviennent fréquemment de familles désavantagées au niveau social et économique, de parents incapables de s'intégrer aux normes en vigueur ou d'un noyau familial dont les autres membres exercent des activités délinquantes. Ces jeunes présentent généralement un mauvais dossier scolaire. Leur implication criminelle de même que leur consommation de drogues illicites remontent à un âge relativement jeune. Au fil du temps, ils sont devenus des poly-consommateurs et commettent des crimes à une fréquence très élevée en raison de leur manque de formation et de leurs habiletés sociales déficientes. Enfin, peu de possibilités leur sont offertes pour qu'ils réussissent dans des activités licites lucratives, et ils risquent fort d'éprouver d'énormes difficultés à rejoindre la main-d'œuvre active[75] (Dryfoos, 1990).

---

75. Voir également Huizinga et Elliott (1986) et (1987), ainsi que Chaiken et Johnson (1988).

SYNTHÈSE

L'étude des problèmes de l'adolescence procède habituellement par analyses indépendantes de difficultés spécifiques. On traite soit l'abus de substances psycho-actives, soit la délinquance, rarement les deux désordres à la fois. Ce procédé tend à créer beaucoup de confusions et de conflits entre les agences spécialisées dans la prestation de services. On pense ici aux procédures de références mutuelles entre les services dans le cas de double problématique lorsque l'on croit qu'un problème prime le second (Brochu et Mercier, 1992).

Cette division semble prendre ses origines dans les intérêts traditionnels et dans la spécialisation des tâches. Pourtant, tout comme un travail d'équipe multidisciplinaire peut aider l'intervention auprès des toxicomanes contrevenants, une approche globale permet de mieux comprendre la nature de la relation drogue–crime.

C'est ainsi que l'on est amené à constater que des zones de détérioration normative, sociale et économique peuvent influencer à la fois la forte consommation de drogues illicites et l'implication criminelle. À cet égard, la documentation scientifique décrit un ensemble de facteurs de risque. Ces facteurs, que nous pourrions qualifier de « psychosociaux », semblent souvent en relation avec l'aliénation de l'acteur social[76] face aux établissements de régulation normative traditionnels ainsi que devant les appareils de promotion sociale et entraînent ainsi l'adoption d'un style de vie déviant :

Facteurs de risque → Style de vie déviant

Cette exclusion sociale contribue à expliquer l'attirance de ces jeunes pour une sous-culture marginale dirigée par des pairs qui entretiennent des valeurs opposées aux valeurs dominantes, mais mieux à même de comprendre des personnes éprouvant des problèmes similaires. On peut ainsi saisir les raisons incitant certains individus à emprunter une voie déviante, alors que d'autres se laissent plus facilement guider par les normes actuellement prescrites par les institutions. Une fois la trajectoire délinquante empruntée, il est toujours possible de la quitter. En fait, contrairement à ce que l'on a trop souvent tendance à croire, une majorité la délaissent avant d'entrer dans la vie adulte.

76. Le terme « acteur social » est emprunté à Debuyst.

4. La «carrière toxicomane»

Comme on l'a vu au chapitre précédent, des jeunes aux prises avec certaines conditions de vie et éprouvant d'importantes difficultés d'ordre scolaire vont s'associer entre eux pour vivre des expériences alternatives. Ces dernières pourront les conduire vers une culture marginale où la consommation d'alcool et de cannabis est courante. Plusieurs de ces jeunes risquent alors d'entamer, plus ou moins à leur insu, un parcours qui les conduira vers l'usage de drogues fortement proscrites et coûteuses, et peut-être vers la toxicomanie.

Au menu des substances psycho-actives illicites les plus craintes figurent l'héroïne et le crack. Les discours reliés à «la guerre à la drogue» les ont portés au rang des drogues les plus fortement réprouvées. On les associe alors directement à une implication criminelle de leurs usagers. Certains chercheurs ont donc tenté de jeter un peu de lumière sur cette relation ténébreuse. Pour ce faire, un certain nombre d'entre eux ont utilisé le concept sociologique de «carrière toxicomane».

On attribue à Rubington (1967) la paternité du concept de carrière toxicomane. Cette notion, calquant celle de carrière professionnelle, emprunte à la sociologie des professions les éléments d'**adhésion**, de **cheminement** et de **retraite**.

L'adhésion à une carrière toxicomane ne s'accomplit pas toujours de façon très consciente et raisonnée. La première consommation de drogues illicites est souvent offerte par un ami déjà initié qui veut faire partager sa découverte. Pour la majorité des individus, il s'agira alors d'une consommation de marijuana[77] (Dobinson, 1989). Le néophyte acceptera l'offre par esprit de solidarité ainsi que par curiosité (Coombs, 1981; Dobinson, 1989; Fagan et Chin, 1990). Ceux qui en auront tiré de l'excitation et du plaisir chercheront peut-être à répéter l'expérience (Grapendaal, Leuw et Nelen, 1991; Rubington, 1967). Il s'agira pour certains de démontrer leur besoin d'indépendance et leur sentiment de révolte face aux normes de la société qui ne leur permettent pas toujours de s'exprimer à leur gré; pour d'autres, la consommation de ces drogues leur fera découvrir un nouveau monde rempli de défis (Grapendaal, Leuw et Nelen, 1991).

77. De façon générale, le sujet aura préalablement consommé des drogues licites tels l'alcool ou le tabac.

C'est donc souvent dans un contexte d'amitié et, disons-le, de chaleur humaine que se déroulent les premières expériences avec les drogues illicites (Coombs, 1981). Ce milieu fournira au nouvel expérimentateur un ensemble de normes et de règles visant à lui faire connaître, entre autres, les occasions d'utilisation appropriées de même que les façons de procéder de manière à obtenir un effet optimal tout en évitant les problèmes (Coombs, 1981 ; Fagan et Chin, 1990 ; Zinberg, 1984). C'est également dans ce contexte que le jeune initié apprendra à anticiper et à interpréter ses réactions lors de l'intoxication (Coombs, 1981). Ces réunions d'amis peuvent conduire l'utilisateur occasionnel de marijuana vers la consommation de drogues illicites plus fortement réprouvées grâce à des contacts avec des usagers plus expérimentés ou à l'intégration à une micro-culture de consommateurs réguliers (Fagan et Chin, 1990). L'incorporation dans ce milieu micro-culturel aura pour effet d'isoler encore davantage l'usager tout en le renforçant dans ses choix vis-à-vis de la drogue (Dembo *et al.*, 1986).

Néanmoins, même si les notions de libre choix et de volonté font partie des premières expérimentations avec les drogues, rares sont ceux qui adhèrent délibérément et résolument à une carrière toxicomane. Ces usagers se trouvent plutôt à l'âge de la recherche de sensations et de l'expérimentation frivole (Grapendaal, Leuw et Nelen, 1991 ; Faupel, 1991). La succession et l'enchevêtrement de circonstances et de comportements individuels constitueraient les éléments déterminants de cette adhésion. Il peut s'agir de la rencontre d'un ami-trafiquant prêt à écouler une certaine quantité de drogues illicites d'une « pureté exceptionnelle » sur le marché, de la succession de « parties » où la drogue circule abondamment, de la trop grande disponibilité d'argent, de l'accumulation de moments libres difficilement occupés, etc. Mais par-dessus tout, l'élément le plus constant consiste en une pression, souvent subtile, des pairs favorisant la consommation et, en conséquence, la crainte de perdre la face si l'on ne s'y plie pas (Carpenter *et al.*, 1988 ; Grapendaal, Leuw et Nelen, 1991). Ce type d'influences s'exerce surtout dans des zones où l'on dénote une forte prévalence de consommation de drogues illicites (Rubington, 1967). À ce stade, il est encore difficile d'identifier ces expérimentateurs à des consommateurs réguliers de drogues illicites. De plus, l'individu n'a pas encore marqué sa préférence pour une drogue en particulier.

Une fois l'adhésion effectuée, il est possible de noter une tendance à la progression à travers les différents stades de la carrière toxicomane. Bien sûr, tout comme dans une carrière professionnelle, cette mobilité ascensionnelle n'est pas de rigueur. De plus, le temps passé à chacun des stades n'est pas uniforme d'une personne à l'autre. Nous étudierons ici le cheminement de personnes impliquées dans deux types de carrières toxicomanes : celle de l'héroïnomane et celle du consommateur de crack.

La carrière de l'héroïnomane

Plusieurs chercheurs (Brown *et al.*, 1971 ; Coombs, 1981; Simpson *et al.*, 1986) ont étudié la carrière des héroïnomanes, mais c'est certainement Faupel (1991) qui l'a décrite avec le plus de détails. Dans une optique socio-anthropologique, Faupel (1987a et 1987b, 1991) distingue quatre phases dans la carrière héroïnomane : l'utilisation occasionnelle, l'usage régulier, la consommation abusive, la dépendance au produit.

Les usagers d'héroïne commencent habituellement leur consommation entre 15 et 18 ans (Faupel, 1991 ; Grapendaal, Leuw et Nelen, 1991). Ils y accèdent par le stade d'**utilisation occasionnelle**, commun aux jeunes héroïnomanes qui s'initient à ce produit (Faupel, 1991). Certains fréquentent encore l'école ou occupent un emploi. Un bon nombre ont cependant abandonné l'école depuis quelques années. Cette phase d'utilisation occasionnelle est caractérisée par des essais variés. Ces individus ont habituellement commencé leur trajectoire délinquante au cours de leur jeune adolescence. Les profits de cette délinquance encore polymorphe leur permettent d'expérimenter certaines drogues, dont l'héroïne. Leur consommation n'est pas encore régulière, quoiqu'elle dépasse le stade de l'expérimentation isolée. Cet épisode de leur carrière toxicomane s'échelonne sur une période de temps variable selon les individus et le contexte. Pour les uns, elle ne durera que quelques jours tout au plus ; pour d'autres, elle subsistera pendant des années (Faupel, 1991 ; Grapendaal, Leuw et Nelen, 1991). Bien plus, cette progression n'est pas inévitable puisqu'il est possible de prévenir la dépendance en ne consommant de l'héroïne que sur une base occasionnelle, les fins de semaine par exemple (Blackwell, 1983 ; Carpenter *et al.*, 1988 ; Zinberg et Jacobson, 1976[78]).

La personne qui poursuit sa consommation d'héroïne peut alors progresser vers la phase d'**usage régulier** (Faupel, 1991). Cette étape se distingue par l'acquisition d'une spécialisation criminelle[79].

78. Voir également Faupel (1991), Grapendaal, Leuw et Nelen (1991), ainsi que Zinberg (1984).

79. À l'instar de Kowalski et Faupel (1990), la spécialisation criminelle est définie comme une activité qui représente plus de 50 % des infractions commises par une même personne.

L'individu qui a atteint ce palier a su développer certaines habiletés pour un type particulier de crime dans lequel il excelle (Yochelson et Samenow, 1986). Il s'y investit quasi journellement. Pour beaucoup d'hommes, cette spécialité consiste dans la revente de drogues illicites (Faupel, 1991). Il s'agit à leurs yeux d'une activité très lucrative ne comportant que très peu de risques. Ces manœuvres délinquantes leur assurent alors un revenu relativement constant, un style de vie excitant de même que le respect des gens du milieu (Grapendaal, Leuw et Nelen, 1991). On croit même que plusieurs gros consommateurs développent une certaine dépendance face à ce mode de vie et à ce statut (Grapendaal, 1992; Hammersley *et al.*, 1989). Pour les femmes, la prostitution constitue souvent une voie que la société leur impose (Kowalski et Faupel, 1990).

Ces personnes peuvent ainsi se permettre de consommer de façon régulière. L'usage de drogues est, à ce stade, étroitement lié à l'apport financier (Faupel, 1991). Un manque d'argent marque une période de consommation amoindrie, alors que l'inverse s'observe également (Hoekstra et Swart, 1990). Comme le mentionne Grapendaal (1992), un consommateur pourra utiliser deux grammes d'héroïne une journée et rien le lendemain; les « bonnes » et les « mauvaises » journées se succèdent souvent ainsi. Ce n'est donc pas la demande physique qui détermine la consommation, mais plutôt l'argent disponible.

Même si, à ce stade, les personnes sont assurément plus portées à consommer de l'héroïne que d'autres drogues, il n'en demeure pas moins qu'elles ne sont pas totalement perméables aux autres offres qui pourraient se présenter (Hoekstra et Swart, 1990[80]). Ainsi, plusieurs personnes entretiennent une consommation d'alcool ou de cannabis. D'autres consomment un cocktail de cocaïne et d'héroïne connu habituellement sous l'appellation de « speed-ball ». Enfin, à cette liste de substances psycho-actives couramment utilisées par les héroïnomanes, doit s'ajouter le diazépam.

Au troisième stade, le sujet est perçu comme un **consommateur abusif** (Faupel, 1991). La routine a succédé à l'excitation des premières phases (Grapendaal, Leuw et Nelen, 1991). Cette étape est marquée par une désorganisation progressive de la vie de l'individu, ou plutôt une réorganisation de ses habitudes de vie qui se transforment progressivement pour se centrer presque exclusivement autour de la consommation (Faupel, 1991). Les structures

80. Voir également Hunt *et al.* (1987), Inciardi, Pottieger et Faupel (1982), ainsi que Nurco *et al.* (1988).

habituelles auxquelles l'individu se raccrochait s'effritent une à une (Faupel, 1991 ; Grapendaal, Leuw et Nelen, 1991). Pour certains, cette érosion se traduit par la perte de leur emploi ; pour d'autres, il s'agit de la séparation avec une personne aimée. Parallèlement, l'utilisation soutenue et répétée de l'opiacé produit un effet pharmacologique corrosif qui se manifeste par l'apparition de la tolérance. Pourtant, le consommateur n'entreprend aucune action vraiment décisive pour contrer cet enchaînement dramatique, puisque celui-ci s'accompagne du déni de la part du principal intéressé (Grapendaal, Leuw et Nelen, 1991) ou d'une difficulté extrême de renverser la vapeur. La consommation n'aura jamais encore été aussi importante. Paradoxalement, le plaisir et l'euphorie associés à la consommation s'envoleront et la recherche de l'excitation initiale sera condamnée à l'insuccès étant donné l'installation de la tolérance. La consommation est alors dictée par la hantise du sevrage (Grapendaal, Leuw et Nelen, 1991). Bref, ce sera la déroute toxicomaniaque. La drogue occupera une place de plus en plus cruciale dans la vie du consommateur. Le seul facteur qui limitera la consommation d'héroïne résidera dans les frontières imposées par les aléas du revenu (Faupel, 1991).

Bientôt, ce seuil ne sera même plus considéré (Faupel, 1991). La personne entrera alors dans une phase de grande **dépendance** envers l'héroïne. À ce stade, les exigences de cette drogue deviendront si marquées qu'il ne sera plus possible à la personne de nier son assuétude. Cette prise de conscience sera caractérisée par une altération considérable de l'identité du consommateur ; il sera le premier à accepter le mythe du « junkie accroché à sa drogue pour le reste de sa vie » (Grapendaal, Leuw et Nelen, 1991). Cette étape sera marquée par le bouleversement et le chaos. La drogue deviendra le principe organisateur de la vie. Le toxicomane empruntera inconsidérément de manière à financer sa consommation et, d'abord et avant tout, à ne pas subir les souffrances du sevrage (Faupel, 1991). Les dettes s'amoncelleront à un rythme effarant. La personne dépendante ne pourra plus se payer le luxe de planifier ses activités délinquantes. La spécialisation criminelle devra être abandonnée au profit d'une délinquance opportuniste, polymorphe et souvent irréfléchie (Wilson et Herrnstein, 1985), l'objectif primordial étant alors de répondre promptement aux exigences tyranniques et brutales de l'assuétude. Le toxicomane ne se pliera plus aux normes minimales d'éthique qui prévalent en ce milieu (Faupel, 1991). Ainsi, il pourra tenter de voler la marchandise d'un revendeur. Il ne paiera plus ses dettes, il escroquera ses amis. C'est alors que le discrédit le frappera impitoyablement. Dans ces circonstances, l'héroïne deviendra de plus en plus difficile à obtenir. Les revendeurs éviteront de composer avec le mauvais payeur qui, par surcroît, risque de les dénoncer aux forces policières en échange de sa liberté. On le comprendra facilement, l'héroïne se transigera alors à des prix très élevés (Faupel, 1991). La personne ne pourra plus se fier à ses «contacts» pour emprunter de l'argent ou pour profiter de leur largesse. Ses relations interpersonnelles étant ainsi coupées, le toxicomane deviendra alors complètement isolé dans sa sous-culture (double marginalisation) (Grapendaal, Leuw et Nelen, 1991). L'évolution de la dépendance, accompagnée d'une délinquance inconsidérée et maladroite, accroîtra les risques d'arrestation (Faupel, 1991). Cet entracte dans un mode de vie devenu incontrôlable sera parfois le bienvenu, puisqu'il apportera un régime de vie plus équilibré, le temps de se remettre en forme (Grapendaal, Leuw et Nelen, 1991). En effet, durant cette période de grande dépendance, plusieurs toxicomanes auront sacrifié leur alimentation et parfois même les soins hygiéniques les plus élémentaires (Faupel, 1991). Dans ces circonstances, les uns développeront une véritable aversion pour ce mode de vie et tenteront de mettre un terme à leur carrière, soit à l'aide de services de réadaptation[81], soit par eux-mêmes ; les autres subiront peut-être leur dernier sevrage en prison ; enfin, certains se donneront la mort par «overdose» ou par d'autres moyens. La carrière toxicomane de l'héroïnomane aura duré au plus vingt ans (Grapendaal, Leuw et Nelen, 1991).

Cette phase terminale de la carrière de l'héroïnomane correspond généralement au stéréotype que se font «monsieur et madame Tout-le-Monde» de la situation des toxicomanes. Cependant, il faut bien mentionner que la traversée de cet épisode de «bas-fonds» n'est pas inéluctable ni même nécessaire. Certaines personnes arriveront à très bien contrôler leur consommation jusqu'au terme de leur carrière d'héroïnomane (Zinberg, 1984).

Une fois retirées de cette carrière héroïnomane, un grand nombre de personnes rejoindront probablement la légion des sans-emploi (Adler, 1992 ; Grapendaal, Leuw et Nelen, 1991). Beaucoup ne pourront se résigner à accepter un emploi de «neuf à cinq» (Adler, 1992). Pour ceux qui le désireraient, il ne sera pas facile d'expliquer, à un employeur éventuel, les véritables causes du trou énorme laissé dans le curriculum vitæ de l'ex-toxicomane. Beaucoup seront donc plus ou moins «forcés» de poursuivre un style de vie en marge de la légalité. Certains vont se réfugier chez des parents pour quelques jours qui ne finiront jamais ou tenter d'exploiter quiconque se trouve sur leur chemin. D'autres (une minorité) seront happés par une spirale descendante qui les conduira vers l'itinérance (Grapendaal, Leuw

81. Plusieurs intervenants croient que c'est à ce stade que les programmes de traitement présentent le plus de chances de s'avérer efficaces.

et Nelen, 1991). Toutefois, quelques-uns pourront réintégrer le marché du travail ; ce sont ceux qui avaient développé le plus d'habiletés sociales avant que ne débute leur carrière déviante et ceux qui n'ont jamais rompu totalement leurs liens d'emploi (Adler, 1992).

La carrière de l'héroïnomane et sa trajectoire criminelle

Ce rapide tracé du curriculum héroïnomaniaque, appuyé sur les recherches de Faupel (1987a et 1987b ; 1988 ; 1991) et de Faupel et Klockars (1987) aux États-Unis, ainsi que celles de Grapendaal, Leuw et Nelen (1991) en Hollande, indique que, dans bien des cas, la criminalité n'est pas liée de façon causale à la consommation de drogues.

Ainsi, durant la phase de consommation occasionnelle, ces néophytes s'engagent dans une expérimentation aléatoire autant avec le crime qu'avec la drogue. Ils ne se sont pas encore installés dans une position criminelle stable et vivent leurs premières expériences de consommation de drogues. À l'instar de Faupel (1991), il faut alors conclure que si une relation causale doit exister, elle se trouve dans le sens inverse à ce qu'on suppose généralement, puisque ce sont habituellement les revenus tirés de la criminalité qui permettent les achats de drogues.

La relation drogue–crime se complexifie au moment où s'installe plus définitivement la consommation d'héroïne. Les sujets interrogés par Faupel (1991) indiquaient bien que leur usage de drogues était alors régi par les revenus tirés du crime. Pourtant, on est en droit de s'interroger sur l'incidence de cette consommation quant à une augmentation, ne serait-ce que légère, de l'activité criminelle. On peut donc supposer qu'à ce stade, la relation étudiée est plus embrouillée que ne le disent les toxicomanes interrogés à ce sujet. En effet, il semble que ces deux comportements s'imbriquent remarquablement bien dans le style de vie adopté. Parallèlement, c'est au moment où la personne commence sa revente de drogue sur une base régulière qu'elle risque d'entrer en compétition avec d'autres revendeurs convoitant le même territoire. Son implication soutenue dans ce milieu nécessitera de sa part la capacité de répondre aux menaces et à la violence inhérentes au système de distribution illicite de la drogue.

Pourtant, plus la dépendance s'installe, plus la relation drogue–crime semble s'inscrire dans un lien causal incontournable. C'est ainsi que l'ancrage définitif dans la toxicomanie aura tôt fait de détourner le délinquant de sa spécialité criminelle. On l'a vu, cette spécialité n'apportera plus les revenus suffisants pour apaiser les besoins de drogues provoqués par l'installation de la tolérance. C'est elle qui exigera du toxicomane une implication délinquante accrue. Il ira jusqu'à exercer une certaine violence envers les gens de son entourage pour se procurer de la drogue. Dans ce cas, ce ne sera pas l'effet de l'intoxication qui conduira à la violence, mais plutôt l'incessante crainte du sevrage. Ce sera souvent en grande partie en raison de cette dépendance et des comportements impulsifs et irréfléchis qui en découlent qu'il se retrouvera derrière les barreaux.

La fin de la carrière héroïnomane coïncidera avec la fin de la trajectoire criminelle, à quelques années près (D'Orban, 1970 et 1973), confirmant ainsi l'hypothèse d'un phénomène de maturation générale.

Parallèlement à cette trajectoire criminelle sillonnée par des héroïnomanes préalablement impliqués dans le milieu de la délinquance se trouve un parcours beaucoup moins fréquemment emprunté ; on pourrait même croire qu'il est emprunté par accident[82]. Il s'agit du cheminement du consommateur d'héroïne qui n'était préalablement impliqué d'aucune façon dans une trajectoire criminelle. C'est peut-être le cas d'au plus un héroïnomane sur cinq (Grapendaal, Leuw et Nelen, 1991). Tout comme pour le premier, la dépendance et la perte de contrôle sur le produit, si elles surviennent[83], représenteront une étape charnière pour l'implication délinquante. En effet, le gros consommateur qui n'a pas auparavant accumulé un pécule suffisant[84] n'aura alors d'autre choix que de s'initier précipitamment à une certaine forme de criminalité ou de mettre en veilleuse sa consommation devenue oppressive (Nurco *et al.*, 1988).

---

82. Il semble que les tabous entourant la consommation d'héroïne exercent un processus de sélection laissant pénétrer beaucoup plus facilement les personnes déjà impliquées dans une trajectoire déviante. Même chez les toxicomanes utilisant d'autres substances, l'héroïne fascine, suscite le respect mais, avant tout, fait l'objet d'une crainte considérable.

83. Blackwell (1983) de même que Zinberg (1984) ont démontré que certains héroïnomanes pouvaient contrôler leur consommation sans jamais glisser dans la dépendance.

84. Certaines études sérieuses (Goldstein, 1981 ; Johnson *et al.*, 1985) portent à croire que l'héroïnomane qui n'était pas, au moment de l'établissement de la dépendance, impliqué dans une forme quelconque de criminalité et qui possède suffisamment d'argent pour satisfaire les besoins pécuniaires engendrés par son assuétude n'aura pas recours à la criminalité. Pourtant, force est de constater la quasi-absence de travaux scientifiques rigoureux portant sur la drogue, la fortune personnelle et le crime. En fait, la grande majorité des recherches se contentent d'observer les toxicomanes issus de classes sociales défavorisées. Nous ne connaissons rien de l'implication criminelle des toxicomanes plus fortunés. On sait par ailleurs que des groupes professionnels fortunés (par exemple les médecins, les avocats) ont mis en place des groupes d'entraide dont l'accès est réservé à leurs membres.

Nous avons principalement utilisé les travaux de Faupel pour décrire la trajectoire de l'héroïnomane et l'évolution de sa relation à la drogue et au crime. Ces travaux nous ont apporté un éclairage nouveau et nécessaire à la bonne compréhension du phénomène à l'étude. Ils nous ont révélé l'importance de la détermination du stade d'évolution lors de l'étude de la trajectoire d'un toxicomane. Ces travaux nous ont paru particulièrement importants parce qu'ils recoupent et valident l'impression clinique d'un grand nombre d'intervenants. Cependant, une critique peut ici être adressée à Faupel, il s'agit de la difficulté à bien distinguer le stade d'abus du stade de dépendance. À notre avis, il s'agit là d'une division abstraite qui ne rend pas bien compte de la réalité. Nous préférons une subdivision en trois stades : expérimentation, usage régulier et dépendance.

Il faut bien préciser ici que les héroïnomanes constituent une classe toute particulière de toxicomanes : ils représentent, à bien des égards, une sous-culture. Il serait donc tout à fait imprudent et malavisé de généraliser ces résultats à des consommateurs de cannabis ou à des gros consommateurs de médicaments prescrits.

La carrière de l'usager de crack

La carrière de l'usager de crack ressemble en grande partie à celle de l'usager d'héroïne. De ce fait, nous nous contenterons ici de relever les points de distinction entre les deux carrières.

Ainsi, Fagan et Chin (1990) ont constaté que les consommateurs de crack s'initient à cette drogue à un âge relativement tardif[85] et après l'initiation à d'autres drogues considérées comme moins nocives. Ces initiés apprennent davantage les techniques pour tirer le maximum d'effet de leur intoxication plutôt que les éléments d'un usage sécuritaire.

Ces usagers ne rejettent pas en bloc les valeurs du monde occidental. Au contraire, ils semblent bien impliqués dans l'idéologie capitaliste actuelle (Bourgois, 1989). L'argent leur apparaît comme un outil de promotion sociale et personnelle. Ils en constatent le pouvoir : les plus pauvres ou les plus dépendants doivent souvent s'astreindre à de basses besognes de façon à obtenir leur ration de drogues (Carlson et Siegal, 1991[86]).

85. Il est possible que cette initiation tardive ne soit qu'un artefact de l'introduction récente de cette drogue sur le marché nord-américain.

86. Voir également Inciardi *et al.* (1991), Lecavalier (1992), Morningstar et Chitwood (1987), ainsi que Sterk et Elifson (1990).

Usage de crack et trajectoire criminelle

Le fait que les gens s'initient à l'usage du crack à un âge relativement tardif et après un cheminement avec d'autres drogues contribue à donner l'impression que l'on emprunte cette voie à la suite d'une trajectoire criminelle déjà bien amorcée. Ainsi, on remarque qu'un grand nombre de consommateurs de crack étaient déjà impliqués dans la revente de drogues illicites ainsi que dans d'autres types de crimes non reliés à la drogue (Fagan et Chin, 1990). Tout comme pour l'usager d'héroïne, l'entrée d'argent semble un facteur modulateur de la consommation des nouveaux utilisateurs de crack[87].

La relation drogue–crime pour la suite de la carrière du gros consommateur de crack demeure une inconnue. En effet, nous ne pouvons que déplorer l'absence de recherches en ce domaine.

SYNTHÈSE

En somme, il apparaît d'abord que l'initiation à une carrière de gros consommateur d'héroïne ou de crack est caractérisée par un phénomène d'auto-sélection. La mauvaise publicité entourant ces drogues pourrait jouer dans ce processus de sélection. Quoi qu'il en soit, il ressort que les personnes déjà bien impliquées dans une trajectoire déviante, sinon délinquante, constituent la grande majorité des individus qui s'engagent de plain-pied dans une telle carrière toxicomane.

Une fois amorcée, la carrière des usagers d'héroïne ou de crack se caractérise donc par de nombreux méandres. Les aléas du marché gouvernent parfois la consommation. L'abstinence fait souvent place à la rechute. Les arrestations ponctuent la trajectoire. Néanmoins, il est possible de distinguer au fil de cette évolution une transformation de la relation drogue–crime. La drogue, qui était au départ une source de plaisir auquel s'abreuvait le jeune contrevenant pour fêter ses succès criminels, conduira l'usager régulier vers une délinquance liée au marché de distribution illicite du produit (le crime lui permettra une entrée d'argent suffisante pour s'offrir des drogues, mais en revanche la drogue permettra l'expansion de la criminalité), et le

87. Le mythe de la dépendance automatique au crack n'est pas étayé par les écrits scientifiques.

dépendant à une criminalité lucrative accentuée par le besoin en drogues et la crainte du sevrage :

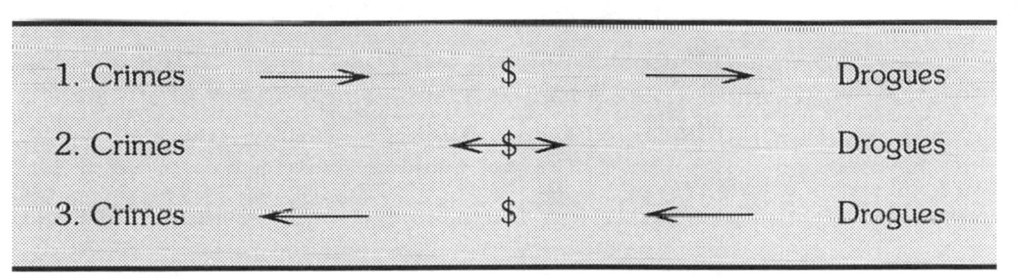

Au fil de l'évolution de la carrière toxicomane et de la trajectoire criminelle, se tisse donc une toile qui lie de plus en plus étroitement ces deux comportements déviants. Le rapprochement s'effectuant, il deviendra graduellement impossible de dissocier les deux conduites. La toxicomanie se manifestera alors sournoisement. D'abord sous la forme d'une habitude coûteuse, certes, mais que comble aisément le produit du crime. Pour certains, graduellement elle se métamorphosera jusqu'à exiger un apport financier constant, bien supérieur aux revenus réguliers du consommateur. Elle servira alors de courroie d'entraînement à l'intensification d'une trajectoire criminelle souvent déjà bien amorcée.

Bien que fort utile pour décrire le cheminement général des gros consommateurs d'héroïne ou de crack, le concept de carrière toxicomane pose trois difficultés importantes. La première est qu'elle suggère que les héroïnomanes ou les gros consommateurs de crack suivent tous une trajectoire identique. Il n'en est rien. En effet, certains toxicomanes vont progresser plus ou moins rapidement à travers les étapes de leur trajectoire. Un bon nombre vont s'arrêter en cours de cheminement pour se retirer définitivement de ce milieu. L'implication criminelle variera en fonction des dispositions de chacun. Plusieurs vont se limiter à un petit trafic entre personnes connues, alors que d'autres vont se spécialiser dans les vols à main armée.

La deuxième a trait à la stabilité de la notion de « carrière » à travers le temps. En effet, on est porté à croire que la carrière d'un toxicomane, quoique pouvant être différente d'un individu à l'autre, on vient de le voir, demeure cependant relativement stable en fonction des époques. Il s'agit cependant d'une erreur trop fréquente dans le domaine des études sur les drogues et la délinquance. En effet, la carrière de l'héroïnomane des années 1960 ne ressemble pas à celle des personnes dépendantes de l'héroïne au cours des années 1980 (Nurco, Cisin et Balter, 1981).

Enfin, la troisième difficulté a trait à la notion de libre choix. Comme si les choix de la personne étaient totalement libres, conscients et fondés sur une volonté d'ascension. Pourtant, trop souvent, ce cheminement est plutôt dicté par un milieu de vie inadéquat. En ce sens, les concepts de «trajectoire» ou de «style de vie» seraient peut-être plus appropriés. C'est, à tout le moins, ce que nous proposerons dans la seconde partie du livre.

Deuxième partie

Pourquoi s'implique-t-on dans la drogue et dans le crime?

5. Les drogues et la criminalité lucrative
6. Les drogues et la violence
7. Les modèles conceptuels
8. Un modèle conceptuel intégratif

5. Les drogues et la criminalité lucrative

On l'a vu dans la section précédente, un bon nombre de gros consommateurs de substances psycho-actives illicites, entre autres, de drogues dispendieuses telles l'héroïne et la cocaïne, se trouvent impliqués dans des activités délinquantes. Cependant, nous ne le répéterons jamais assez, tous les usagers de drogues prohibées ne s'associent pas nécessairement à une forme ou une autre de criminalité. Parmi les personnes qui le font, la compromission dans une criminalité lucrative est la plus courante, étant donné le besoin économique que crée la consommation de drogue.

Les drogues et l'argent

La drogue est très souvent associée à l'argent. Nous sommes tous conscients que les drogues illicites coûtent très cher, particulièrement pour le toxicomane qui doit s'en injecter plusieurs fois par jour. Mais la drogue entretient un autre rapport avec l'argent : elle constitue un bien de consommation, un objet de luxe de même que la preuve de la réussite personnelle à l'intérieur d'une sous-culture.

1. La drogue comme objet de consommation

Le travail clinique auprès de **jeunes contrevenants** fait souvent ressortir une forte mentalité de «consommateur». Très souvent, ces adolescents attribuent une valeur importante à la possession et à l'utilisation de biens matériels : une belle automobile, un système de son puissant, un jean de renom... Leur statut social se mesure à leur capacité de dépenser (Grapendaal, Leuw et Nelen, 1991). Parmi les activités de consommation souvent recherchées se trouvent le jeu, le sexe, une nuit dans les bars du centre-ville arrosée d'alcool et parfois même accompagnée de drogues illicites. La société occidentale leur offre de multiples occasions de dépenser un argent vite gagné. Bien sûr, ces valeurs ne les distinguent pas énormément de l'ensemble des jeunes de leur âge, si ce n'est que leur rêve peut rapidement devenir réalité : le produit de leurs activités délinquantes leur procure la possibilité d'accéder au statut tant convoité de «vrais consommateurs».

Ce penchant vers la consommation de biens et de services favorise leur implication délinquante. Pour certains, le vol à l'étalage constituera une façon d'effectuer ses emplettes. Un vol d'argent auprès des membres de la famille ou de connaissances correspondra à un retrait bancaire. Le vol par effraction sera considéré comme un métier. Ces images ne sont pas toujours aussi claires dans la tête des adolescents, mais leur discours s'en rapproche (Carpenter *et al.*, 1988).

En somme, beaucoup de jeunes contrevenants valorisent l'utilisation d'alcool et de drogues illicites. Ils n'ont pas à s'en priver, puisque leurs activités délinquantes leur apportent suffisamment de ressources pécuniaires pour s'en procurer sans trop de difficultés.

2. La drogue comme objet d'endettement

Les drogues fortement proscrites par la société occidentale coûtent fort cher. En effet, les entrevues effectuées par Johnson *et al.* (1985) ont permis de noter que l'**usager régulier** d'héroïne consommait annuellement l'équivalent de 9 847 $ en drogue. Cette somme est assurément très élevée et aurait pour effet de grever sérieusement la majorité des budgets nord-américains, même de nos jours[88]. Cependant, ce montant est bien en deçà des 17 283 $ dépensés annuellement par les **usagers quotidiens**. Bien plus, Lecavalier (1992) soulignait récemment que les dépenses en drogues des cocaïnomanes pouvaient atteindre 43 000 $ par année. Il convient cependant de préciser qu'une bonne partie de cette drogue leur est remise contre services rendus en rapport avec le système de distribution illicite de la drogue. Il n'en demeure pas moins que cette habitude coûte cher. Selon Grapendaal, Leuw et Nelen (1991), la consommation accaparerait plus des deux tiers du budget de l'héroïnomane.

Il n'en est pas autrement pour les consommateurs de cocaïne ou de crack, qui peuvent engloutir de petites fortunes pour s'adonner à cette habitude. Ainsi, une étude effectuée au début des années 1980 fondée sur des rapports auto-révélés (Collins, Hubbard et Rachal, 1985) rapportait que les dépenses des cocaïnomanes s'élevaient en moyenne à 18 000 $ au cours de l'année précédant leur admission en traitement. Plus récemment, une analyse réalisée à la fin des années 1980 (Mieczkowski, 1990), à partir des données du *Drug Use Forecasting System*[89] de Détroit, indique que les usagers de crack déboursent en moyenne 350 $ par semaine pour se procurer leurs drogues. Cependant, selon l'importance de la consommation, des variations importantes au niveau des dépenses seront notées. Ainsi, le quart des personnes interrogées dépensaient hebdomadairement 40 $ ou

88. Les entrevues furent effectuées entre 1980 et 1982. Le lecteur aura tôt fait de noter l'importance de cette somme à cette époque.

89. Voir la description de ce programme au chapitre 1.

moins. À l'opposé, 8% des sujets de l'échantillon rapportaient des paiements de plus de 1 000 $ par semaine. Il n'est donc pas surprenant qu'un bon nombre de chercheurs aient observé un lien entre l'établissement de la dépendance et un accroissement significatif du nombre de délits commis (voir le chapitre 2).

La criminalité ne représente qu'un moyen parmi d'autres de subvenir à ses besoins. Vu l'importance des bénéfices économiques que l'on peut en tirer, elle constitue néanmoins l'activité privilégiée des personnes dépendantes (voir également le chapitre 2). Chose certaine, il apparaît difficile de dissocier les actes criminels commis du besoin toxicomaniaque. La criminalité lucrative des gros consommateurs de substances psycho-actives illicites peut se diviser en deux catégories : les crimes d'accord commun et les crimes acquisitifs. Nos analyses porteront principalement sur des études effectuées auprès de toxicomanes qui se trouvaient, au moment des enquêtes, en liberté.

Les crimes d'accord commun

Les crimes d'accord commun consistent en des occupations illégales au cours desquelles chacun des acteurs sociaux convient de jouer son rôle respectif. On les nomme également « crimes consensuels », puisque le délit constitue la conclusion d'une entente entre les deux parties concernées. Les personnes directement impliquées dans l'activité ne portent généralement pas plainte ; elles n'y trouveraient aucun intérêt.

On le sait bien, le système de justice fonctionne mieux lorsqu'il est alerté par la victime du crime (exemple : vol) ou que le criminel laisse une preuve de son acte (exemple : homicide). Quand, au contraire, chacune des parties impliquées fait en sorte que l'échange demeure privé et qu'aucune trace ne subsiste, les gardiens de l'ordre sont alors confrontés à une situation très difficile. Le malheur des policiers fait le bonheur des toxicomanes, qui voient dans ces crimes une occasion inespérée de subventionner le coût de leur dépendance.

Nous discuterons, dans ce chapitre, de deux types de crimes d'accord commun : la prostitution (racolage) et le trafic de drogues. Par leur nature consensuelle et les risques d'arrestation relativement faibles, ces deux occupations constituent des types de délinquance facilement accessibles aux usagers de drogues.

1. La prostitution

La prostitution consiste à fournir des services de nature sexuelle en échange de paiement. Le plus souvent le client doit laisser un paiement en espèces, mais il peut également s'agir d'une contribution en nature[90].

Autrefois interdite par la loi, la prostitution est de plus en plus tolérée. Ainsi, plusieurs pays ont adopté la Convention internationale des Nations unies,[91] qui promeut l'abrogation des lois visant à brimer les personnes se livrant à la prostitution mais, en revanche, favorise la répression systématique du proxénétisme (Chaleil, 1981 ; Dallayrac, 1976). Quoique la prostitution constitue, dans les pays signataires, une activité légale, l'arsenal législatif réprime habituellement avec plus ou moins de rigueur, selon les gouvernements en place, les activités liées à la prostitution de rue (présence sur la voie publique de personnes supposées se livrer à la prostitution, racolage actif ou passif, proxénétisme...). Que la prostitution soit prohibée par des lois ou qu'elle soit légalisée alors que le racolage est interdit, l'effet peut être sensiblement le même :

> Dans les faits il n'en demeure pas moins qu'en se fondant sur la préservation de l'ordre public et pour répondre à des interventions de toutes sortes, il est parfois mis en œuvre, sur le plan local, une politique à caractère répressif dont la prostituée est la victime, alors que son activité n'est pas réprimée en soi par les textes (Martinez, 1989, p. 8).

Ceux ou celles qui exercent la prostitution risquent de rencontrer sur leur chemin un certain nombre de lois pouvant les criminaliser (poursuite pour proxénétisme, racolage...).

La prostitution constitue pourtant une activité pratiquée par un grand nombre de femmes et d'hommes. Certaines personnes y font carrière, d'autres s'y adonnent de façon intermittente. Cette activité emprunte des formes variées selon les époques ou les milieux socio-économiques[92]. On entre en contact avec la prostitution dans la rue, par l'entremise de petites annonces, ou même en faisant appel à des agences spécialisées. Les prostitués exercent leurs activités dans des maisons privées, des hôtelleries de tous genres, des saunas, des salons de massage, des bars, des clubs privés, des agences d'escorte... L'étendue réelle de la prostitution s'avère donc très difficile, voire impossible, à estimer.

La prostitution consiste, le plus souvent, en un service sexuel offert par une femme à une clientèle masculine. Pourtant, un certain

---

90. Goldstein (1979) indique bien que certaines personnes échangeront des services sexuels contre de la drogue, des vêtements neufs, une réparation automobile ou encore des services médicaux.
91. Article VI de la Convention internationale du 2 décembre 1949.
92. Goldstein (1979) identifie 21 catégories de prostitution.

nombre d'hommes[93] offrent également des services sexuels. Bien souvent, il s'agit alors de jeunes hommes qui pratiquent une prostitution homosexuelle.

Toutefois, malgré la diversification des formes et des activités de prostitution, la recherche s'est plutôt limitée à étudier les services sexuels vénaux offerts par les prostituées de rue. Lorsque cela sera possible, nous tenterons de différencier l'implication toxicomane des prostitués selon leur sexe ou leur niveau économique ; dans le cas contraire, il faudra bien être conscient de la limite des connaissances accumulées.

Le coût extrêmement élevé des drogues incite à croire qu'un certain nombre de toxicomanes auront recours à la prostitution comme stratégie d'approvisionnement. Voyons ce qu'a écrit Lecavalier (1992) à propos des femmes cocaïnomanes :

> En effet, avec une moyenne de revenu annuel déclaré d'un peu plus de 13 000 $, tiré pour la plupart d'entre elles de l'aide sociale, comment ces femmes arrivent-elles à supporter une habitude de consommation qui entraîne, selon leurs déclarations, des coûts hebdomadaires pouvant atteindre 515 $, soit une dépense annuelle variant entre 27 000 $ à 43 000 $... Le stéréotype féminin veut que les femmes se servent du sexe pour se procurer de la cocaïne (Lecavalier, 1992, p. 65).

Bien qu'un bon nombre de femmes toxicomanes s'impliquent plus ou moins fréquemment dans des activités de prostitution[94] au sens large du terme, les résultats des recherches indiquent que seul un petit nombre d'entre elles s'y adonnent de façon bien organisée. En fait, contrairement à la croyance populaire, la prostitution ne constitue pas le délit le plus commun chez les femmes (ou les hommes) qui abusent de drogues illicites[95]. Il s'agit plutôt d'une des nombreuses possibilités qui leur sont offertes pour répondre à leur désir de drogues. Pour celles qui la pratiquent, elle n'est bien souvent qu'un

93. Alors que seulement 5 % des consommateurs de drogues illicites interviewés par l'équipe de Inciardi *et al.* (1991) avouaient s'être impliqués dans des activités de prostitution dans l'année qui venait de s'écouler, 87 % des consommatrices de drogues rapportaient de telles activités pour la même période.

94. Entre 23 % (Hser, Anglin et Booth, 1987) et 71 % (Datesman et Inciardi, 1979) selon les études et leur définition du terme « prostitution ». Certaines réservent ce terme à une prostitution organisée (recherche active d'un client), alors que d'autres incluent les échanges ponctuels sexe–drogue, qui sont plutôt le fruit des circonstances immédiates.

95. L'implication dans la revente illicite de drogues s'avère beaucoup plus répandue, mais souvent moins lucrative (selon les milieux, l'âge, etc.), que la prostitution (James, Gosho et Wohl, 1979).

épiphénomène lucratif qu'elles auront longtemps cherché à éviter (Anglin et Hser, 1987[96]).

Pour beaucoup d'entre elles, l'initiation à une certaine forme de délinquance mineure a précédé leur consommation importante de drogues. On ne peut donc pas attribuer *exclusivement* leur implication criminelle initiale à leur usage de substances psycho-actives (Inciardi, Pottieger et Faupel, 1982). Au contraire, pour certaines personnes, l'usage de drogues représente un moyen de répondre au stress et à la tension engendrés par la participation à des activités illégales.

Pour bien comprendre la nature du rapport entre la consommation de substances psycho-actives et la prostitution, il convient maintenant de s'attarder à l'observation plus précise du milieu dans lequel se déroulent ces rapports. Il devient alors possible de constater de fortes disparités entre la consommation de drogues des prostituées de bas et de haut niveau... celles qui offrent leur service dans la rue et celles qui travaillent pour une agence spécialisée.

a) La prostitution de rue

Le plus souvent, les prostituées toxicomanes offrent leurs services dans la rue plutôt que par l'entremise d'agences spécialisées (Philpot, Harcourt et Edwards, 1989). En fait, les responsables de salons de massage ou de services d'escorte cultivent une certaine méfiance face aux employées dépendantes de drogues. Elles sont habituellement considérées comme peu fiables, criminelles[97] et peu attrayantes pour les clients. De plus, la présence de drogues illicites dans l'établissement fait courir des risques supplémentaires d'arrestations, de poursuites et de condamnations aux propriétaires (Goldstein, 1979).

On estime donc que les prostituées qui exercent leur métier dans la rue se trouvent beaucoup plus impliquées au niveau d'une consommation importante de drogues que les femmes qui offrent leurs services par l'entremise d'agences spécialisées. Souvent, les prostituées de rue ont commencé leur consommation avant leurs activités sexuelles commerciales. Dans les enquêtes, plus de la moitié de ces femmes mentionnent se trouver continuellement sous l'effet d'une drogue. Beaucoup d'entre elles se considèrent comme toxicomanes (Silbert, Pines et Lynch, 1982 ; Silverman, 1982). Leur style de vie tourne autour de la marginalité. Plusieurs de leurs amis abusent de

96. Voir également Erickson et Watson (1990), Goldstein (1979), Ellinwood, Smith et Vaillant (1966), ainsi qu'Inciardi et Chambers (1972).

97. Certaines auraient tendance à voler leur client (Goldstein, 1979).

substances psycho-actives illicites. Ces prostituées peuvent habituellement se procurer leurs drogues dans le quartier où elles travaillent. Un certain nombre d'entre elles financent même la consommation de leur copain (Sterk et Elifson, 1990).

Il est donc possible de constater un lien économique assez important entre prostitution et drogues pour ces femmes. Étant donné que ce sont les prostituées de rue qui sont les plus visibles et les plus souvent appréhendées par les forces policières, l'arrestation de ces personnes contribue à l'association prostitution et consommation de substances psycho-actives illicites.

Par contre, lorsque l'on étudie les hommes qui offrent leurs « services » dans la rue, il est possible de distinguer une séquence d'initiation drogue–prostitution inverse à celle qui vient d'être présentée pour les femmes (Sterk et Elifson, 1990). Ces hommes entretiennent plutôt un lien instrumental avec la drogue, en ce sens qu'ils s'en servent pour éviter le stress dans un milieu où seules les insultes sont plus courantes que la violence. De plus, ils succombent souvent aux pressions du milieu poussant à la consommation de substances psycho-actives (Sterk et Elifson, 1990).

b) La prostitution de luxe

Alors que l'héroïne constitue la drogue la plus fréquemment reliée à la prostitution de rue, la cocaïne et les stimulants sont associés à l'autre extrémité de la hiérarchie des travailleurs du sexe (Goldstein, 1979, Wesson, 1982). Ces drogues sont généralement utilisées dans le but de socialiser avec le client ou de combattre la fatigue afin de travailler un plus grand nombre d'heures. La consommation de substances psycho-actives de la part des prostituées de luxe exerce donc une fonction précise. La poursuite de la carrière ne permet cependant pas d'incartades vers la dépendance (Goldstein, 1979).

La nature et la fonction de la drogue consommée contribuent donc à différencier la prostitution de bas et de haut niveau, mais également une prostituée de carrière et une toxicomane qui tente de boucler son budget.

c) Les échanges sexe–drogue

Les échanges sexe–drogue, aussi connus sous le terme de « faveurs personnelles[98] » ou encore « faveurs sexuelles », sont, par ailleurs, très

98. Les faveurs personnelles consistent en des activités généralement peu valorisées, parfois même dégradantes, qui sont faites en échange de drogue. Il peut s'agir d'activités sexuelles diverses, mais également d'activités ménagères, de nettoyage, etc.

fréquents dans le milieu de la toxicomanie féminine[99] et tout particulièrement parmi les usagers de cocaïne (crack) en Amérique du Nord (Carlson et Siegal, 1991[100]). Ainsi, un grand nombre de femmes mentionnent recevoir leur cocaïne en cadeau. On trouve alors «normal» que des faveurs sexuelles soient accomplies en retour. À ce propos, Lecavalier (1992) indique que 56 % des femmes cocaïnomanes qu'elle a rencontrées lui ont révélé s'être déjà senties obligées d'avoir une relation sexuelle avec une personne qui leur avait offert de la drogue. Bien plus, dans 85 % des cas, la femme n'aurait pas choisi ce partenaire en l'absence de drogue.

Cette logique, que Lecavalier (1992) qualifie de typiquement féminine, paraît liée aux expériences de socialisation dans un rôle sexuel de même qu'au faible pouvoir économique de la femme:

> Prises au piège de leur dépendance, coincées entre leur faible pouvoir économique et leur peu de contrôle dans le réseau d'approvisionnement, elles deviennent pour la plupart entièrement dépendantes des hommes pour accéder à la cocaïne; l'étau se resserre (Lecavalier, 1992, p. 66).

En ce sens, plus le produit est dispendieux, plus les faveurs personnelles sont pratiquées.

Avant de mettre un terme à cette discussion, il importe de mentionner que, même si nous avons traité des échanges sexe–drogue dans la section «prostitution», les acteurs sociaux impliqués dans cette pratique n'en parlent généralement pas dans ces termes.

d) *Toxicomanes ou prostituées?*

On pourrait croire, de prime abord, qu'il n'existe que peu de différences entre une personne toxicomane s'adonnant à la prostitution afin de pourvoir aux besoins financiers engendrés par sa dépendance et la prostituée professionnelle qui fait un usage «fonctionnel» de drogues. Pourtant, James (1976), après avoir rencontré bon nombre de prostituées, indique que, pour les acteurs sociaux impliqués, il s'avère relativement facile de tracer une ligne démarquant ces deux classes de travailleuses. La première est davantage préoccupée par l'entrée d'argent et par son besoin de drogues que par son apparence physique ou les risques du métier. La deuxième prendra grand soin de son apparence corporelle et vestimentaire, fera un tri de ses clients, aura beaucoup moins tendance que la première à les voler et tentera

99. Seule une très petite minorité d'hommes vont offrir une relation sexuelle en échange d'une certaine quantité de drogue (Sterk et Elifson, 1990).

100. Voir également Faupel (1991), Inciardi *et al.* (1991), Lecavalier (1992), Morningstar et Chitwood (1987), ainsi que Sterk et Elifson (1990).

d'éviter de se faire repérer par les policiers. Si c'est le cas, elle changera de milieu afin de continuer son travail en toute liberté. Par contre, la toxicomane sera très peu mobile, de crainte de perdre ses sources d'approvisionnement en drogues. Son allure, ses façons ouvertes d'aborder les clients, sa fâcheuse tendance à les voler et son peu de mobilité géographique, en somme sa façon d'opérer, en feront une cible d'arrestation aisée pour les policiers.

Pourtant, il sera plus facile à la prostituée de carrière de se laisser entraîner dans la dépendance vis-à-vis d'une substance psycho-active que pour une toxicomane de faire une carrière prospère dans la prostitution.

e) La relation drogue–prostitution

Les résultats des recherches fondées sur l'utilisation de rapports autorévélés indiquent clairement la présence d'une relation dynamique entre drogue et prostitution. Ainsi, nous avons vu que le marché du sexe constituait l'activité criminelle la plus lucrative pour les femmes dépendantes de substances psycho actives illicites. Certaines y sont donc attirées par le besoin d'argent engendré par leur usage de drogues. De plus, cette occupation ne contribue certes pas à réduire leur consommation. En fait, les prostituées-toxicomanes révèlent habituellement faire un usage accru de drogues à la suite de leur entrée dans ce métier. Plusieurs raisons expliquent ce phénomène. Ainsi, le recours à des substances psycho-actives facilite le travail et l'adaptation au monde difficile et violent qu'est celui de la prostitution. Il permet de mieux supporter le stress physique et émotionnel ressenti par la majorité de ces travailleuses. Les drogues sont facilement disponibles dans le milieu même où s'exerce leur activité professionnelle. L'utilisation de substances psycho-actives leur donne la possibilité d'atteindre un état de relaxation et de repos après une longue journée ou nuit de travail. Enfin, ces produits leur procurent un certain plaisir (Goldstein, 1979 ; James, 1976). En d'autres mots, si la prostitution fournit l'argent permettant de commencer ou de poursuivre la consommation de substances psycho-actives, en retour, la drogue adoucit les rigueurs d'une implication soutenue dans ce commerce charnel.

Parallèlement, cette dynamique varie en fonction de la position et du prestige de la personne impliquée dans la prostitution. Ainsi, pour les call-girls, la probabilité est élevée que la prostitution ait débuté avant la consommation abusive de substances psycho-actives illicites. Par la suite, si cette personne devient dépendante d'une drogue, il y a fort à parier que ce sera vis-à-vis d'un stimulant. L'héroïne, pour sa part, est plutôt associée à la prostitution de bas niveau (Goldstein, 1979).

2. Le trafic

Même si la proportion des gros consommateurs de substances psycho-actives impliqués dans la revente de drogues s'avère très difficile à estimer, il est possible, sans crainte de se tromper, d'affirmer qu'un très grand nombre d'entre eux sont attirés, un jour ou l'autre, vers le trafic de stupéfiants à petite échelle (Ball, Shaffer et Nurco, 1983[101]).

> Le drogué se livrerait d'autant plus au trafic de drogue que sa toxicomanie est ancienne, polymorphe et quotidienne. La nécessité de se procurer de plus grandes quantités de stupéfiants l'amènerait à procéder à de petites reventes afin de subvenir à ses propres besoins en drogue (Bonnemain, 1982, p. 136).

Il s'agit donc d'une activité quasi inévitable pour les gros consommateurs d'héroïne ou de cocaïne, étant donné le coût élevé de ces drogues (Faupel et Klockars, 1987 ; Hunt, 1991). Et ce sont eux, dans toute la hiérarchie, qui sont susceptibles d'être judiciarisés.

Plusieurs facteurs expliquent l'implication dans le trafic de drogues illicites. Bien sûr, il y a d'abord l'appât du gain rapide. L'utilisateur de substances psycho-actives aura tôt fait d'évaluer qu'il s'agit d'un « excellent » moyen pour obtenir sa drogue sans débourser un sou (Carpenter *et al.*, 1988 ; Faupel et Klockars, 1987 ; Hunt, 1991). Cependant, pour un grand nombre de revendeurs, ce commerce signifie beaucoup plus. Le trafic de drogues constitue une activité économique de grande importance. On estimait, au milieu des années 1980, qu'un revendeur pouvait gagner jusqu'à 30 $ l'heure (Reuter, MacCoun et Murphy, 1990 ; MacCoun et Reuter, 1992). C'est quatre fois plus que le taux horaire médian de ceux qui, parmi eux, occupent un emploi légitime (Reuter, MacCoun et Murphy, 1990 ; MacCoun et Reuter, 1992). Il faut cependant ajouter que la majorité de ces petits trafiquants s'adonnent à cette activité sur une base très irrégulière et à temps partiel. Les personnes les plus impliquées ne travaillent guère plus de trois ou quatre heures quotidiennement[102] et un bon nombre d'entre elles n'exploitent leur commerce illicite que la fin de semaine. Pour certains étudiants, il peut même s'agir d'un travail saisonnier. À ce rythme, très peu de revendeurs parviennent à accumuler un pécule pour leurs vieux jours (Carpenter *et al.*, 1988 ; MacCoun et Reuter, 1992).

101. Voir également Goldman (1981), Goldstein (1981), Hammersley *et al.* (1989), Hunt (1990), ainsi que Hunt, Lipton et Spunt (1984).

102. Certaines raisons expliquent ce travail à temps partiel : 1) les ventes se concentrent à certains moments de la journée ; 2) les clients réguliers se succèdent généralement sur une période de temps relativement courte ; 3) la durée d'exposition est proportionnelle aux risques d'arrestation.

La facilité des opérations et les risques relativement faibles d'être appréhendés constituent également, pour les néophytes, des facteurs d'attrait importants. En effet, certains gros consommateurs de substances psycho-actives illicites rapportent avoir opéré des centaines de transactions avant leur arrestation (Ball, Shaffer et Nurco, 1983[103]). Toutefois, une fois connus du système de justice, les contrevenants voient les risques d'arrestations augmenter de façon fulgurante. Ainsi, les sujets rencontrés par MacCoun et Reuter (1992) passaient, au total, près de quatre mois par année derrière les barreaux. Les risques d'arrestations sont loin de constituer l'unique crainte des trafiquants. Le vol de drogues ou des revenus de la journée peut créer un problème bien plus important pour celui qui a reçu sa marchandise en consigne. Pire encore, les menaces, les blessures et même les homicides font souvent partie des « risques du métier ». On estime que les trafiquants font face annuellement à plus d'une occasion de mort violente (MacCoun et Reuter, 1992). Il semblerait cependant que les jeunes hommes provenant de milieux socio-économiques défavorisés ne considèrent pas ces embûches comme suffisamment importantes pour les détourner de cette activité lucrative (Reuter, MacCoun et Murphy, 1990).

Enfin, le trafic de stupéfiants constitue une occupation qui respecte le style de vie des gros consommateurs de substances psychoactives illicites. Les heures d'affaires s'inscrivent bien dans leur emploi du temps. Le partage et la revente de drogues à petite échelle font parfois partie de leur processus de socialisation. La drogue est souvent transigée dans le milieu même où vit le revendeur et auprès de connaissances ou de personnes envoyées par des amis. Cette activité leur facilite de beaucoup l'accès (prix et quantité) à la drogue (Faupel et Klockars, 1987 , Wish et Johnson, 1986).

Parmi l'ensemble des crimes lucratifs commis par les usagers de drogues illicites, la revente constitue habituellement l'un des plus rémunérateurs et des plus populaires. En effet, les usagers qui sont impliqués dans le trafic de drogues rapportent avoir conclu, en moyenne, 2 à 3 ventes pour chaque vol commis (Inciardi, 1979).

Pourtant, même si la presque totalité des héroïnomanes ou des cocaïnomanes deviennent un jour ou l'autre impliqués dans un trafic à petite échelle auprès d'amis ou de connaissances, peu d'entre eux en font leur unique source de subsistance. En fait, le trafic régulier de stupéfiants est contrôlé par un petit nombre de personnes. Ainsi, moins de 10 % des trafiquants seraient responsables des trois

103. Voir également Hunt (1990), Johnson *et al.* (1985), ainsi que Kaplan (1983).

cinquièmes de toutes les transactions (Hunt, 1991 ; Johnson et Kaplan, 1988 ; Johnson, Kaplan et Schmeidler, 1990).

Les perspectives de carrière à long terme dans le trafic de stupéfiants sont minces. Quoi qu'ils pensent au départ, un grand nombre de revendeurs régulièrement impliqués dans le trafic finiront par se faire appréhender et se retrouveront derrière les barreaux. Il s'agira pour eux de la fin de leur rêve d'ascension parmi les trafiquants, puisqu'ils seront dorénavant facilement identifiables par les policiers de l'escouade des stupéfiants. D'autres sombreront dans une dépendance telle qu'il ne leur sera plus possible d'effectuer convenablement leur trafic. Très peu pourront gravir les échelons leur permettant d'accéder vraiment au contrôle de ce commerce et d'en tirer des profits substantiels.

Alors que les probabilités sont élevées qu'un jeune revendeur soit lui-même un consommateur de drogues, la situation s'avère très différente pour les trafiquants adultes de haut niveau. Bien que ces derniers fassent habituellement un usage récréatif de drogues, peu d'entre eux développeront une dépendance au produit (Hunt, 1991). La toxicomanie marquerait la fin de leur carrière. C'est pourquoi ils consomment habituellement de la marijuana et ne font usage de cocaïne que lors d'occasions spéciales. Contrairement aux revendeurs de rue qui sont généralement attirés vers cette activité à la suite d'un besoin d'argent engendré par leur consommation, les trafiquants importants constituent une classe d'hommes et de femmes « d'affaires » qui se sont impliqués dans ce genre d'activités à cause des bénéfices importants et rapides qu'il est possible d'en tirer (Hunt, 1990).

SYNTHÈSE

Que retenir et conclure de toutes les études portant sur la relation entre la drogue et les crimes consensuels (prostitution et trafic de drogues) ? D'abord, il s'agit des comportements les plus attrayants pour les toxicomanes en quête d'argent pour soutenir leur dépendance. Mieux encore, ils ne sont associés, à leurs yeux, qu'à de très faibles risques d'arrestations ou de peines sévères pour le responsable. Il est cependant possible de noter des facteurs d'attrait différents pour la prostitution et le trafic de drogue.

Si, dans le commerce du sexe, prostitution de rue semble synonyme de toxicomanie, il n'en est pas de même pour la prostitution de haut niveau. En effet, les « call-girls » éviteront que leur consommation tourne à la dépendance en n'accordant à la drogue qu'une fonction facilitante. La drogue est quand même bien présente dans ce milieu.

Par ailleurs, toxicomanie n'est pas synonyme de prostitution. En fait, la prostitution organisée[104] n'est pratiquée que par très peu de femmes et un nombre infime d'hommes abusant de substances psycho-actives illicites. Lorsque les femmes ou les hommes toxicomanes exercent cette activité, il s'agit habituellement d'une prostitution de bas niveau motivée par leur besoin d'argent. Par ailleurs, des faveurs sexuelles sont fréquemment pratiquées par des femmes en échange de drogues.

En ce qui concerne le trafic de stupéfiants, il appert que la grande majorité des revendeurs se sont préalablement initiés à la consommation de substances psycho-actives. En fait, la probabilité de s'impliquer au niveau du commerce illicite de la drogue s'accroît avec l'augmentation de la consommation personnelle au-delà d'un niveau de base.

Le revendeur s'initiera à cette activité par l'entremise de «contacts». Le plus souvent, le revendeur pratique cette activité à temps perdu, dans un milieu bien connu (parfois même à la maison). Pour la majorité des petits trafiquants, il s'agit plutôt d'un style de vie que d'une spécialisation criminelle. Ils n'hésiteront donc pas à avoir recours à d'autres moyens de subsistance.

L'image populaire d'un adulte non consommateur vendant de la marijuana à des jeunes dans un parc public constitue une caricature atypique de la façon d'opérer dans ce milieu. Plus fréquemment, il s'agit d'une activité peu structurée pratiquée par des personnes relativement jeunes qui vendent leurs drogues à un cercle plus ou moins étendu de «connaissances» provenant bien souvent du même milieu que le revendeur. Cette occupation, fort lucrative, leur servira à «arrondir» leurs fins de mois.

En somme, alors que plusieurs gros consommateurs de substances psycho-actives illicites seront impliqués un jour ou l'autre dans la revente de drogues, peu d'entre eux s'engageront dans la prostitution organisée. En effet, cette dernière activité est davantage réservée aux femmes toxicomanes qui sont déjà impliquées dans un certain nombre d'activités criminelles.

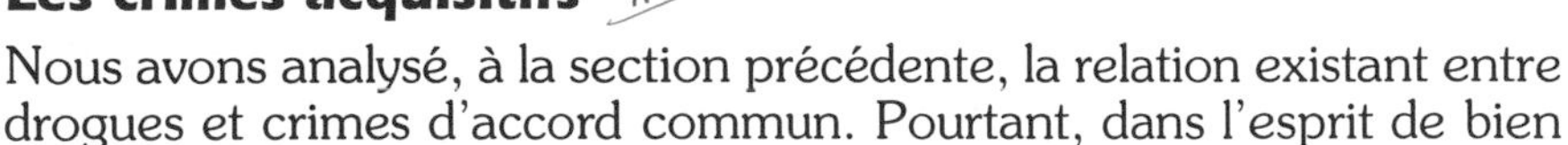

Les crimes acquisitifs

Nous avons analysé, à la section précédente, la relation existant entre drogues et crimes d'accord commun. Pourtant, dans l'esprit de bien

104. À l'exclusion des échanges sexe–drogue.

des gens, le toxicomane ne se limite pas à une compromission dans ce type de délits. Combien de fois entend-on, au sujet d'une personne qui a commis un vol : « Ça doit être un drogué » ? Dans l'imagerie populaire, la drogue constitue, de nos jours, la cause principale de la perpétration de crimes acquisitifs. On peut facilement comprendre ce raisonnement lorsque l'on sait les coûts engendrés par la dépendance à la cocaïne, par exemple.

Cette croyance, fortement ancrée dans l'esprit des gens, est alimentée par les policiers de même que par les médias qui ne manquent pas d'occasions de relever le passé toxicomane de la personne appréhendée à la suite d'un vol. Les contrevenants eux-mêmes contribuent à cette association en jurant à qui veut bien l'entendre que la cause unique de leur implication criminelle réside dans leur forte consommation de substances psycho-actives. Pour un bon nombre, cette affirmation est incontestable. Pour d'autres, un doute subsiste, car il existe parfois un avantage clair à l'acceptation de l'étiquette de toxicomane : le renvoi à un centre de traitement au lieu de l'incarcération.

Que nous livre la recherche au niveau de la connaissance de la nature du lien entre la consommation de substances psycho-actives illicites et la criminalité acquisitive ? Doit-on croire à l'existence d'un lien direct entre la consommation de drogues illicites et la perpétration de crimes contre la propriété ?

Dans cette section concernant la criminalité acquisitive, nous traiterons davantage des vols : le vol à l'étalage, le vol par effraction, le vol à main armée et les autres types de vols. Nous discuterons également, lorsqu'il sera possible de le faire, d'autres sortes de crimes acquisitifs telles la contrefaçon, la fraude...

1. Les vols à l'étalage

Le vol à l'étalage représente le type de crime acquisitif le plus souvent commis par les gros consommateurs de substances psycho-actives illicites (Faupel, 1991 ; Grapendaal, Leuw et Nelen, 1991). Il s'agit d'un délit relativement simple à commettre et pour lequel les risques de poursuite sont faibles. Les grands magasins constituent les cibles préférées, étant donné le vaste choix offert et l'anonymat dans lequel évolue la clientèle. Un grand nombre de personnes qui commettent des vols à l'étalage emploient une rationalisation bien connue afin de ne pas être handicapées par un sentiment de culpabilité : ces magasins appartiennent à de riches propriétaires qui ne remarqueront pas la disparition de la marchandise et qui, de surcroît, recouvreront leurs frais grâce aux prestations de leur assureur ou une élévation des coûts des produits vendus au détail.

Les biens de consommation tels les vêtements (manteaux de cuir...) et les aliments (cigarettes, alcool...) constituent, de façon générale, les objets les plus fréquemment volés par les gros consommateurs de substances psycho-actives illicites. La marchandise sera soit conservée pour son usage personnel, soit écoulée dans la communauté d'appartenance du voleur, soit cédée à un receleur qui en donnera au plus le tiers de sa valeur marchande.

2. Les vols par effraction

Le vol par effraction constitue un délit très lucratif. Il fait cependant appel à un certain nombre d'habiletés. Le voleur doit évaluer le lieu et le moment propices pour perpétrer son délit de manière que l'effraction s'effectue sans éveiller les soupçons de l'entourage. Il doit également posséder une certaine connaissance des systèmes d'alarme et savoir expertiser sommairement les objets qui auront le plus de valeur sur le marché noir. Les personnes qui s'y adonnent le pratiquent comme un emploi (Cromwell *et al.*, 1991).

Le produit du vol sera écoulé par la personne même dans la rue ou dans des bars, refilé à un receleur, échangé contre de la drogue auprès d'un trafiquant, ou encore vendu à un marchand qui en connaît ou non la provenance. Le plus souvent, les voleurs les plus réguliers préfèrent transiger avec des receleurs de façon à obtenir leur argent rapidement sans trop de problèmes. Ils recevront ainsi approximativement le cinquième de la valeur marchande de l'objet volé (Johnson *et al.*, 1985).

Bien sûr, les bénéfices des vols par effraction peuvent permettre de se procurer des drogues (Dobinson et Ward, 1986), mais, à l'inverse, certains avouent consommer pour se donner le courage de perpétrer leur infraction (Cromwell *et al.*, 1991).

3. Les vols avec violence

Le vol avec violence constitue une des façons les plus rapides d'obtenir de grandes sommes d'argent. Néanmoins, ce type de vol n'attire pas la majorité des gros consommateurs de substances psycho-actives impliqués dans la criminalité parce qu'il met en contact direct l'infracteur et sa victime.

Le vol avec violence le plus souvent commis par les gros consommateurs de drogues illicites consiste à enlever, sous la menace, les portefeuilles des passants. Ce délit se produit généralement dans un lieu public (Johnson *et al.*, 1985). Il n'est pas exclu que la personne volée soit elle-même engagée dans une activité illicite : un consommateur de drogues sur le point de conclure une transaction ou en état d'intoxication. Les revendeurs de drogues constituent également des cibles fréquentes de vol avec violence (Faupel, 1991 ; Johnson *et al.*, 1985).

Ce type de crime acquisitif avec connotation violente représente souvent la délinquance de la «dernière chance» pour le toxicomane qui cherche désespérément à se procurer l'argent nécessaire pour satisfaire son désir de drogues illicites ou éviter le sevrage. Cela explique en partie la violence, qui ne correspond pas toujours à la nature de l'agresseur.

4. Les autres types de vols

Les vols de bicyclettes, du contenu d'automobiles, etc., sont des délits fréquemment commis «en passant». Peu de gros consommateurs de substances psycho-actives illicites se spécialisent vraiment dans ces types de vols, quoique tous aiment bien profiter d'une bonne occasion. Les produits du vol sont généralement laissés à un receleur pour le tiers de sa valeur sur le marché licite (Johnson *et al.*, 1985).

5. La fraude

L'imitation de signatures ou l'encaissement de faux chèques constituent des spécialisations criminelles que l'on ne retrouve que chez une minorité d'usagers de substances psycho-actives illicites. En effet, la fraude requiert certaines habiletés spécifiques de même que la participation à certains milieux socio-économiques qui ne sont pas à la portée de tous les gros consommateurs de drogues (Johnson *et al.*, 1985).

6. La relation drogue – crimes acquisitifs

De façon générale, l'importance et la gravité des crimes acquisitifs sont fonction de l'usage des drogues illicites, des revenus, du milieu socio-économique et du style de vie.

Ainsi, selon les recherches entreprises par Johnson et ses collaborateurs (1985), les consommateurs quotidiens d'héroïne opéreront deux fois plus de vols avec violence ou de vols par effraction que les usagers réguliers[105]. Ils sont également davantage impliqués dans la perpétration d'autres types de délits acquisitifs tel le vol à l'étalage.

Par ailleurs, il est également permis de croire qu'un usager qui provient d'un milieu aisé et qui bénéficie d'une fortune personnelle aura moins recours à la criminalité pour financer sa consommation

105. Personne qui, tout en faisant un usage régulier de drogue, ne consomme pas tous les jours. Il peut s'agir d'un consommateur de fin de semaine (Johnson *et al.*, 1985).

(Faupel, 1991). Cependant, les études à ce propos ne sont pas légion.

Selon la provenance et l'appartenance à des milieux socio-économiques différents, l'usager de drogues illicites manifestera des formes de criminalité diverses. Beaucoup d'intervenants ont eu l'occasion de recueillir les aveux d'employés de bureau qui finançaient leur consommation en vendant des objets qu'ils avaient volés sur leur lieu de travail. De même, il est facile pour certains professionnels des sciences médicales de détourner une partie des prescriptions de leurs patients pour leur consommation personnelle. Pourtant, la majorité des études effectuées dans ce domaine se sont attardées sur la criminalité des gros consommateurs à faibles revenus exclus des zones d'activités professionnelles lucratives. Il ne faut donc pas s'étonner si la criminalité alors observée n'inclut pratiquement pas de délits liés à une occupation professionnelle ou à la fraude.

Enfin, le style de vie de l'individu concerné constitue un facteur à considérer lors des tentatives de compréhension de la relation drogue–crime. En effet, il apparaît qu'une personne qui a choisi un style de vie déviant sera plus encline à utiliser des voies illicites pour subvenir à ses besoins. À cet effet, Yochelson et Samenow (1986) indiquent bien que les patients qu'ils ont rencontrés volaient beaucoup plus que nécessaire pour satisfaire les demandes de drogues. En fait, les vols ne servaient pas exclusivement à financer leurs habitudes toxicomaniaques ; les actes délinquants faisaient surtout partie du style de vie adopté.

SYNTHÈSE

La lecture de ce chapitre peut laisser suggérer que toutes les personnes impliquées dans une criminalité lucrative sont nécessairement des consommateurs de drogues. Il n'en est rien! Les chapitres précédents ont bien indiqué qu'une grande partie des personnes judiciarisées sont des consommateurs de substances psycho-actives illicites, mais elles ne le sont pas toutes. Il est plus difficile d'obtenir un portrait de la situation des contrevenants non judiciarisés. Quoi qu'il en soit, il n'en demeure pas moins qu'il y aura toujours une certaine partie des personnes impliquées dans une délinquance lucrative qui ne consommeront pas de drogues.

Toutefois, pour les usagers de substances psycho-actives illicites, l'accumulation des connaissances présentées au fil des chapitres fait apparaître de plus en plus clairement qu'il existe une relation réciproque entre la consommation de drogues coûteuses et la criminalité lucrative. De façon générale, ce type de crimes a initialement permis l'accès à ces drogues. Par la suite, le consommateur aura tôt fait de se rendre compte que le trafic lui permet d'arrondir ses fins de mois. Pour certains, cette nouvelle source d'entrée d'argent et la proximité physique avec de grandes quantités de drogues facilitent la consommation et en permettent l'intensification. Une fois le mécanisme de consommation de drogues bien installé, le désir du produit guidera l'implication criminelle dans une délinquance acquisitive parfois de plus en plus sérieuse.

Par ailleurs, il s'avère impossible d'identifier une séquence unique pouvant lier la consommation de substances psycho-actives et les crimes acquisitifs (Chaiken et Chaiken, 1990). Il faut plutôt penser en termes de processus différents selon les circonstances, les individus et les drogues consommées.

6. Les drogues et la violence

La violence peut être l'expression de sentiments de haine, de révolte, d'agressivité ou de bouleversement émotionnel. Elle peut également manifester une perte de contrôle ou un épisode de dérangement psychique. Enfin, elle peut être instrumentale dans l'atteinte d'un but. De toutes les formes de criminalité, c'est elle qui inquiète et qui impressionne le plus. Ce chapitre sera spécifiquement consacré à l'étude du lien entre la consommation de substances psycho-actives transigées sur le marché illicite et les actes de violence tels que les voies de faits et les homicides.

Les statistiques associent fréquemment la consommation de substances psycho-actives à la violence :

> En 1987, près de 31 % des affaires d'homicide classées mettaient en cause des victimes ou des suspects ayant consommé de l'alcool ou des stupéfiants (Centre canadien de la statistique juridique, 1987, p. 58).

Ces travaux épidémiologiques ne permettent cependant pas d'attribuer un rôle moteur à la consommation de substances psycho-actives au niveau du passage à l'acte agressif. Néanmoins, les médias expliquent souvent une montée présumée de la violence par la consommation et l'intoxication à des substances psycho-actives. En effet, il est fort probable qu'une substance ayant un impact sur le système nerveux central affecte le comportement de son utilisateur lorsqu'il se trouve dans une situation sociale complexe (Blum, 1981). Certains contrevenants à la recherche d'un alibi poussent ce raisonnement encore plus loin en laissant croire que les effets mêmes de la drogue leur feraient perdre le contrôle de leurs actes et les porteraient à se comporter de façon agressive. On discute même parfois des propriétés criminogènes de certaines drogues.

Des drogues aux propriétés criminogènes ?

Même si la violence peut être associée à la consommation de n'importe quelle substance psycho-active, certaines drogues sont plus souvent mises en cause lors de la perpétration d'actes violents. Nous pensons ici à la cocaïne, aux amphétamines, au PCP (phencyclidine) et aux barbituriques (voir Simonds et Kashani, 1980)[106]. Ces drogues

106. L'alcool constitue la drogue la plus souvent mise en cause dans les actes de violence. Étant donné que cette drogue a un caractère licite dans l'ensemble des pays occidentaux actuellement, et compte tenu des limites que nous avons voulu imposer à cette analyse (voir discussion des travaux portant sur les drogues illicites et la criminalité), nous traiterons de la relation alcool–crime dans un autre ouvrage.

auraient la propriété d'agir sur des centres spécifiques du système nerveux dont la zone frontale du cerveau et le système limbique (Miller, Gold et Mahler, 1991 ; Miller, 1991). Ces centres constitueraient ni plus ni moins que le *locus* de l'agressivité, de l'impulsivité et des inhibitions. On peut donc comprendre que la consommation de substance affectant ces centres névralgiques puisse occasionner l'apparition de sentiments de peur ou d'irritabilité pouvant se traduire par des réactions agressives (Miller, 1991; Simonds et Kashani, 1980). Examinons une à une les substances psycho-actives les plus susceptibles d'induire un comportement agressif.

1. La cocaïne

La cocaïne a pour principale propriété de stimuler le système nerveux central. Un petit nombre d'études cliniques indiquent que cette stimulation serait susceptible d'engendrer des épisodes violents :

> Les individus utilisant des stimulants recherchent ce qu'ils appellent le «flash» ou le «rush», réaction violente et immédiate de type orgasmatique. Les stimulants induisent ensuite, après cet orgasme, une forte excitation tant sur le plan psychique que physique. L'excitation psychique se traduit par un accroissement de l'acuité mentale et une amélioration de l'humeur et, au moins subjectivement, une augmentation de la force musculaire et un sentiment de disparition de la fatigue [...] Outre une exaspération des sensations, en particulier auditives et visuelles, le cocaïnisme chronique se caractérise par des manifestations somatiques avec une multitude de troubles nerveux et de symptômes psychiques, comprenant des troubles de la mémoire et surtout des perturbations de l'affectivité et de l'humeur. Ainsi, l'abus chronique de stimulants aboutit à de graves psychoses de type schizophrénique paranoïde, à mécanisme hallucinatoire et interprétatif mais continuellement centrées sur les thèmes de la persécution (Trovero, Pirot et Tassin, 1989, p. 14).

Cette drogue constituerait la substance psycho-active illicite la plus souvent rencontrée chez les personnes intoxiquées, admises dans les urgences d'hôpitaux à la suite de traumatismes (Brody, 1990 ; Honer, Gerwitz et Turey, 1987). Elle serait également fortement associée à la violence (Blane, Miller et Leonard, 1988). L'usage de cocaïne pourrait activer une suspicion extrême de même que des délires paranoïdes importants, et ce plus particulièrement suite à l'administration intraveineuse ou en base libre[107] (*freebase*) (Jekel *et al.*, 1986[108]). On discute même parfois d'une certaine contagion des sentiments paranoïdes parmi les personnes intoxiquées (Carlson et

107. La base libre consiste en de la cocaïne sans acide chlorhydrique. Elle peut être fumée à basse température dans une pipe à eau classique.

108. Voir également Miller (1991), Miller, Gold et Mahler (1991), ainsi que Welti et Fishbain (1985).

Siegal, 1991). Des consommateurs tenteraient de débusquer un individu présumé être caché dans le placard. D'autres surveilleraient le ciel pour apercevoir un hélicoptère de la police qui, selon eux, serait à leur recherche. Certains vont même se méfier du voisin de palier, croyant qu'il est un indicateur à la solde des policiers. La violence exprimée par ces consommateurs viserait à se protéger contre une peur sans fondement (Miller, Gold et Mahler, 1990). C'est pourquoi un grand nombre de personnes susceptibles de souffrir de cet état paranoïde prendront soin de consommer d'autres substances psychoactives jouant un rôle dépresseur telle l'héroïne[109] (*speed-ball*) en vue d'atténuer de tels effets négatifs. Pourtant, ces récits pathologiques ne représentent certainement pas l'expérience de la majorité des usagers. De plus, la rigueur des méthodes employées dans ces études cliniques est trop souvent inversement proportionnelle à la signification des résultats obtenus.

2. Les amphétamines

Les amphétamines appartiennent également à la famille des stimulants du système nerveux central. En ce sens, leur utilisation permet d'atteindre un plus grand niveau de conscience et induit un degré de sensibilité exceptionnel. Ces effets deviennent toutefois pernicieux lorsque la réactivité extrême face aux stimuli de l'environnement provoque l'agacement, l'impatience, l'irritabilité et le passage à l'acte violent. Encore ici, certaines analyses cliniques permettent de croire que la consommation d'amphétamines[110] pourrait engendrer une pensée paranoïde, un état de panique, une labilité émotive, une hyperactivité, un mauvais jugement de même qu'un contrôle réduit de l'impulsivité, d'où des comportements agressifs voire homicidaires (Ellinwood, 1971 ; Miller, 1991). Pourtant, il faut être bien conscient que les épisodes violents ne sont pas universels. En fait, ces propriétés demeurent pratiquement inconnues chez les routiers qui utilisent cette drogue pour prolonger leur période d'éveil ou chez les personnes qui recouraient jadis à cette drogue prescrite pour combattre l'obésité (Greenberg, 1976). Les comportements agressifs ne sont manifestement pas le lot de tous les utilisateurs d'amphétamines. Pour leur part, les recherches entreprises sur des animaux (souris, rats, écureuils et singes), afin de mieux comprendre la nature de la relation entre la consommation d'amphétamines et la violence, présentent des résultats inconsistants (Miczek et Thompson, 1983).

109. L'alcool est également très populaire parmi les usagers de cocaïne.

110. Surtout par voie intraveineuse.

Les chercheurs responsables de ces études se trouvent dans l'impossibilité d'établir une relation causale directe entre la consommation d'amphétamines et la manifestation de comportements agressifs. Ils doivent recourir à l'observation de variables intermédiaires telles que l'environnement ; la situation ; l'espèce ; les manifestations d'agressivité antérieures ; le dosage ; la chronicité de l'exposition à la drogue pour effectuer un rapprochement entre ces phénomènes. Ces mêmes variables pourraient également s'avérer cruciales pour la prédiction des comportements agressifs chez les humains.

3. Le PCP

Le PCP est une drogue aux propriétés multiples et aux effets kaléidoscopiques. Il stimule le système nerveux central, mais il présente également des propriétés anesthésiques, analgésiques et hallucinogènes (Inciardi, 1987). On raconte fréquemment qu'il handicape sérieusement l'interprétation des stimuli externes et que certaines personnes deviendraient « désorientées » à la suite de sa consommation (Baxley, 1980 ; Fauman et Fauman, 1982 ; Miller, 1991). Depuis la fin des années 1970, cette drogue a acquis une très mauvaise réputation tant chez les professionnels que chez les consommateurs (Brecher *et al.*, 1988). On la vend parfois telle quelle sous différents noms (THC, Angel Dust...), mais elle est très souvent ajoutée à la cocaïne ou à d'autres produits en vogue dans le milieu de la drogue ; aussi est-elle fréquemment consommée à l'insu de l'usager (Wish, 1986). La sinistre renommée du PCP est due au fait qu'il a régulièrement été mis en relation avec des comportements agressifs, plus spécifiquement chez les utilisateurs chroniques (Simonds et Kashani, 1980). Certains de ces usagers rapporteraient même des changements graduels de leur personnalité. C'est ainsi qu'ils deviendraient plus irritables, agressifs et violents à la suite de l'utilisation répétée de PCP. Chez certains, l'agressivité est fonctionnelle et dirigée contre des cibles bien spécifiques. Pour d'autres, il s'agit d'impulsions vagues et bizarres qui semblent associées à une psychopathologie (Fauman et Fauman, 1980). À cet effet, Yago *et al.* (1981) ont observé que 68 % des personnes intoxiquées au PCP admises en urgence dans des hôpitaux psychiatriques présentaient des symptômes de délire paranoïde ou d'hostilité manifeste. Cependant, les études scientifiques ne parviennent pas à relier sans équivoque consommation de PCP et manifestation de comportements hostiles. Les caractéristiques psychologiques (symptômes de personnalité antisociale) et les antécédents psychiatriques des utilisateurs constituent parfois de bien meilleurs prédicteurs de l'expression des comportements violents que la consommation de PCP (McCardle et Fishbein, 1989). On pourrait donc croire que le PCP exacerbe les tendances, parfois bizarres, déjà présentes chez l'individu (Fauman et Fauman, 1982).

4. Les barbituriques

Les effets pharmacologiques des barbituriques s'apparentent à ceux de l'alcool. La personne intoxiquée peut ainsi démontrer des signes de labilité émotive, de désordres moteurs et cognitifs, de même qu'un déficit de la mémoire. Même si la substance produit un effet principal dépresseur, il a été remarqué que l'usage chronique de barbituriques serait corrélé à l'irritabilité et à l'impatience du consommateur et de là, possiblement, à la manifestation de comportements violents (Spotts et Shontz, 1984). De plus, le sevrage aux barbituriques a souvent été associé à des réactions de violences intrapersonnelles de même qu'à des tentatives de suicide (Miller et Potter-Efron, 1989). Encore ici, il importe d'évaluer les tendances déjà présentes chez l'utilisateur avant d'attribuer les gestes posés à une consommation spécifique.

5. La marijuana et l'héroïne

Pour leur part, et contrairement aux drogues mentionnées plus haut, la consommation de marijuana ou d'héroïne semble associée à une réduction de la volonté d'utiliser sa force physique pour résoudre un conflit (Fagan, 1990[111]). Déjà, en 1925, Kolb mentionnait que l'usage important d'héroïne ou de morphine changeait un psychopathe soûlard et batailleur en un vagabond sobre et paisible.

Les écrits scientifiques concernant la consommation de drogues illicites et la violence sont épars et souvent fondés sur des récits cliniques relatant des épisodes étranges. Par ailleurs, si les caractéristiques pharmacologiques générales de la majorité des substances psycho-actives les plus courantes sont assez bien connues, la compréhension des mécanismes spécifiques favorisant la manifestation de comportements violents se révèle extrêmement lacunaire. Il s'avère encore impossible de connaître précisément les mécanismes psychopharmacologiques expliquant cette relation apparente chez certaines personnes (Nurco, Hanlon et Kinlock, 1991). Quoi qu'il en soit, de plus en plus de chercheurs en arrivent à la conclusion que, dans ce domaine, la violence ne peut s'expliquer que par l'interaction triangulaire de la drogue, de la personne et du contexte.

111. Voir également McGlothlin (1985), Miczek et Thompson (1983), Tinklenberg et Murphy (1972), ainsi que Tinklenberg *et al.* (1981).

L'interaction triangulaire drogue–personne–contexte

L'impasse dans laquelle semblent stagner les recherches tentant de mieux cerner la nature de la relation drogue–violence s'explique par la variété de même que par l'extrême complexité des facteurs en présence.

Au nombre des variables mises en cause, se retrouvent notamment l'**effet interactif des différentes drogues consommées**. En effet, la consommation de plusieurs drogues semble une pratique maintenant assez répandue. La consommation de plusieurs drogues, *intentionnelle* ou *accidentelle,* peut influencer grandement les réactions du consommateur face aux stimuli de l'environnement. Alors que l'utilisation *simultanée* ou *séquentielle* (à l'intérieur d'une durée de temps limitée) de certaines substances ne produira qu'un effet additif, le mélange d'autres agents pourra engendrer une synergie entraînant une réaction dépassant largement les réactions attendues de la consommation de chacune de ces drogues prises séparément. Comme l'effet de la consommation d'une drogue unique n'est pas toujours bien compris, il va sans dire que l'effet combiné de la consommation de drogues multiples s'avère alors très difficile, voire impossible, à prédire avec exactitude (Collins, 1986).

1. Le dosage

Le dosage constitue également un élément d'importance à considérer lorsque l'on analyse la relation drogue–violence. Ainsi, l'effet d'une drogue pourrait varier selon la quantité consommée (Blum, 1981). Généralement, on croit que la réponse évolue de façon curvilinéaire en fonction de la dose (Tinklenberg et Murphy, 1972).

2. Le temps

Le facteur temps n'est pas non plus un élément à négliger. Ainsi, l'effet le plus intense éprouvé par le consommateur se produit au moment où la concentration de drogue se trouve la plus élevée dans l'organisme. Les consommateurs de cocaïne décrivent généralement cet épisode en des termes qui rappellent la jouissance sexuelle. Le passage du temps affecte donc la concentration de drogue dans l'organisme et les effets ressentis (Tinklenberg et Murphy, 1972). On est porté à croire que les dangers de violence sont plus élevés au moment ou la concentration de drogue dans l'organisme est la plus forte.

Mais le temps entraîne également un effet pervers, redouté par un bon nombre de consommateurs : la tolérance et le sevrage. En effet, à la suite de l'utilisation répétée de certaines drogues, le consommateur pourra recourir à des quantités de plus en plus importantes pour ressentir les effets recherchés et pour ne pas entrer en contact avec une réalité qu'il fuit. Il s'agira parfois d'une quête ordalique (Valleur, 1988) où une certaine violence sera en quelque sorte dirigée contre soi, alors que la dose efficace voisinera parfois dangereusement avec la dose létale (Giroux, 1988). Par ailleurs, la hantise du sevrage poursuit un bon nombre de consommateurs réguliers de drogues. On le craint pour les douleurs psychologiques et physiques qu'il entraîne. Il n'est pas rare d'observer des personnes qui manifesteront, durant ces périodes de sevrage, de l'irritabilité, de l'hostilité et parfois même des comportements franchement agressifs (Goldstein, 1979).

3. Les variations individuelles

D'autre part, les variations individuelles en termes de réactions à la suite de l'absorption de drogue sont bien connues des consommateurs. L'intoxication apparaîtra plus ou moins rapidement en fonction du sexe, du poids, de l'âge, des capacités métaboliques ainsi que des réactions hormonales du consommateur (Gottheil *et al.*, 1983). Au niveau des facteurs psychologiques, il faut également considérer la personnalité[112], la tolérance, les expériences passées, le stress, la motivation ainsi que les croyances-attentes de l'utilisateur (Collins, 1988[113]). Certaines personnes pourront même subir des effets paradoxaux à la suite de leur consommation.

4. Les normes culturelles et l'écologie situationnelle

Enfin, les normes culturelles et l'écologie situationnelle (Roman, 1981) jouent également un rôle important au niveau de l'effet que produira l'absorption d'une substance psycho-active. Ainsi, une personne qui présente des tendances antisociales cherchera peut-être à consommer une substance qui, selon ses attentes et les normes culturelles, favorisera l'expression de ses penchants agressifs (Blum, 1981)[114]. Elle manifestera cependant un agir plus ou moins violent selon ses caractéristiques (physiques et psychologiques), les liens préalablement établis et l'attitude des autres acteurs sociaux en présence, le niveau de permissivité de la situation, le lieu où se déroule l'interaction, la disponibilité d'armes, les conséquences anticipées... (Blum,

112. On discute alors de la présence ou non de psychopathologie, d'une faible estime de soi, de sentiments de gêne, de culpabilité, d'agressivité, d'impulsivité ou de sentiments négatifs en général.

113. Voir également Fagan (1990), Gottheil *et al.* (1983), Hills, Belleville et Wilker (1957), Koefoed et MacMillan (1986), McCardle et Fishbein (1989), ainsi que Tinklenberg et Murphy (1972).

114. Ceci a maintes fois été prouvé dans le cas de l'intoxication à l'alcool (voir Brochu, 1995).

1981 ; Burns, 1980 ; Fagan, 1990). De plus, l'absence de contrôles sociaux informels, de contraintes extérieures ou le sentiment d'approbation sociale peuvent contribuer à la manifestation d'actions agressives (Strauss, 1978). En somme, la plus ou moins grande permissivité de l'environnement pourra avoir un impact sur l'expression du comportement violent.

En somme, la réponse comportementale manifestée à la suite de la consommation d'une substance psycho-active découle de la rencontre d'une personne avec une drogue dans un contexte bien précis (Blum, 1981[115]). Il ne s'agit pas ici de nier l'effet pharmacologique du produit consommé, mais de le mettre en relation avec des facteurs psychosociaux trop souvent laissés pour compte qui viendraient en diminuer ou en intensifier l'action. Dans ces circonstances, il ne faut pas s'étonner que la manifestation d'une **violence psychopharmacologique** ne constitue qu'un **phénomène exceptionnel** parmi les usagers de drogues illicites.

Pourtant, la violence est bel et bien présente dans le milieu de la drogue. Comment alors l'expliquer ? Dans un contexte où aucun contrôle de la qualité des produits n'est effectué, où le consommateur ne peut se fier qu'à la parole du vendeur pour connaître la composition du produit acheté, où il n'existe aucun organisme de protection du consommateur et encore moins de recours juridiques possibles face à un vendeur malhonnête, comment croire que la violence reliée à la drogue ne provienne que des propriétés pharmacologiques des produits consommés ? Dans une telle situation, lorsque le consommateur se croit lésé, il ne faut pas s'étonner que la loi du plus fort intervienne rapidement.

La loi du plus fort

En 1984, on évaluait que près du quart (23,8 %) des homicides commis dans la ville de New York étaient liés aux transactions de drogues (Goldstein, 1987). En 1986 et 1987, près de 20 % des victimes d'homicides comptabilisées dans les régions de Los Angeles, Memphis ou Shelby portaient des traces de cocaïne dans leur sang ou dans leurs tissus corporels[116] (Budd, 1989; Harruf *et al.*, 1988). Les rapports de police font état de clients tués alors qu'ils s'adonnaient au négoce de drogues ou à la suite d'une altercation violente avec un revendeur, de clients volés et abattus, de revendeurs tués (Harruf *et*

115. Voir également Fagan (1990), McCardle et Fishbein (1989), ainsi que Zinberg (1984).

116. Des statistiques semblables avaient également été rapportées pour la région de Miami dans les années 1978-1982 (McBride *et al.*, 1986).

al., 1988). Le trafic de drogues est même souvent considéré comme la cause principale de décès violents parmi les jeunes (Goldstein, 1986). De telles informations suggèrent une association marquée entre la drogue et la violence. Cette violence n'est-elle cependant pas davantage liée au milieu illicite où se déroule le trafic de la drogue qu'à la consommation en tant que telle?

En effet, lorsque l'on discute du lien entre la drogue et la criminalité violente, il ne faut pas omettre de considérer la violence qui émerge du **marché clandestin de la drogue**. Ainsi, les trafiquants de tous niveaux doivent contrôler et préserver leur territoire.

Les petits revendeurs constituent donc à la fois des sources et des cibles de sévices reliés au marché de la drogue (Preble et Casey, 1969; McBride *et al.*, 1986). Ainsi, les observations et les entrevues conduites par Bourgois (1989) de même que par Fagan et Chin (1990) indiquaient que les revendeurs de crack n'hésitaient généralement pas à utiliser la brutalité pour régler leurs contentieux. Par ailleurs, le distributeur pourra également utiliser la violence envers les revendeurs comme une stratégie de gestion lui permettant de prévenir divers abus de la part de ses employés qui éprouvent parfois de la difficulté à tenir leurs comptes (Bourgois, 1989; Johnson *et al.*, 1985; Preble, 1983). Cependant, les risques de sévices ne s'arrêtent pas là. Ces revendeurs transportent généralement une certaine quantité de drogues ou d'argent sur eux. Ils opèrent souvent dans des endroits qui sont à l'abri des regards trop indiscrets. Ils constituent ainsi de bonnes cibles pour les voleurs. Bien sûr, aucun revendeur ne peut se permettre d'être l'objet de brigandage s'il désire demeurer en affaires. Il a alors tout intérêt à défendre son butin par la force (Bourgois, 1989; Johnson *et al.*, 1985). Ces mêmes revendeurs devront également tenter de se protéger des resquilleurs, nombreux parmi les toxicomanes, qui n'ont plus un sou pour se procurer leur drogue. À l'inverse, certains revendeurs essaieront de «frauder» leurs clients en tentant de leur écouler un produit de moindre qualité ou sous une fausse «appellation» (Goldstein, 1985). Ils risquent alors de subir les foudres des clients les plus agressifs. Enfin, un certain nombre de revendeurs trop audacieux vont tenter d'élargir leur clientèle ou leur territoire au détriment d'un collègue déjà établi. Ce contentieux se réglera souvent par la force physique à défaut du poids des arguments verbaux (Goldstein, 1985).

Sur le plan international, on rapporte des conflits meurtriers ayant pour objet le contrôle d'un marché de distribution de drogues. Ce fut le cas au milieu des années 1980 alors que différentes entreprises essayaient de se tailler une place de choix dans ce qui promettait de devenir, et est devenu, un marché fort lucratif: le trafic de la cocaïne. L'énorme possibilité de profits efface parfois les hésitations des moins agressifs qui s'engagent dans un type de violence encore peu connue dans le marché de la drogue. C'est ainsi que des cartels colombiens auraient tenté d'intimider et d'assassiner des fonctionnaires, des juges de même que des politiciens qui s'opposaient à leurs plans (Limburg, 1990).

La violence systémique reliée au trafic des drogues demeure toujours un problème d'actualité :

> Un certain nombre d'affrontements violents entre des Colombiens et des Dominicains ainsi qu'entre des Colombiens et des Jamaïquains ont également été signalés en 1991. Ces incidents seraient attribuables au fait que les deux groupes n'auraient pas remboursé leur dette envers les organisations colombiennes. Il faut dire que de nombreux trafiquants colombiens à Montréal subissent une pression constante de la part des cartels de la Colombie qui les poussent à réaliser des profits et à faire le trafic de quantités toujours croissantes de cocaïne. Les criminels connaissent les conséquences fatales de l'échec et ne reculeront devant rien pour démontrer leur aptitude à recouvrer leurs pertes et à préserver leur hégémonie (Gendarmerie royale du Canada, 1993, p. 20-21).

> Le 9 février [1993], l'Armée Möng Tai (MTA), dont le chef est le fameux baron de la drogue Khun Sa, a fait fusiller 61 paysans du village de Pangtawee, près de Langkho dans le sud de l'État shan, qui refusaient de lui vendre leur opium (Observatoire géopolitique des drogues, 1993b, p. 1).

En somme, le marché illicite de la drogue se dessine sur un fond de violence systémique. La brutalité constitue ici à la fois une stratégie de gestion organisationnelle et une arme dans un contexte de concurrence économique féroce. Bien souvent, l'agresseur et la victime proviennent du même milieu et du même groupe d'âge (Singer, 1981). Le style de vie empruntée par ces personnes et leur implication dans le milieu de la délinquance les font alterner entre le rôle d'agresseur et de victime (Jensen et Brownfield, 1986 ; Kingery, Pruitt et Hurley, 1992).

SYNTHÈSE

En somme, la recherche dans le domaine des drogues illicites[117] et de la violence permet de croire que :

117. Dans un ouvrage parallèle, nous arrivons à des conclusions semblables touchant la relation entre la consommation d'alcool et la violence (Brochu, 1995).

1. tout produit ayant un effet sur le système nerveux central peut modifier les réactions de la personne intoxiquée ;
2. très souvent ces drogues ne feront que catalyser des énergies agressives déjà présentes ;
3. la réponse agressive sera cependant liée à un tissu personnel, social et culturel empreint de symboles et de significations implicites dans lequel l'intoxication ne constitue qu'un des nombreux éléments à envisager ;
4. les déterminants psychosociaux telles les attitudes, les attentes et les normes jouent donc un rôle médiateur capital entre l'intoxication et la manifestation de comportements violents ;
5. la violence psychopharmacologique attribuée à la consommation de drogues illicites ne compte que pour une faible proportion de la violence systémique entourant le marché des drogues illicites ;
6. l'espace où se déroulent les transactions illicites de drogues favorise souvent la victimisation des acteurs en présence ;
7. la violence constitue, à l'intérieur d'un marché clandestin, une stratégie de gestion efficace ;
8. la prohibition de certaines substances psycho-actives engendre donc une bonne part de la violence attribuée à la drogue.

La violence associée à la drogue provient donc de trois sources différentes : a) la réaction psychopharmacologique ; b) les démarches individuelles pour se procurer le produit ; c) les stratégies de gestion du système de production et de distribution illicite du produit. En somme, la consommation de drogues illicites, en tant que telle, ne peut expliquer toute la violence associée à la drogue. Le contexte de vente et d'utilisation et, bien entendu, la personne constituent des facteurs clés dans la compréhension de la relation entre les drogues et la criminalité expressive. *Ces constatations obligent l'intervenant à modifier son approche clinique trop exclusivement axée sur la prise d'un produit qui ne constitue en définitive qu'un indice supplémentaire de problèmes personnels et environnementaux.*

7. Les modèles conceptuels

Plusieurs chercheurs ont tenté d'intégrer dans une logique idéelle les résultats des différentes études empiriques tentant de mieux comprendre la nature de la relation drogue–crime. La science a donc été témoin de l'émergence de modèles conceptuels de plus en plus complexes qui cherchent à rendre compte des nuances impliquées par la relation en cause. Ce débat entre chercheurs ne présente pas qu'un intérêt théorique, mais peut avoir également un impact direct sur les politiques de même que sur l'intervention mise en place (Hammersley *et al.*, 1989).

De façon générale, deux types de modèles existent : les modèles causals, qui établissent une relation directe entre les deux composantes, et les modèles corrélationnels, pour lesquels la drogue et le crime n'entretiennent que des **liens corrélationnels** en constituant soit l'expression d'une psychopathologie, soit l'adoption d'un style de vie déviant.

Les modèles causals

La grande majorité des modèles causals veulent que la consommation de substances psycho-actives illicites ou la toxicomanie conduisent l'usager vers la criminalité. Pour les uns, il s'agit d'un dérangement psychopharmacologique induit par l'intoxication (**modèle psychopharmacologique**). Pour d'autres, la criminalité prend son origine dans la demande pécuniaire engendrée par la dépendance à un produit coûteux (**modèle économico-compulsif**). Pour d'autres encore, le facteur responsable de la criminalité associée aux drogues réside dans le système de distribution illicite de la drogue (**modèle systémique**[118]). Chacun de ces modèles veut rendre compte d'une relation qu'il conçoit comme relativement simple. Une seule exception dans le rang des adhérents aux modèles causals : Goldstein (1985), qui a tenté d'intégrer les modèles existants dans une conception plus large dite **tripartite**.

118. Le terme « systémique » est employé ici dans un sens très restreint en rapport avec le réseau de distribution des drogues. Il ne faut donc pas assimiler ce modèle causal aux théories systémiques ou aux pratiques d'intervention systémique telles que préconisées, entre autres, par Cormier (1984 et 1988), qui ont une portée beaucoup plus large. À notre avis, l'utilisation du terme « systémique » n'est pas appropriée lorsque l'on discute d'une relation simple et linéaire, mais ce modèle étant connu sous cette appellation, nous ne le baptiserons pas autrement ici.

Par ailleurs, un de ces modèles va à contre-courant. Nous l'intitulerons **modèle causal inversé,** parce qu'il affirme que l'usage de drogues constitue une conséquence logique de l'implication dans un style de vie déviant. En fait, la consommation de substances psycho-actives illicites découlerait de la compromission dans une sous-culture déviante.

1. Le modèle psychopharmacologique

Le modèle psychopharmacologique s'intéresse plus particulièrement à l'**intoxication** et à la **violence**. En quoi consiste le rôle de l'intoxication dans la manifestation de comportements agressifs ? Ce modèle prend son origine dans l'observation de nombreux cas d'intoxication à des substances psycho-actives de la part de personnes accusées de délits de violence. Voici l'illustration schématique de ce modèle :

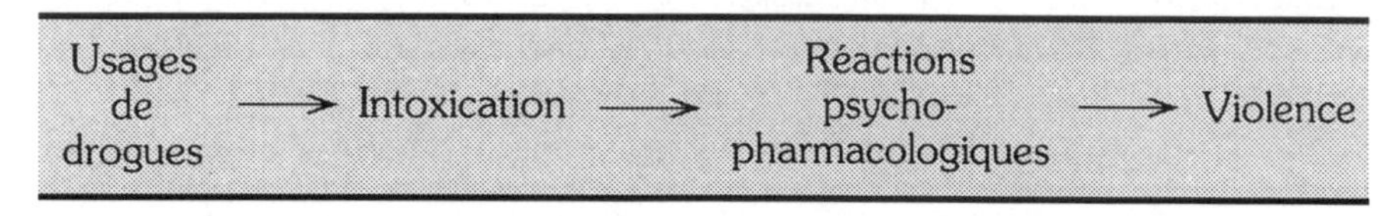

Présentation schématique du modèle psychopharmacologique

Ainsi, Simonds et Kashani (1980) ont rapporté que près de la moitié des jeunes contrevenants avaient fait usage d'une substance psycho-active dans les vingt-quatre heures précédant la commission d'un délit perpétré contre une personne. Plusieurs de ces jeunes auraient même affirmé avoir utilisé une drogue afin de se donner le courage de passer à l'acte. Selon eux, un bon nombre de ces délits n'auraient pas eu lieu si ces jeunes n'avaient pas pris la décision de consommer. Dans ces derniers cas, l'intention et la décision précèdent le passage à l'acte.

Selon ce modèle, des actions spécifiques de certaines substances peuvent provoquer l'hostilité de même que l'agression. Tel que mentionné au chapitre précédent, les drogues illicites les plus souvent associées à cet influx violent sont les stimulants (dont la cocaïne), les barbituriques ainsi que le PCP. Les recherches ne sont cependant pas très explicites en ce qui concerne le processus impliqué. Ainsi, on discute de la désinhibition[119], de l'amenuisement du contrôle de soi, de la détérioration du jugement, de l'induction d'irritabilité et d'impulsivité,

119. L'hypothèse de la désinhibition a surtout été invoquée dans le cas de l'intoxication alcoolique. Pourtant, les études rigoureuses ne sont pas parvenues à la soutenir de façon suffisante (voir Kantor et Straus, 1987, pour une discussion plus complète de ce sujet).

de la production d'idées paranoïdes ou de la formation d'un sentiment d'omnipotence.

Pourtant, peu d'éléments empiriques permettent de soutenir un tel modèle. La qualité des données est généralement inversement proportionnelle à la robustesse de la méthodologie utilisée (Collins, 1990a et 1990b).

Par ailleurs, même si la nature de l'association postulée était soutenue empiriquement par des études corrélationnelles effectuées auprès de contrevenants accusés de délits de violence, rien ne prouverait qu'un mécanisme psychopharmacologique précis ait été en jeu au cours de l'altercation. En effet, diverses substances psycho-actives ont acquis la réputation d'être associées à la brutalité. Certaines personnes pourraient alors utiliser ces drogues de façon fonctionnelle afin de s'engager dans des conduites brutales tout en se libérant de leur responsabilité personnelle (Goldstein, 1987). Le comportement violent serait alors attribuable à une signification symbolique et culturelle attribuée à une substance, plutôt qu'aux propriétés psychopharmacologiques de celle-ci. À la limite, ces études corrélationnelles pourraient tout aussi bien étayer un modèle attente–excuse visant à retirer la responsabilité individuelle face à un acte socialement réprouvé pour l'attribuer à un objet externe : la drogue.

2. Le modèle économico-compulsif

Le modèle économico-compulsif[120] perçoit une relation causale entre, d'une part, la toxicomanie envers des substances qui induisent une dépendance physiologique ou psychologique intense et qui se transigent à des prix élevés et, d'autre part, l'implication dans une criminalité de nature lucrative (Ball *et al.*, 1983). Contrairement au précédent, le modèle économico-compulsif n'attribue pas la criminalité à une impulsivité mal contenue résultant de l'intoxication, mais affirme plutôt que la dépendance envers une drogue et la cherté de ce produit constituent des éléments incitatifs à l'action criminelle.

Ce modèle s'appuie sur l'observation qu'un grand nombre d'héroïnomanes, de cocaïnomanes ou d'usagers de crack sont impliqués dans une criminalité lucrative. Bien plus, les tenants de ce modèle ont remarqué que la compromission criminelle des toxicomanes variait en fonction de leur niveau de consommation. Les drogues telles que l'héroïne, la cocaïne et, plus récemment, le crack sont perçues comme extrêmement assujettissantes. Ainsi, une personne qui a établi une dépendance à l'un de ces produits doit en

120. Parfois connu sous le nom de modèle contrainte–demande (Sarnecki, 1989).

consommer à plusieurs reprises au cours d'une même journée afin d'éviter un sevrage physiologique ou psychologique. À l'usage, ces substances deviennent terriblement onéreuses. Cette exigence financière dépasse alors largement les gains pouvant être tirés d'un travail légitime. L'initiation et la poursuite d'une trajectoire criminelle est donc attribuée au besoin d'argent engendré par la dépendance envers ces drogues :

> D'après une théorie que l'on pourrait définir « classique », le toxico-dépendant se transforme en délinquant sous l'emprise d'un désir incoercible de prendre la drogue en doses croissantes et donc de l'obtenir à tout prix et par n'importe quel moyen (Merlo, 1989, p. 336).

De façon schématique, on pourrait illustrer ainsi le modèle :

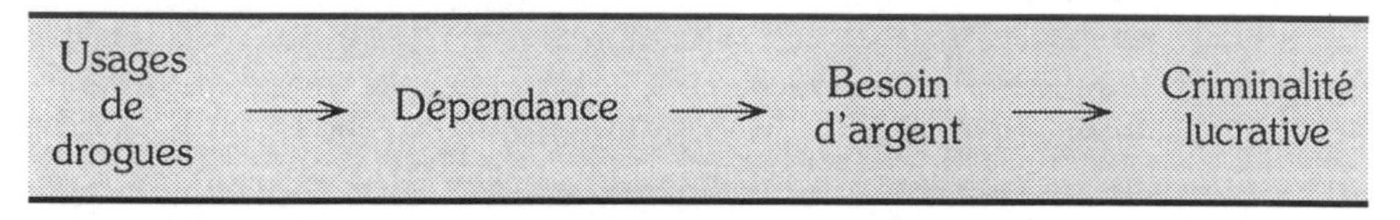

Présentation schématique du modèle économico-compulsif

Empiriquement, ce modèle prédit donc une relation linéaire entre la consommation de drogues illicites coûteuses et les activités criminelles lucratives (Faupel et Klockars, 1987). En termes économiques, la toxicomanie est perçue comme engendrant une demande inélastique[121] (Collins, Hubbard et Rachal, 1985). En ce sens, elle impose un désir intransigeant.

Ce modèle prend ses origines dans les théories qui conçoivent la toxicomanie comme une maladie. En ce sens, les comportements sociaux du toxicomane sont perçus comme déterminés par cet état (Grapendaal, Leuw et Nelen, 1991 ; Hammersley *et al.*, 1989 ; Peele, 1989). On réduit alors la signification psychosociale du geste illégal posé par l'acteur social à une équation mécanique simple prenant naissance dans une affection dévorante, voire héréditaire. On postule alors que la criminalité constitue une conséquence inévitable de la toxicomanie aux drogues engendrant une grande pharmacodépendance et coûteuses. De cette façon, on ignore, discrédite ou nie la signification personnelle du geste posé et on ne prend pas en compte l'origine socio-économique de la personne dépendante.

121. Il s'agit là d'une hypothèse infirmée par Grapendaal (1992), qui indique que la consommation de drogues est plutôt fonction de l'argent disponible que de la dépendance physique.

Selon Grapendaal, Leuw et Nelen (1991), cette conception économico-compulsive semble populaire parmi les toxicomanes. Ces auteurs poursuivent leur analyse en mentionnant que cette construction réductionniste de la réalité servirait les intérêts de chacun des acteurs sociaux impliqués dans le problème. Le gros consommateur se soustrait de la responsabilité morale des gestes délinquants posés : ce n'est pas de sa faute, il est dépendant d'une drogue... il est malade. Elle permet au thérapeute d'éviter de confronter le toxicomane avec ses comportements illégaux. Cela justifie les forces de l'ordre quant à leur demande de budget et leur incapacité à enrayer la criminalité. Chacun y trouve son compte en reportant la responsabilité de son inaction sur les propriétés insondables de la drogue.

Le modèle économico-compulsif concevant la toxicomanie comme une maladie despotique ne tient pas compte des épisodes de consommation réduite et même d'abstinence qui surviennent à la suite de périodes de disponibilité réduite de la drogue (Faupel, 1991[122]). Ces phases cadrent difficilement avec la théorie de la maladie classique, mais présentent toutes une signification phénoménologique importante. Bien plus, ce modèle ignore délibérément les personnes qui exercent un contrôle efficace sur leur consommation (Alexander, 1994[123]). Bien sûr, celles-ci ne font pas l'objet des services offerts par les centres de traitement et ne se retrouvent habituellement pas derrière les barreaux. Elles sont généralement ignorées par les chercheurs parce qu'elles forment une population discrète, très difficile à rejoindre. Il nous apparaît cependant malavisé de réduire la compréhension du phénomène aux éléments les plus facilement observables.

Par ailleurs, ce modèle peut difficilement expliquer comment il se fait que, pour un très grand nombre de jeunes contrevenants, une petite délinquance soit apparue bien avant la consommation de drogues illicites sans, bien sûr, parler des premiers signes de dépendance envers le produit (Brochu et Douyon, 1990[124]). Enfin, comment expliquer, en se fondant sur ce modèle, la criminalité résiduelle des ex-toxicomanes (Hammersley *et al.*, 1989)?

Il faut plutôt croire, à l'instar de Hunt (1991), que l'implication criminelle des consommateurs de substances psycho-actives illicites

---

122. Voir également Johnson *et al.* (1985), Wilson et Herrnstein (1985), ainsi que Zinberg (1984).

123. Voir également Wilson et Herrnstein (1985), Zinberg (1984), ainsi que Zinberg et Jacobson (1976).

124. Voir également Elliott et Morse (1989), Faupel et Klockars (1987), Kandel, Simcha-Fagan et Davies (1986), Sarnecki (1989) ou Wilson et Herrnstein (1985).

sera fonction : a) des revenus de l'usager et du prix du produit ; b) de la fréquence d'utilisation de drogues de même que de l'implication dans un style de vie toxicomane ; c) des antécédents délinquants. De ce fait, le modèle économico-compulsif ne s'appliquerait qu'aux personnes qui ont un revenu limité pour répondre à leur consommation de substances psycho-actives et qui sont fortement dépendantes de drogues coûteuses.

3. Le modèle systémique[125]

Selon le schéma conceptuel du modèle systémique, le milieu illicite du marché de la drogue encourage et facilite l'implication criminelle. Ainsi, tel que mentionné au chapitre précédent, cet environnement appelle de nombreux conflits territoriaux entre trafiquants rivaux : la violence est souvent utilisée comme stratégie de « gestion du personnel » ; les vengeances remplacent le système de justice pénal, etc. (Goldstein, 1987).

Goldstein (1987) identifie deux dimensions distinctes de la criminalité systémique : le système de distribution des drogues illicites et le système d'approvisionnement. Les journaux rapportent couramment des incidents violents liés aux méthodes de diffusion de substances psycho-actives prohibées. C'est ainsi qu'à la fin des années 1980 ont paru de nombreux articles traitant de la guerre reliée au marché illicite de la cocaïne et du crack que se livraient d'importants distributeurs de drogues du Sud des États-Unis. Bien qu'elle fasse l'objet d'une moins grande publicité médiatique, il n'en demeure pas moins que cette brutalité a cours également chez les petits revendeurs. Pour sa part, la violence reliée au système d'approvisionnement punit habituellement les violations des normes ou des valeurs qui prévalent au sein de cette sous-culture (Goldstein, 1987).

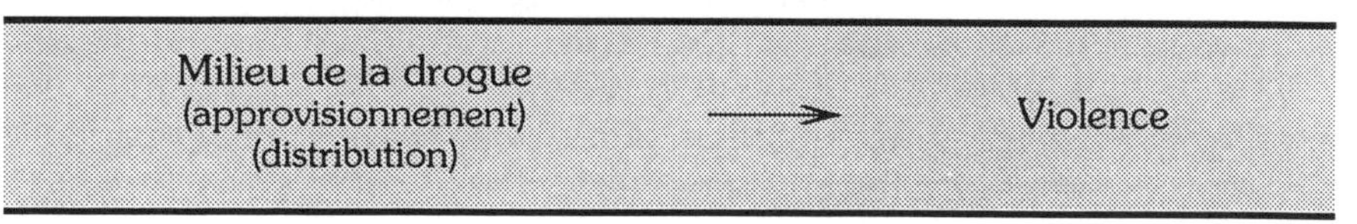

Présentation schématique du modèle systémique

Le modèle systémique demeure ambigu quant à la direction de la causalité drogue–crime. En effet, même si le modèle suppose que

125. Nous le rappelons à nouveau, le modèle systémique qui est décrit dans cette section n'est pas directement relié à la théorie des systèmes ni au modèle d'intervention systémique. Il renvoie tout simplement au « système » de distribution illicite de la drogue.

le système de distribution et d'approvisionnement de drogues illicites favorise la criminalité, on peut supposer que les individus enclins à la délinquance trouvent aux méthodes utilisées un attrait incontestable puisqu'ils pourront y mettre à profit leurs aptitudes et leur force physique tout en recevant des compensations financières importantes. De plus, les gestionnaires de ces organisations illégales, voulant soutenir leur réputation auprès de leurs collègues et assurer leur emprise sur un territoire défini, ont tout intérêt à s'entourer de costauds au tempérament fougueux qui n'hésiteront pas à instituer un régime de terreur lorsque cela pourra servir les causes de l'entreprise (Bourgois, 1989). On se trouve alors devant le phénomène de la poule et de l'œuf, sans savoir réellement quel élément a été le précurseur. L'adoption d'un style de vie délinquant a-t-elle favorisé l'implication dans le système de distribution de la drogue, ou, à l'inverse, la fréquentation du milieu de la drogue a-t-elle précipité l'implication criminelle?

Enfin, on est en droit de s'interroger sur le rôle initiateur du milieu de la drogue sur la violence observée dans ces quartiers. La détérioration des zones d'habitation, les taux de chômage endémique, l'effritement des valeurs traditionnelles et la délinquance n'avaient-ils pas pris naissance bien avant l'arrivée des trafiquants? Ces lieux ne représentaient-ils pas plutôt une terre d'accueil propice au développement de la brutalité? Dans ces conditions, est-ce vraiment le trafic de drogues qui a généré la violence maintenant étudiée dans ces quartiers? Bien sûr, une proportion non négligeable des actes brutaux observés semblent étroitement liés au commerce illicite de substances psycho-actives, mais, par contre, une grande partie de cette violence n'y trouve qu'un prétexte.

Si l'on exclut les récits journalistiques, très peu d'études ont tenté de vérifier empiriquement ce modèle. Un facteur pouvant expliquer le faible engouement des chercheurs face à cette approche réside dans le fait que peu de victimes font appel aux forces policières. Le revendeur n'a certes pas intérêt à rapporter le vol de drogues et d'argent dont il a été l'objet. S'il le fait, il aura avantage à maquiller certaines informations. Il pourra rapporter le montant d'argent qui lui a été dérobé en prenant bien soin de ne pas divulguer sa provenance. Il devient alors très difficile d'identifier exactement la délinquance systémique et de la distinguer de la criminalité générale.

4. Modèle tripartite

Comme il est possible de le constater, les modèles unidimensionnels classiques n'expliquent qu'une partie de la criminalité reliée aux drogues illicites. Goldstein (1985), conscient de cette lacune, tente donc de mieux cerner la complexité de la relation drogue–crime.

Pour ce faire, il regroupe les trois modèles étudiés précédemment en un seul qu'il qualifie de tripartite. Ce modèle a été élaboré afin d'expliquer de façon plus globale les différentes facettes de la relation drogue–crime. C'est ainsi qu'il traite des manifestations de violence associées à l'intoxication (psychopharmacologique), reliées à la dépendance (économico-compulsive), ou découlant du marché illicite de la drogue (systémique) :

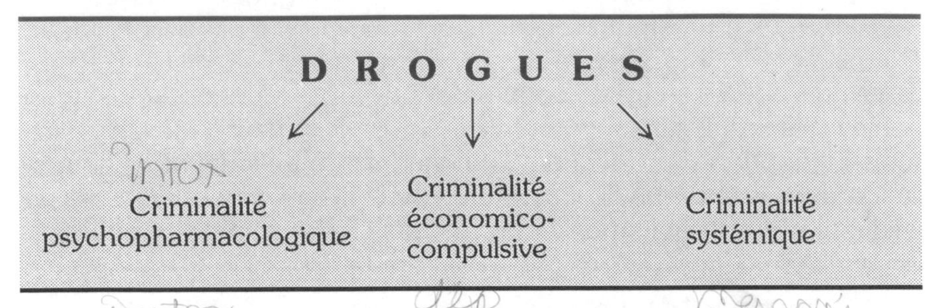

Présentation schématique du modèle tripartite

Les études effectuées à partir de ce modèle (Goldstein *et al.*, 1992 ; Goldstein *et al.*, 1989) indiquent que la grande majorité des homicides reliés à la drogue sont issus du système de distribution et d'approvisionnement. Si l'on exclut toujours l'alcool de la liste des substances psycho-actives, il devient évident que les indices de violence psychopharmacologique s'avèrent des phénomènes rares. Ces travaux mettent également en lumière le fait que la criminalité économico-compulsive entraîne rarement une brutalité mortelle, mais se traduit davantage par la perpétration de vols à main armée (Inciardi, 1990).

Chaque composante du modèle tripartite se rattache donc à une pratique criminelle fort différente : une très faible criminalité psychopharmacologique, une violence économico-compulsive se concentrant autour des vols à main armée et une brutalité systémique relativement rare, toutes proportions gardées, mais parfois meurtrière (Brownstein et Goldstein, 1990).

Cet effort d'intégration est certainement méritoire ; il a permis de prendre conscience de la complexité de la relation à l'étude. Cependant, l'addition de trois modèles n'en fait pas un modèle intégratif pour autant. À notre avis, il est important de poursuivre la réflexion dans la direction proposée par Goldstein, mais en analysant plus finement chacune des composantes du système en cause afin de proposer un modèle qui tienne mieux compte des différences individuelles et de l'évolution de la personne.

5. Modèle causal inversé

À l'opposé de ce qui a été affirmé dans les modèles conceptuels précédents, certains croient que c'est l'implication dans un style de vie délinquant qui favorise la consommation de substances psychoactives illicites (Collins, Hubbard et Rachal, 1985 ; Hammersley *et al.*, 1989). On l'a vu antérieurement, un bon nombre de jeunes contrevenants fêtent leurs succès délinquants en consommant des drogues. Il en est de même pour certains usagers d'héroïne, alors que leur consommation dépend en grande partie de leurs revenus tirés du crime (Johnson *et al.*, 1985 ; Faupel, 1991). C'est ce qui a permis à Collins, Hubbard et Rachal (1985) de conclure que l'argent engendré par les activités criminelles constitue un meilleur prédicteur de la consommation de drogues que l'inverse.

Cependant, le rôle du milieu délinquant ne s'arrête pas là. En plus de l'argent provenant des activités criminelles, le style de vie délinquant fournit les contacts nécessaires à l'achat de drogues illicites de même qu'une légitimation (modèles, normes, protocoles, règles...) de la consommation (Collins, Hubbard et Rachal, 1985[126]).

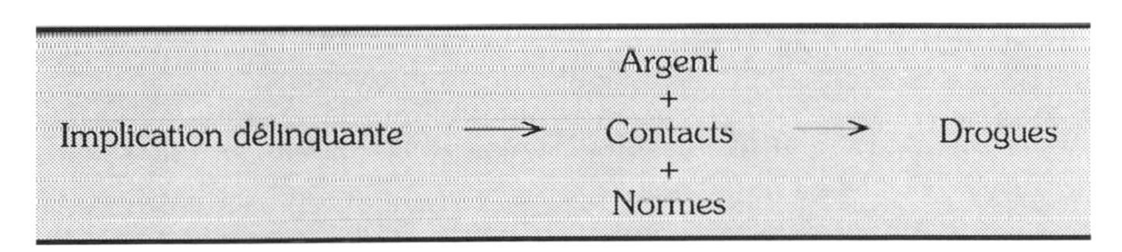

Présentation schématique du modèle causal inversé

À l'appui de leur modèle, les chercheurs citent habituellement des études révélant que le comportement délinquant précède la consommation de drogues illicites ainsi que des enquêtes démontrant que l'implication criminelle des usagers de drogues ne prend pas fin avec les périodes d'abstinence. La délinquance initiale, d'une part, et la criminalité résiduelle, d'autre part, constitueraient des preuves selon lesquelles la délinquance prendrait ses origines dans une constellation de facteurs autre que la simple consommation ou dépendance envers une drogue. Ce modèle a, en quelque sorte, donné naissance au modèle psychosocial qui fait appel à la notion de syndrome de comportements déviants. Ce modèle sera analysé en détail dans la section suivante.

---

126. Voir également Grapendaal, Leuw et Nelen (1991) ainsi que Watters, Reinarman et Fagan (1985).

Les modèles causals éprouvent énormément de difficultés à transmettre avec exactitude toute la complexité de l'association drogue–criminalité. On croit que cette impuissance tire son origine dans la facilité avec laquelle les tenants de ces modèles négligent de considérer la personne comme un acteur social capable de raisonnement logique et tributaire de l'environnement dans lequel elle évolue. D'autres chercheurs ont cependant réussi à se défaire de ce schéma cognitif linéaire et ont adopté une vue plus englobante. Nous classerons leur conception sous l'appellation «modèles corrélationnels».

Les modèles corrélationnels

Les tenants des modèles corrélationnels supposent qu'il n'existe pas de causalité simple et directe entre la consommation de drogues, ou la toxicomanie, et les manifestations criminelles. Pour certains, ces deux comportements émergeraient d'origines totalement indépendantes (**modèle sans cause commune**). Pour d'autres, un troisième facteur serait responsable de l'adoption de ces deux comportements déviants (**modèles à causes communes**).

1. Le modèle sans cause commune

Selon ce modèle, la consommation de drogues et les manifestations de comportements délinquants seraient uniquement liées entre elles par la synchronie de leur apparition pendant la période de l'adolescence (White, 1990). En effet, ce stade de vie est caractérisé par l'expérimentation d'une variété d'activités nouvelles et parfois contestataires. Peu de ces jeunes se spécialiseront dans plus d'une forme de déviance.

L'argument le plus souvent invoqué à l'appui de cette thèse consiste dans le fait que les deux comportements ne suivent pas un itinéraire de développement identique. Ainsi, la consommation de drogues illicites et la délinquance sévère ne toucheraient pas nécessairement les mêmes personnes (White, Pandina et LaGrange, 1987). De plus, de façon générale, le processus de mûrissement semble plus long chez les usagers de drogues que chez les jeunes contrevenants, puisqu'il n'est atteint que vers la fin de l'adolescence ou au début de l'âge adulte plutôt qu'au milieu de l'adolescence (Chaiken et Johnson, 1988[127]). Les jeunes délaisseraient donc les activités délinquantes bien avant de mettre fin à leur consommation de drogues illicites.

2. Les modèles à causes communes

Malgré les arguments présentés ci-dessus, certains chercheurs croient que la consommation de drogues et la délinquance sont unies par un

127. Voir également Harrison et Gfroerer (1992), Hirschi et Gottfredson (1983), Menard et Huizinga (1989), ainsi que White (1990).

ou plusieurs facteurs communs autres que la simple synchronie. Ils se basent alors sur le fait qu'une minorité de jeunes manifestent un très grand nombre de comportements qualifiés de déviants (Elliott, Huizinga et Menard, 1989 ; Fréchette et LeBlanc, 1987 ; Gottfredson et Hirschi, 1990). Selon les tenants de cette position, cette concentration de problèmes chez une même personne ne pourrait s'expliquer uniquement par la coïncidence synchronique, mais il faudrait plutôt faire appel à des données présentes dans le développement de l'adolescent. Certains chercheurs ont donc tenté de déterminer les facteurs qui pourraient être responsables de cette propension toxicomaniaque et délinquante dans les composantes de la personnalité des individus mis en cause (**modèle psychopathologique**). Cependant, un courant plus récent voudrait que des facteurs psychosociaux soient impliqués dans ce processus (**modèle psychosocial**).

a) Modèle psychopathologique

Traditionnellement, les psychologues ont eu tendance à considérer l'agir antisocial comme la manifestation de problèmes plus profonds. On tentait alors d'isoler des traits de personnalité susceptibles d'expliquer l'agir. Le modèle psychopathologique s'inscrit dans cette tradition.

Le modèle psychopathologique dérive des études réalisées auprès des alcooliques qui révélaient qu'un bon nombre d'entre eux présentaient une personnalité antisociale (voir Pernanen, 1981, ou Wish et Johnson, 1986, pour une discussion plus complète de ce thème). Pourquoi le toxicomane ne présenterait-il pas ce même diagnostic?

Un grand nombre de recherches effectuées auprès des toxicomanes en traitement ont permis de déterminer la présence de traits « antisociaux[128] » au sein de cette population (Gibbs, 1982[129]). En effet, beaucoup de ces études utilisant le Minnesota Multiphasic Personality Inventory (MMPI) indiquent une élévation importante à l'échelle déviance psychopathique (Pd).

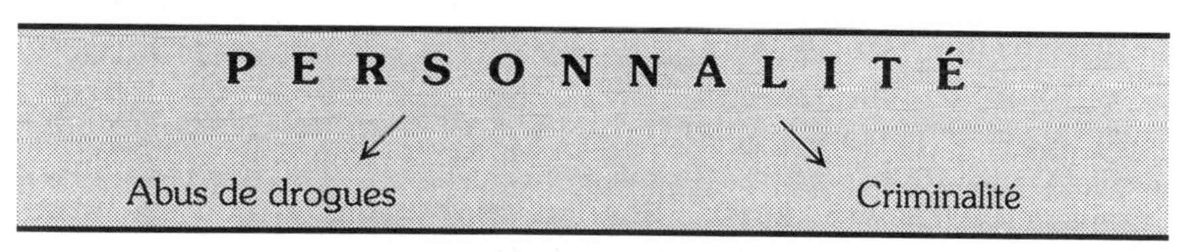

Présentation schématique du modèle psychopathologique

128. Psychopathie, sociopathie ou personnalité antisociale.

129. Voir également Hammersley, Lavelle et Forsyth (sous presse), Hill, Haertzen et Davis (1962), Kraus (1981), Lavelle, Hammersley et Forsyth (sous presse), Lewis, Cloninger et Pais (1983), ainsi que Muntaner *et al.* (1990).

Cette constatation suggère que certains traits de personnalité pourraient expliquer à la fois la délinquance et la toxicomanie.

Cependant, une critique fréquemment adressée à ce type de recherche concerne le lien chronologique entre la consommation de drogues et l'acquisition de traits antisociaux. Est-ce que ce sont les traits de personnalité qui ont donné lieu à une forte consommation de drogues, ou le fait de fréquenter le milieu de la drogue qui a influencé la personnalité (Lavelle, Hammersley et Forsyth, sous presse) ? De plus, très peu de recherches utilisent des groupes témoins agencés, de sorte que les traits antisociaux peuvent être attribuables à des facteurs externes non contrôlés (Lavelle, Hammersley et Forsyth, sous presse). Enfin, seul un petit nombre de travaux empiriques solides ont été réalisés afin de vérifier ce modèle. Malheureusement, ils apportent parfois des résultats conflictuels. Bien plus, certains indiquent que la personnalité antisociale n'expliquerait qu'une partie négligeable de la variance lorsque d'autres variables sont considérées (Jaffe, Babor et Fishbein, 1988 ; Muntaner *et al.*, 1990 ; Newcomb, Bentler et Fahy, 1987).

b) Modèle psychosocial

Le modèle psychosocial s'inspire partiellement du modèle psychopathologique, mais fait reposer l'orientation antisociale sur un ensemble de facteurs qui ne s'appuient pas exclusivement sur une pathologie de l'individu. En effet, tout comme le modèle précédent, il n'associe pas de causalité entre l'usage de la drogue et la criminalité. Il tente plutôt de dégager des causes extérieures à ces deux manifestations déviantes. Pourtant, à la différence du modèle psychopathologique, il intègre dans son explication du comportement déviant, en plus des variables psychologiques, un certain nombre de facteurs sociaux qui en déterminent l'intensité.

De nombreuses études analysées dans les chapitres précédents indiquent que la criminalité, tout comme l'abus de substances psychoactives illicites, se distribue très inégalement au sein de la population. Un grand nombre d'activités considérées comme problématiques durant l'adolescence seraient associées et prendraient leur origine dans un ensemble de facteurs sociaux[130] et psychologiques communs (Donovan et Jessor, 1985[131]). Cette marginalité structurale serait associée à un **syndrome de déviance** apparaissant chez une

130. Ces facteurs englobent les variables démographiques.

131. Voir également Donovan, Jessor et Costa (1988), Elliott, Huizinga et Menard (1989), Farrell, Danish et Howard (1992), ainsi que Sarnecki (1989).

minorité d'adolescents qui adoptent un style de vie particulier : style de vie qui place l'individu en rupture par rapport à la société. Provenant d'écoles de pensée parfois différentes, un ensemble de chercheurs cliniques (Debuyst, Fréchette et LeBlanc, Wolfgang, Yochelson et Samenow et d'autres) ont présenté des résultats validant ce concept.

Selon cette conception, la délinquance, la consommation de drogues de même que certains comportements à risque telles des expériences sexuelles précoces et souvent non protégées, la conduite automobile dangereuse, etc., constitueraient, à l'époque actuelle, des manifestations de ce syndrome de déviance (Donovan et Jessor 1985[132]). L'apparition de l'une de ces conduites pourrait même parfois favoriser ou stimuler l'expression de nouveaux comportements hors normes, sans que ces derniers soient pour autant reliés entre eux par une causalité directe (Brochu, 1994[133]).

Pourtant, ces manifestations n'apparaîtraient pas nécessairement toutes au même moment. Elles seraient plutôt corrélées à certaines périodes de la vie des personnes et sujettes à un processus de maturation distinct, ce qui expliquerait le cheminement différent des usagers de drogues et des jeunes contrevenants (Harrison et Gfroerer, 1992 ; Menard et Huizinga, 1989).

Leur lien résiderait dans des facteurs de risque communs et dans un processus de maintien mutuel qui retarderait leur processus de maturation et de retrait.

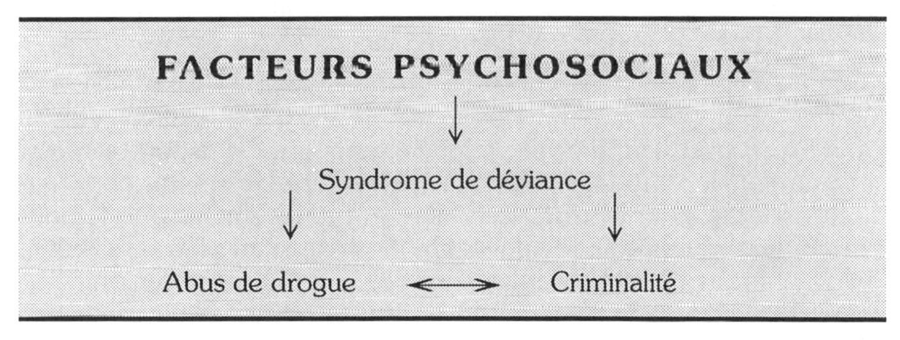

Présentation schématique du modèle psychosocial

132. Voir également Akers (1984), Barnes et Welte (1986), Donovan, Jessor et Costa (1988), Elliott, Huizinga et Ageton (1985), Elliott et Morse (1989), Harrison et Gfroerer (1992), Hundleby (1987), McGee et Newcomb (1992), Osgood *et al.* (1988) ou Zabin *et al.* (1986).

133. Voir également Elliott, Huizinga et Menard (1989), Elliott et Morse (1989), Grapendaal, Leuw et Nelen (1991) ou Harrison et Gfroerer (1992).

Des recherches récentes indiquent clairement l'existence de facteurs communs à plusieurs types d'activités déviantes : rupture de liens avec les institutions de socialisation ; fréquentation de pairs déviants ; manifestation précoce de comportements hors normes ; conditions de vie. Ces facteurs permettent de prédire l'apparition d'un comportement déviant chez les personnes qui les présentent (Barnes et Welte, 1986 ; Elliott, Huizinga et Ageton, 1985). Cependant, il apparaît également que l'observation de facteurs spécifiques à chacun des comportements étudiés a pour effet d'accroître la précision de la prédiction (réduction du nombre de faux positifs) (Gillmore *et al.*, 1991).

Ce modèle psychosocial semble très approprié pour connaître les facteurs d'initiation à la consommation illicite de drogues et aux actes délinquants chez les adolescents. Toutefois, il n'apporte que peu d'indices pour la compréhension du développement de la nature du lien drogue–crime chez les personnes qui poursuivent leur cheminement dans une trajectoire comportant ces deux comportements.

SYNTHÈSE

Deux observations se dégagent de l'analyse effectuée dans ce chapitre. La première est que les nouveaux modèles développés pour tenter de mieux comprendre la nature de la relation drogue–crime apportent un message clair : cette relation est plus complexe qu'on ne l'a d'abord cru. Les modèles causals ne peuvent rendre compte de toute cette complexité.

En second lieu, il apparaît que la naissance ainsi que le développement des modèles conceptuels tentant de mieux cerner la nature de la relation drogue–crime sont empreints d'une logique compétitive plutôt qu'intégrative. On laisse ainsi en plan les résultats des recherches corroborant les modèles concurrents et on tente d'appuyer le modèle naissant sur de toutes nouvelles bases. À titre d'exemple, il est évident que le modèle économico-compulsif n'est pas à même d'expliquer l'apparition de la délinquance avant la consommation de drogues chez un bon nombre de personnes à risque. De ce fait, certains rejettent en bloc toutes les études reliées à ce modèle. Pourtant, ils oublient peut-être un peu trop facilement le rôle joué par la dépendance au niveau de la commission de délits acquisitifs chez un bon nombre de toxicomanes. Les modèles subséquents ont alors tendance à ne vouloir répondre qu'à la critique du modèle précédent sans conserver les éléments clés du modèle rejeté. C'est ainsi que le modèle psychosocial a pris naissance en tentant de mieux comprendre les facteurs de risque propres à l'apparition de ces deux comportements à l'étude. Les chercheurs qui adhèrent à cette conception croient en la coexistence des deux phénomènes chez certains individus plus vulnérables. L'ordre d'apparition ne revêt plus ici une importance capitale, puisqu'il est normal que certains comportements à problème apparaissent plus ou moins tôt en raison d'un syndrome de déviance. Pourtant, ce faisant, les tenants de cette conception ne tiennent pas compte des études associées au modèle rejeté : les variations de la consommation corrélées aux modifications de consommation, qui pourtant semblent donner un poids important au modèle économico-compulsif.

L'analyse des écrits scientifiques des dernières années donne parfois l'impression que les chercheurs impliqués dans l'étude de la relation drogue–crime n'observent pas tous le même phénomène... C'est peut-être le cas !

8. Un modèle conceptuel intégratif

Est-il vraiment possible que les modèles conceptuels étudiés au chapitre précédent ne considèrent pas le même phénomène? Ou plutôt, l'observeraient-ils à des moments distincts ou pour des populations différentes? En effet, les modèles conceptuels populaires émettent en quelque sorte l'hypothèse d'une relation stable et universelle. Toutefois, se pourrait-il que la nature de la relation drogue–crime puisse prendre des allures différentes selon la personne et le moment ? C'est du moins ce que permettent de supposer les études récentes. Ainsi, Faupel et Klockars (1987) ont bien démontré les transformations dynamiques de cette relation selon les étapes de la trajectoire toxicomane.

En ce sens, il est probable que les modèles conceptuels analysés précédemment ne représentent que l'aboutissement d'observations ponctuelles et partielles du phénomène en question. Les résultats ne présenteraient qu'une facette du problème. L'intégration de ces modèles fournirait alors un portrait plus global de la réalité. En effet, les études qualitatives, ethnologiques et phénoménologiques, par leurs contacts plus assidus avec les acteurs concernés, semblent nous indiquer l'importance à accorder à l'idiosyncrasie de même qu'à l'évolution de la relation drogue–crime. L'accumulation des connaissances effectuée au cours des vingt dernières années ainsi que les études effectuées à l'Unité de recherche en toxicomanie du Centre international de criminologie comparée (CICC) de l'Université de Montréal fournissent suffisamment d'éléments pour tenter d'élaborer un modèle intégratif qui sera présenté pour la première fois dans ce chapitre. Pour ce faire, les notions de facteurs de risque, de style de vie déviant et de facteurs de maintien, de progression et d'arrêt sont envisagées. La présentation schématique partielle qui suit met en place ces éléments. Reste maintenant à mieux les définir et à les articuler ensemble.

Préalablement, il convient de mentionner qu'il ne s'agit nullement d'une conception linéaire. Si certaines conditions constituent des préalables à l'adoption de comportements, elles ne deviendront jamais totalement suffisantes pour l'expliquer entièrement. La personne humaine, douée d'une volonté propre, même intoxiquée ou dépendante d'une drogue, attribue des significations phénoménologiques à ses comportements et à son cheminement. Ces significations propres peuvent continuellement influencer la trajectoire empruntée.

Style de vie déviant

Facteurs de risque	Faibles / Moyens / Sévères	Occurrence	Renforcement mutuel	Économico-compulsif

Facteurs de maintien, de progression ou d'interruption

Présentation schématique partielle du modèle intégratif

En ce sens, on peut croire que le modèle présenté constitue une conception probabiliste.

Des facteurs de risque

Comme nous l'avons mentionné précédemment, une distanciation face aux institutions de socialisation, des conditions de vie difficiles, l'attachement envers des pairs délinquants ou consommateurs de drogues, la précocité d'expériences déviantes constituent des facteurs de risque de l'apparition d'un style de vie déviant par rapport aux normes prônées par les classes dominantes. On distingue donc à la fois des personnes à risque ainsi que des environnements à risque.

En ce sens, les mêmes variables influencent à la fois la probabilité de manifester des comportements délinquants divers et de consommer des substances psycho-actives illicites (voir la description du modèle psychosocial). Les probabilités sont toutefois qu'une petite délinquance lucrative ou un apport d'argent relativement important pour cet âge précèdent les premières expériences de consommation de drogues.

On ne peut présumer que la seule présence de certains facteurs de risque entraîne automatiquement un comportement déviant. Ils doivent être conçus comme s'étalant sur un continuum. Ainsi, en ce qui concerne les liens avec les institutions de socialisation, on peut facilement envisager que le contact avec les parents soit plus ou moins rompu ou que la fréquentation scolaire soit plus ou moins assidue ; il en va de même pour les pairs qui peuvent exercer une influence plus ou moins grande. En ce sens, les facteurs de risque sont plus ou moins importants dans la vie de l'acteur social. Les dangers de s'immiscer dans une trajectoire déviante fluctuent selon la problématique associée à chacun de ces facteurs. Le schéma intégratif distingue ici, pour les besoins de la cause, trois niveaux de risques : faibles, moyens et sévères. Bien sûr, ces facteurs de risque auront plus ou moins d'impact selon la présence de facteurs de protection chez l'individu et dans son environnement. Le jeu dynamique de ces facteurs de risque et de protection favorisera l'adoption d'un style de vie plus ou moins déviant selon les individus.

Un style de vie déviant

Les recherches longitudinales, de même que les vastes études nationales menées auprès d'adolescents, ont bien démontré qu'au départ, le crime ne découlait pas directement de la consommation de drogues illicites. Par ailleurs, le modèle psychosocial, présenté au chapitre précédent, décrivait un large schéma de déviance sociale où s'inscrivaient aussi bien la délinquance que la consommation de drogues illicites des adolescents. C'est précisément ce schéma que nous allons emprunter en l'étoffant de niveaux d'imprégnation et de stages de progression.

Il n'existe pas de consensus social sur la notion de déviance. Il importe donc de bien préciser ce qui est entendu dans ce texte par la notion de **déviance** (voir Da Agra, 1986, pour une discussion plus complète de ce concept) afin de ne pas lui attribuer un sens trop englobant. D'une part, il s'avère important de s'écarter des routes déjà tracées ; cela permet l'expression d'une saine créativité qui trace souvent la voie au progrès. Par ailleurs, on est bien obligé de constater qu'il existe des itinéraires non conformistes ponctués d'expressions déviantes malsaines pour son acteur ou pour les institutions sociales en place. Ainsi, une consommation abusive de substances psycho-actives ou l'expression délinquante sont généralement associées à cette déviance malsaine.

> En fait, la déviance, dans ses différentes expressions [...] émerge comme comportement dans le jeu complexe des rapports entre individus, groupes et normes institutionnelles, entre la spécificité culturelle de certaines populations et les structures sociales, entre les normes de l'espèce (code génétique) et les codes sociaux (Da Agra, 1986, p. 364).

1. Des niveaux d'imprégnation

Bien entendu, en correspondance avec les notions de facteurs de risque, le **style de vie**[134] ne doit pas être conçu comme une entité dichotomique, présente ou absente, mais doit plutôt être analysé en niveaux d'imprégnation. Ce style de vie plus ou moins déviant pourra intégrer la consommation de substances psycho-actives illicites, l'implication criminelle et, probablement, ces deux comportements à la fois.

Le style de vie déviant représente donc un construit qui définit une tendance à adopter des comportements plus ou moins socialement condamnés, à opter pour la non-conformité aux règles de la culture dominante. Cette tendance se manifeste cependant avec plus ou moins de force selon les individus, leur contexte de vie et leur cheminement.

Ainsi, une personne à faible tendance déviante peut très bien évoluer dans un emploi tout en conservant un côté contestataire qu'elle n'utilise que lorsque cela n'est pas trop incompatible avec son

134. Cormier (1984) a effectué un brillant commentaire sur le style de vie des toxicomanes.

travail ou sa vie sociale. En effet, elle peut adhérer à un grand nombre de valeurs pro-sociales qui l'empêchent d'évoluer à l'intérieur de ce style de vie. Elle tente alors d'opérer un mariage de raison entre ses tendances marginales et les valeurs véhiculées par les classes sociales dominantes. Sa consommation de drogues illicites, bien qu'elle puisse s'étaler sur une période relativement longue, n'entre pas en conflit avec ses activités : elle est intégrée à plusieurs d'entre elles ; elle peut même être mise au profit de certains accomplissements professionnels (Peele, 1989). Cette consommation demeure toutefois une activité de luxe pour laquelle on ne grève pas son budget.

En comparaison, une personne à forte tendance déviante accorde une signification personnelle différente à la notion de travail. Elle éprouve beaucoup de difficultés à s'adapter au carcan d'un emploi de bureau de « neuf à cinq ». Certaines pourront alors opter pour un cheminement criminel plutôt qu'une trajectoire plus conventionnelle. Les drogues illicites risquent d'occuper une place plus importante dans le contexte social où évoluent ces personnes. La relation drogue – crime, contrairement à ce que l'on a vu dans l'exemple précédent, peut davantage évoluer vers une accentuation de ces deux comportements.

La notion de style de vie a l'avantage de conserver une saveur phénoménologique en prenant en compte l'usager de même que le contexte de sa consommation. Les comportements de l'usager apparaissent comme porteurs d'une signification personnelle plutôt que d'un déterminisme extérieur. En ce sens, on peut croire que le geste délinquant posé par le consommateur peut receler plus d'une significations et ne se limite pas toujours à l'acquisition instrumentale de drogues (Grapendaal, Leuw et Nelen, 1991). En effet, on l'a vu au cours des chapitres précédents, tous les usagers de drogues illicites ne deviennent pas toxicomanes, la délinquance ne constitue pas l'unique moyen de subsistance des personnes qui abusent de substances psycho-actives illicites et tous les toxicomanes ne sont pas impliqués dans la criminalité à un même niveau. La criminalité ne revêt pas seulement une utilité économico-compulsive, mais sert plus globalement à la réalisation d'aspirations marginales compte tenu du contexte socioculturel.

Pour les besoins de l'illustration schématique, nous associerons, au départ, chacun des niveaux de risque à un apport financier provenant d'implications déviantes plus ou moins importantes : faible – travail et occasions diverses ; moyen – menus larcins ; sévère – délinquance plus franche. Nous le verrons dans la section qui suit, ces niveaux de risque constituent également des indices d'une trajectoire plus ou moins longue impliquant la drogue et la délinquance.

2. Des stades de progression

Ce style de vie n'est cependant pas caractérisé par une fixité temporelle ou une trajectoire unique et inaltérable. Il est possible d'observer une évolution plus ou moins importante mue par une auto-influence ainsi que par l'apport d'éléments extérieurs[135]. Chaque individu est en constante évolution. Il ne s'agit pas d'affirmer que nous expérimentons tous des mutations complètes et soudaines, mais que nous suivons un parcours personnel. Le style de vie se trouve donc touché par ces transformations. Aussi, l'étude du lien drogue–crime doit-elle également tenir compte de l'évolution de la personne dans son contexte de vie.

À chacun des stades, les multiples possibilités d'interactions peuvent influencer la direction de la trajectoire (Gandossy *et al.*, 1980). Les jeunes usagers commencent habituellement cette progression par la consommation de drogues utilisées par les adultes de leur entourage (tabac, alcool[136]), certains passent ensuite à l'usage de substances illicites plus ou moins acceptées par la société (marijuana) et d'autres encore poussent leur consommation jusqu'à des produits fortement prohibés (crack, héroïne, etc.)[137]. Le type d'utilisation suit également une certaine gradation. Les consommateurs amorcent leur parcours par un usage irrégulier, certains passent à une utilisation régulière, enfin quelques-uns deviennent dépendants. La relation drogue–crime est donc influencée par ce cheminement et peut alors prendre des allures fort différentes. Le modèle intégratif présenté ici distingue trois stades durant lesquels la nature de la relation drogue–crime apparaît, se modifie et se cristallise ; il s'agit des stades d'occurrence, de renforcement mutuel et économico-compulsif.

Le **stade d'occurrence** est caractérisé par une *consommation irrégulière généralement faible*. Cette utilisation est fonction des contacts avec d'autres usagers ainsi que de l'argent disponible. Dans cette première étape de cheminement, il est permis de croire que la consommation de drogues financièrement onéreuses constitue une activité de luxe que le sujet s'offre à la suite d'entrées d'argent.

135. Ces éléments seront étudiés dans la section « Facteurs de maintien, de progression ou d'interruption ».

136. Rappelons que pour un grand nombre de jeunes adolescents, les conditions pour se procurer ces drogues sont souvent illicites (par exemple âge légal pour la consommation).

137. Il ne s'agit pas ici de donner du poids à la théorie de l'escalade. Ainsi, la grande majorité des jeunes qui s'initient à la consommation d'alcool ou de tabac ne deviendront jamais de gros usagers de cannabis ; pourtant, les gros consommateurs de cannabis se seront, pour la plupart, initiés à l'alcool ou au tabac avant de faire usage de marijuana ou de haschich.

Bien entendu, pour la personne qui adopte un style de vie faiblement déviant, il est probable que cet argent provienne d'un travail ou d'occasions diverses plus ou moins légales. À l'opposé, la personne qui adopte un style de vie fortement déviant risque de s'être procuré cet argent à la suite d'activités délinquantes. Toutefois, pour ces deux personnes adoptant un style de vie déviant à imprégnation distincte, l'argent disponible constitue en quelque sorte un incitatif à l'usage de drogues ; il régularise également, dans une certaine mesure, la consommation (voir la présentation schématique du stade d'occurrence). En ce sens, au stade d'occurrence, il est donc possible de croire, comme pour le modèle causal inversé, que la criminalité favorise l'usage de drogues chez les personnes délinquantes : la délinquance procure l'argent ; les amis fournissent les contacts et le soutien social à une telle consommation (Collins, Hubbard et Rachal, 1985). Il s'agit là d'une dépense discrétionnaire soumise aux aléas du revenu et des occasions.

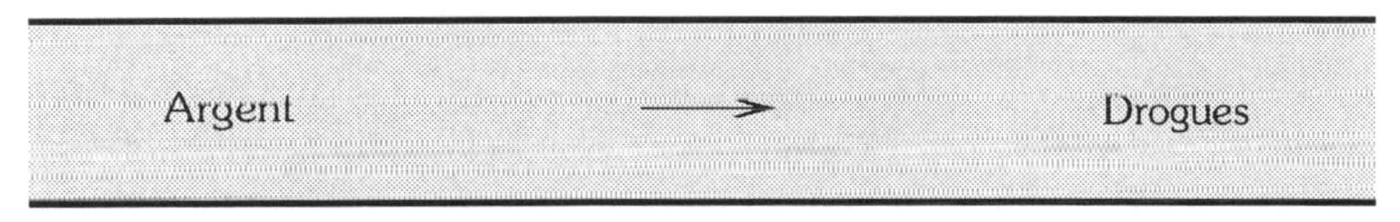

Présentation schématique du stade d'occurrence

Il convient cependant d'insister sur le fait qu'à ce stade d'occurrence, l'utilisation de substances psycho-actives n'accentue pas nécessairement la délinquance des usagers. La majorité des personnes présentant une faible imprégnation dans un style de vie déviant maintiennent leur implication délinquante et leur consommation de drogues à un faible niveau.

Par la suite, si la personne entreprend une consommation régulière de drogues illicites, apparaît une compromission dans le trafic. Cette implication, on l'a vu plus tôt, semble quasi inévitable pour subvenir aux besoins d'une consommation soutenue de substances psycho-actives illicites onéreuses pour qui provient d'une couche économique défavorisée (Speckart et Anglin, 1986a et 1986b). Non pas que l'assuétude fasse déjà sentir ses exigences, mais plutôt parce que l'usager y voit une occasion de réduire ses coûts tout en ayant une plus grande facilité d'accès à la marchandise convoitée (Goldman, 1981 ; Grapendaal, Leuw et Nelen, 1991 ; Faupel, 1991). Cette implication dans les affaires de drogue peut également entraîner une certaine criminalité systémique (Goldstein *et al.*, 1992). Cette facilité d'accès à la drogue pourra à son tour produire un autre effet pervers : une augmentation importante de l'usage (Speckart et

Anglin, 1986a et 1986b) (voir la présentation schématique du stade de renforcement mutuel). Ainsi, au **stade de renforcement mutuel**, l'argent disponible constitue encore le facteur le plus important expliquant la consommation, mais, parallèlement, on peut croire que la personne ne se serait pas mêlée à ce trafic (ainsi qu'à la criminalité systémique associée) si elle n'avait pas consommé de drogues illicites. En ce sens, l'illustration du modèle intégratif, présentée à la fin du chapitre, dépeint un lien bidirectionnel entre les sources d'argent (la délinquance habituelle secondée par l'implication dans le trafic de drogues) et la consommation régulière : la drogue devient alors à la fois cause et conséquence de la délinquance. Il n'est donc pas question ici d'une causalité linéaire, mais plutôt d'un rapport circulaire entre la drogue et le crime. Ce processus de renforcement mutuel a pour effet de prolonger à la fois les trajectoires de consommation et de délinquance (McBride et McCoy, 1982).

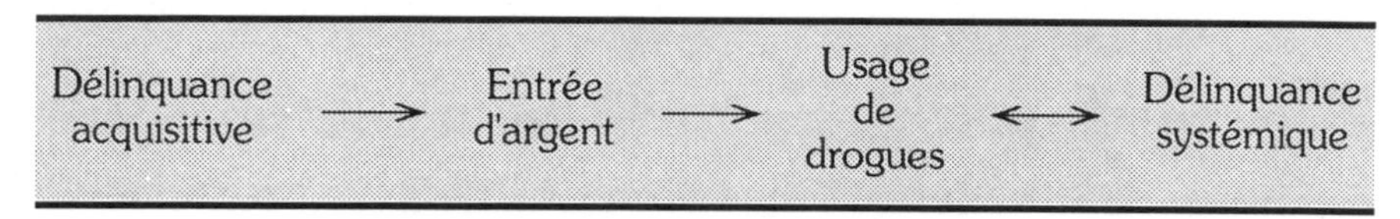

Présentation schématique du stade de renforcement mutuel

Parallèlement, le niveau d'implication dans une criminalité non reliée au commerce de la drogue est fonction de l'imprégnation initiale du style de vie déviant (Dobinson, 1989). Cette description générale du stade de renforcement mutuel dépeint les personnes qui présentent un style de vie moyennement ou sévèrement déviant, les autres n'ayant probablement[138] pas poursuivi ce cheminement au-delà d'une consommation irrégulière.

Enfin, pour la *personne qui éprouve des problèmes de dépendance*, la drogue réclame son pécule. Elle a même des exigences onéreuses. La délinquance se met alors au service de la consommation : la personne a atteint le **stade économico-compulsif**. C'est ici que le modèle du même nom trouve toute sa force conceptuelle. La criminalité lucrative initiale se voit multipliée de beaucoup ; on discute alors de l'effet catalyseur de l'assuétude envers un produit coûteux

138. Il est toujours possible que la fréquentation du milieu de la drogue et de la délinquance puisse contribuer à accentuer un style de vie initialement faiblement déviant.

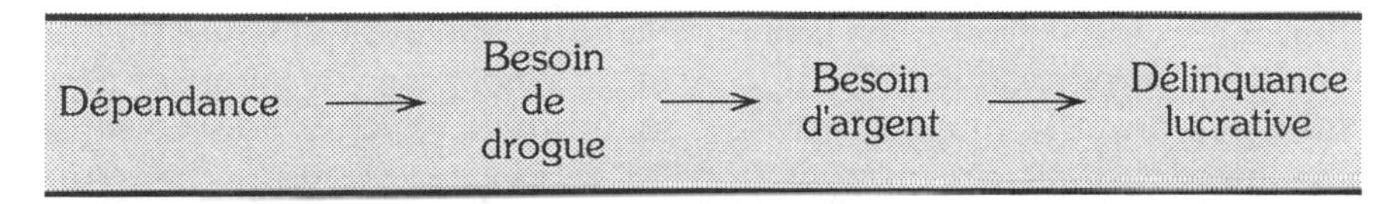

Présentation schématique du stade économico-compulsif

(voir la présentation schématique du stade économico-compulsif) (Speckart et Anglin, 1986a).

Pourtant, dans la mesure où l'usage de substances psychoactives constitue un processus conscient et délibéré, on peut croire que cette multiplication des activités criminelles se poursuit uniquement chez les personnes qui ont déjà fait un choix délinquant, les autres ayant mis fin à leur consommation lorsque celle-ci demandait une compromission délictueuse trop importante. En somme, le niveau d'implication déviante préalable à l'initiation toxicomaniaque constitue un élément de prédiction important pour l'implication délinquante du toxicomane (Hser, Anglin et Chou, 1992). Cette progression vers la dépendance semble plus probable pour la personne qui a déjà adopté un style de vie fortement déviant.

De façon générale, il apparaît donc que dans les premières étapes du cheminement déviant, la délinquance constitue un meilleur élément prédictif de la consommation de drogues illicites que l'inverse ; à la fin de cette trajectoire, la dépendance devient cependant un meilleur facteur prédictif de l'activité criminelle (voir Elliott, Huizinga et Menard, 1989, pour un appui empirique).

Des facteurs de maintien, de progression ou d'interruption

La connaissance de nouvelles filières permettant de se procurer de la drogue à bas prix, le gain d'une somme d'argent importante et inattendue, un changement dans la disponibilité de la drogue, une période d'incarcération, l'érosion du style de vie déviant produite par l'âge constituent autant de facteurs qui peuvent produire un impact sur l'évolution de la trajectoire (Gandossy *et al.*, 1980 ; Grapendaal, Leuw et Nelen, 1991), et ce indépendamment de l'étape où se situe le consommateur.

Les facteurs de maintien, de progression ou d'interruption sont des conditions qui favorisent le soutien, la poussée ou la cessation des comportements déviants étudiés. Il faut bien mentionner que les mêmes variables peuvent constituer pour certains des facteurs de maintien et pour d'autres des facteurs d'interruption. Ainsi, la mort d'un ami peut être prétexte à la défonce, mais peut également être la douche froide nécessaire à l'arrêt de la consommation. Dans le même sens, un déménagement ou une incarcération peuvent favoriser chez une personne le maintien de la consommation, chez son voisin la progression vers des drogues plus fortes et chez son ami l'interruption définitive de l'usage. Ces variables de maintien, de progression ou d'interruption peuvent être fort différentes des éléments de risqueinitiaux. Elles ont, malheureusement, été beaucoup moins bien étudiées que les facteurs de risque. Il est tout de même possible d'imaginer une division en quatre ordres : la substance psycho-active ; la personne ; son environnement ; sa sous-culture.

1. La substance psycho-active

Le choix des substances psycho-actives consommées peut constituer en soi un facteur de maintien et même de progression dans un style de vie déviant (White, 1990). En effet, les *types* de drogues qui induisent une tolérance de même qu'une forte dépendance psychologique ou physique favorisent l'escalade vers une consommation de plus en plus importante ou, à tout le moins, la perpétuation d'une consommation de base. Pour bien en saisir l'impact en tant que facteur de maintien ou de progression, il faut tenir compte des *quantités* utilisées, du *mode d'utilisation,* de même que de la *fréquence des usages*. Ainsi, la consommation de cocaïne ne tient pas le même rôle chez une personne qui en prend une fois par mois que chez celle qui s'injecte chaque semaine. On le voit, le mode d'utilisation, tout comme la décision de consommer ou de perpétrer des délits, dépend en partie de la personne en cause.

2. La personne

En effet, chaque personne effectue des choix[139] qui influent sur son cheminement. Il en est ainsi pour le consommateur irrégulier aussi bien que pour le toxicomane, pour le « petit délinquant » aussi bien que pour le « criminel de carrière ». Ces décisions sont basées sur un certain nombre de facteurs personnels. Au nombre de ceux-ci, on compte les *valeurs*, la *volonté*, la *capacité*, les *objectifs* de même que les *habiletés* (Dobinson, 1989 ; Sipilä, 1985).

À titre d'exemple, une étude menée dans un pénitencier nous a permis de rencontrer certains détenus consommateurs de cocaïne (par prise) qui indiquaient que rien ni personne ne pourrait leur faire se « planter une seringue dans le bras », faisant allusion à la consommation de drogues par voie intraveineuse. Ils affirmaient ainsi que leurs valeurs leur interdisaient de progresser vers ce genre de pratique :

139. Selon la provenance socio-économique, les possibilités s'avèrent plus ou moins limitées.

«Ces gars-là sont des malades, y a pus rien qui compte pour eux.» Cet exemple nous porte également à croire que l'*image de soi* que la personne entretient vis-à-vis de sa consommation et ses activités délinquantes peuvent lui ouvrir ou, au contraire, lui restreindre l'accès à certains comportements: «Il faudrait que je tombe bas pour voler des vieux»; «Un voleur qui se respecte ira pas voler chez le monde pauvre»; «Moi, le crack, jamais! Chus plus fin que ça!»

L'interaction de ces facteurs favorise la progression, le maintien ou l'interruption du style de vie adopté (Burr, 1987). Ces facteurs personnels sont également importants en ce qui a trait à l'épuisement du mode de vie déviant. En effet, la personne «vieillit vite» dans certains milieux de la drogue ou de la délinquance. Il n'est pas rare de rencontrer des individus de trente ans qui mentionnent être fatigués de ce style de vie (Dobinson, 1989; Grapendaal, Leuw et Nelen, 1991). Bien sûr, il n'existe pas d'âge réglementaire pour se retirer de cette trajectoire déviante, mais graduellement, ce mode de vie perd de son «piquant», le goût du risque s'envole. En somme, l'*attrait* s'estompe, le style de vie se modifie de façon graduelle. Ce cheminement constitue souvent un corollaire à la diminution des *capacités physiques et psychologiques*, qui ne permet plus de jouir pleinement de ce mode de vie.

3. L'environnement

L'environnement englobe le contexte dans lequel évolue l'acteur social. L'environnement offre à chaque individu à la fois un certain nombre de facilités et de difficultés qui se présentent sous des formes diverses et qui entraînent des effets variables. Un héritage reçu peut constituer l'occasion attendue pour se retirer du milieu déviant ou encore un risque de consommer davantage et ainsi de se diriger plus rapidement vers la dépendance. L'environnement offre cependant certaines constantes dont il est plus facile de prédire l'effet. Ainsi, des *conditions de vie* inadéquates (faibles revenus, logement insalubre, chômage, etc.) favorisent l'adoption et le maintien d'un style de vie souvent qualifié de déviant. Les comportements associés à ce style de vie ont souvent pour but l'atteinte d'une certaine satisfaction par des moyens se substituant à ceux prônés par la classe dominante. On a déjà étudié cette composante au niveau des facteurs de risque, on la retrouve maintenant dans les facteurs de maintien et de progression. Parmi les difficultés provenant de l'environnement, on compte également la *ségrégation sociale* dont souffrent un grand nombre de personnes judiciarisées ou de consommateurs de drogues illicites (Burr, 1987; Sipilä, 1985). Cette ségrégation isole la personne dans un milieu marginal dont elle a peine à sortir. Elle engendre une blessure sociale souvent trop profonde pour guérir sans laisser une cicatrice troublante qui interdise un rétablissement social complet. Cette ségrégation contribue donc au maintien d'un style de vie déviant en repoussant la personne dans une sous-culture.

4. La sous-culture

On croit que toute personne a besoin d'appartenir à un réseau social. Lorsqu'il est repoussé ou difficilement accepté par la culture dominante, l'adolescent se réfugie auprès de ses pairs. Si l'isolement ou la rébellion face à la culture dominante se maintiennent, il se réfugie alors dans une sous-culture marginale. Cette sous-culture véhicule des *modèles comportementaux* et transmet les *habiletés* nécessaires pour les actualiser. La personne stigmatisée par la culture dominante y retrouve un *statut*, un certain *prestige* et parfois même du *pouvoir* (Burr, 1987). Après un certain temps, on peut croire que sa dépendance ne se limite pas à la drogue, mais s'est étendue à la sous-culture. L'adhésion à une sous-culture fortement marginale a pour effet d'accentuer l'implication déviante par rapport aux normes institutionnelles par un processus de renforcement mutuel (Burr, 1987).

L'écologie, bien qu'elle soit un thème fort populaire depuis la fin des années 1980, n'a pas vraiment influencé les modèles conceptuels tentant d'expliquer la nature de la relation drogue–crime. Pourtant, le rapport de l'acteur social avec son milieu apparaît un facteur essentiel dans le maintien ou la transformation des comportements. On le néglige parce qu'il ne se prête pas facilement à une mesure objective.

SYNTHÈSE

On le voit bien, la relation drogue–crime s'avère complexe, et la nature de celle-ci varie en fonction des facteurs de risque, de l'imprégnation déviante ainsi que de l'étape à laquelle est parvenue la personne. Les facteurs de risque initiaux ne se situent pas exclusivement au niveau de la personne en cause, mais sont également bien présents au sein de certains milieux. Les interventions politico-juridiques et psycho-socio-sanitaires devraient donc ouvrir leur horizon en cessant de tenir la personne seule responsable de son état et en favorisant le mieux-être des plus démunis. Nous y reviendrons plus en détail au cours des deux prochains chapitres.

Selon le modèle présenté plus haut, une personne pourra passer, en quelques mois ou en quelques années, d'une consommation irrégulière de drogues motivée et soutenue par les succès délinquants (crimes → argent → drogues) à une criminalité économico-compulsive

Style de vie déviant

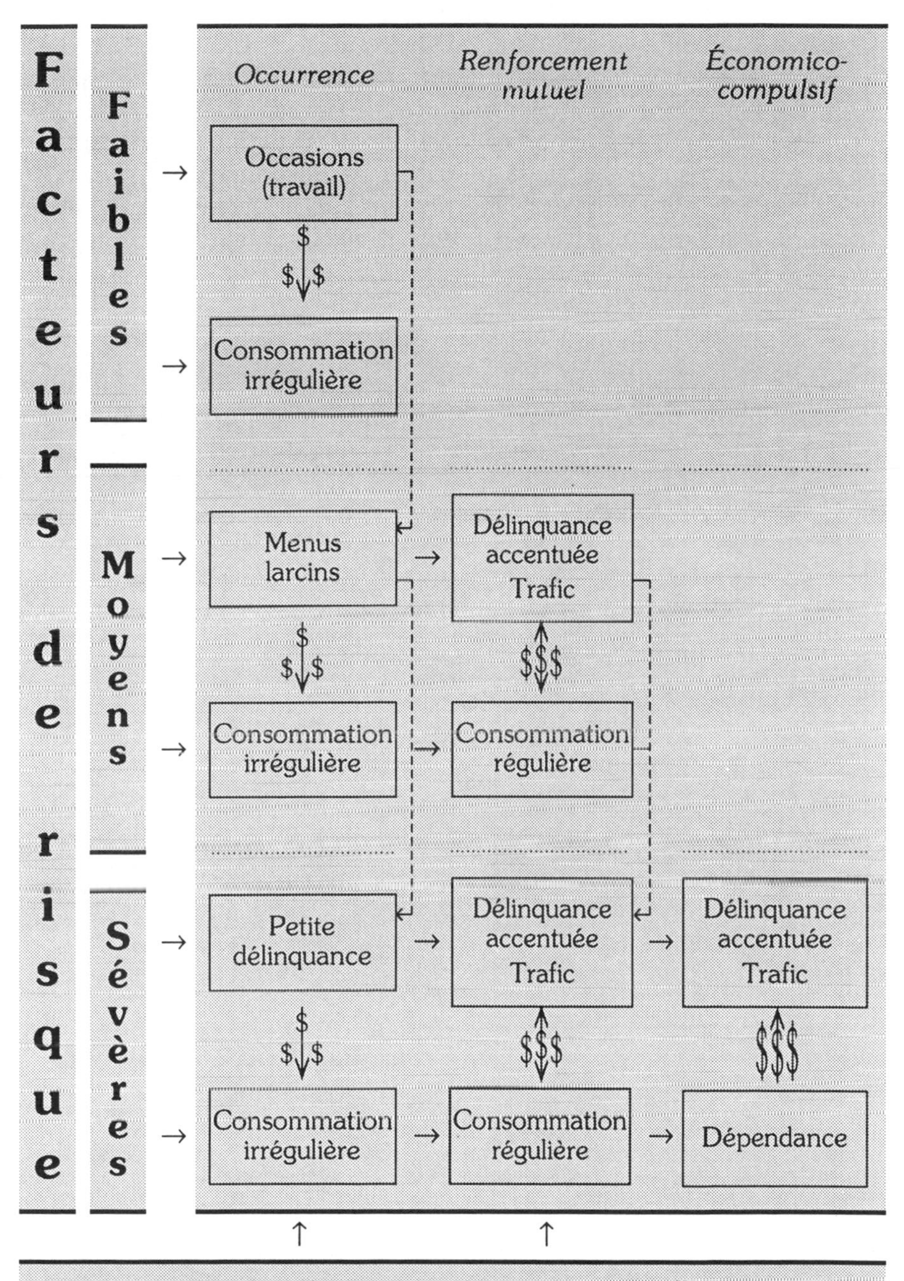

Présentation schématique complète du modèle intégratif

(drogues → argent → crimes) imposée par la dépendance à la drogue, alors que son voisin se limitera à une consommation de drogues récréative régularisée par ses entrées d'argent (argent → drogues).

En un sens, le modèle intégratif présenté au cours de ce chapitre propose une rupture conceptuelle avec le paradigme positiviste qui a proposé au cours des vingt dernières années un ensemble de théories réductionnistes. Nous avons plutôt tenté de construire un modèle qui s'appuie sur un paradigme phénoménologico-systémique qui redonne à la personne toute son humanité tout en la faisant interagir avec un ensemble de systèmes.

Troisième partie

Comment aider?

9. Les interventions politico-juridiques
10. Les interventions psycho-socio-sanitaires

9. Les interventions politico-juridiques

L'intervention politico-juridique ne s'est pas toujours fait sentir dans le domaine des drogues ou, à tout le moins, elle s'est fait connaître de façon différente. Il fut un temps, que nos arrière-grands-parents ont peut-être connu, où certaines substances psycho-actives aujourd'hui illicites, loin de défrayer la chronique judiciaire, occupaient une place commerciale relativement importante. Ce temps est bel et bien révolu, puisqu'il est maintenant question de faire la **guerre à ces produits**. Une lutte de plus en plus robuste, qui fait de nombreuses victimes sur le sol nord-américain.

Ce chapitre se propose de décrire l'évolution de nos rapports avec les drogues jusqu'au moment où certaines substances psycho-actives sont devenues l'objet d'une véritable guerre. Nous tenterons d'évaluer les stratégies d'offensive mises en place et d'examiner les alternatives possibles.

De la vente libre à la criminalisation

En l'espace de quelques années, l'image de certaines drogues a changé radicalement dans l'iconographie sociale. Que s'est-il passé pour qu'apparaisse un tel revirement de situation ?

1. Angleterre contre Chine

Aux XVIIIe et XIXe siècles, les Britanniques contrôlaient la production indienne de l'opium (Choiseul-Praslin, 1991 ; Rico, 1986). Pendant longtemps, une grande partie de cette production était exportée vers la Chine, qui était alors considérée comme un marché de consommateurs stable. Les autorités chinoises percevaient la situation sous un angle fort différent. Ainsi, voyant leur économie s'effondrer à la suite de la fuite de leurs capitaux vers des pays européens, elles décrétèrent, en 1796, l'interdiction d'importer l'opium (Béroud, 1991). Devant les difficultés répétées de faire respecter cette politique :

> Elles [les autorités chinoises] sommèrent tous les commerçants étrangers de remettre leurs stocks d'opium pour destruction. Les Anglais eurent beau protester, plus de 1400 tonnes qui leur appartenaient furent jetées dans le fleuve à Guangzhou (Canton) (Bell, 1991, p. 3).

Ces gestes furent interprétés comme des attaques directes envers la couronne britannique et la réaction fut impitoyable :

> Au début de 1840 donc, ce qui sera désormais appelé « la première guerre de l'opium » sera la réponse britannique aux tentatives chinoises de s'opposer à

> l'entrée forcée de cette drogue en Chine. Cette guerre est vite gagnée par les Britanniques à cause de leur supériorité navale. Dans ce qu'ils exigent de la Chine, à la suite de leur victoire, se retrouvent de nouveaux ports d'entrée pour l'opium, le remboursement de la cargaison d'opium détruite et l'île de Hong-Kong [...] À la suite de cette guerre, le commerce de l'opium s'est d'autant plus intensifié que l'Angleterre en avait grand besoin pour équilibrer son budget (Beauchesne, 1991, p. 69-70).

Les importations d'opium en Chine atteignaient 12000 tonnes en 1886, date à laquelle des mesures restrictives furent établies par les Britanniques (Choiseul-Praslin, 1991). Qui étaient les bons? Qui étaient les mauvais? Existait-il seulement des bons et des mauvais? L'issue des hostilités donne généralement une aura positive aux vainqueurs. Dans ce qui a peut-être constitué la première véritable grande guerre contre les drogues, l'Angleterre est sortie gagnante. Les trafiquants ont gagné cette lutte armée et les nations commerçantes, telles que la France et le Portugal, applaudirent à l'annonce de cette victoire (voir Choiseul-Praslin, 1991).

2. Les conventions internationales

Le XIXe siècle constitua également une étape marquante pour l'histoire des drogues à bien d'autres titres. Ainsi, on a su extraire la morphine et l'héroïne, on a mis au point la seringue hypodermique, on a isolé l'alcaloïde de la feuille de coca, on a commercialisé le vin Mariani et le Coca-cola:

> Le grand changement du XIXe siècle avec l'arrivée de ces nouvelles drogues est leur commercialisation de plus en plus rapide dans le marché de la «guérison» et du «produit-miracle» et ce, à l'échelle mondiale (Beauchesne, 1991, p. 95).

L'accumulation de ces découvertes, appuyée par une commercialisation outrancière de la part des compagnies pharmaceutiques et des grands laboratoires, contribua à une croissance accélérée du nombre de consommateurs et, parallèlement, à un changement graduel des attitudes vis-à-vis des drogues. Alors que l'on ne se souciait guère de la consommation de drogues en Amérique au début du XIXe siècle, l'aube du XXe siècle présentait une situation tout à fait différente. Cette consommation en expansion eut pour effet de choquer certains groupes religieux[140] et corporatistes[141] qui appuyèrent de puissantes croisades anti-drogues:

140. Les Quakers en Grande-Bretagne ainsi que les missionnaires américains à leur retour de l'Extrême-Orient (Nadelmann, 1992).

141. Associations de médecins et de pharmaciens (Nadelmann, 1992).

Les Ligues de tempérance prêchaient la prohibition de l'alcool ; elles donneront les premiers échos des cris de guerre à la drogue (Beauchesne, 1991, p. 101).

On commença à redouter la pharmacodépendance des usagers de produits dérivés de l'opium. Les minorités chinoises américaines furent alors l'objet de regards réprobateurs de la part des croisés moraux. En effet, certains immigrés chinois consommaient de l'opium sur une base régulière. L'Amérique anglo-saxonne était alors bien décidée à agir contre ce produit aux caractéristiques « diaboliques ». Cette action a-t-elle trouvé son origine dans un racisme ambiant envers une minorité qui « volait » les emplois des Américains–Blancs ? Certains l'affirment avec conviction :

À la fin du XIXe siècle, toutefois, dans l'Ouest canadien, des groupes moraux puritains réclament des restrictions majeures dans ces domaines. Des évangélistes méthodistes, surtout, clament bien haut que les valeurs autres que protestantes, ou encore l'athéisme, ne doivent pas être tolérés, car cela amènera la destruction de la puissance anglo-saxonne. L'alcool, le sexe et l'opium sont, à cet égard, considérés comme les trois sources majeures de vice et de péché qui menacent la famille et le mode de vie anglo-saxon protestant... et blanc (Beauchesne, 1991, p. 127).

À cette époque, où le Chinois était synonyme d'« immonde opiomane » et de « péril jaune », les États-Unis votèrent, sous la pression des syndicats, les « *exclusion laws* », des lois visant à protéger les travailleurs américains (Béroud, 1991, p. 69).

[...] les premières lois anti-opium, appliquées au début sous forme d'ordonnances municipales, à San Francisco en 1875 et à Virginia City (Nevada) en 1876, étaient dirigées contre les fumeurs d'opium, que l'on associait aux immigrants chinois et aux Blancs déviants. L'usage qu'ils faisaient de la drogue était perçu comme un symbole de la décadence des immigrants et comme une arme potentielle qui pourrait servir à miner la société américaine. Dans le Sud, la majorité blanche craignait que l'usage de la cocaïne par les Noirs puisse les inciter à oublier le statut qui leur avait été assigné dans l'ordre social (Nadelmann, 1992, p. 543).

Quoi qu'il en soit, on se dirigea vers la prohibition de l'usage à des fins non médicales de ces drogues. C'est ainsi que le début du XXe siècle fut le témoin de la création de nouvelles lois afin d'interdire l'opium au Canada et aux États-Unis.

Pourtant, la croisade ne s'arrêta pas là. En 1909, sous l'impulsion des États-Unis, la Commission de Shangai réunissait 13 pays[142] :

---

142. Allemagne, Autriche–Hongrie, Chine, États-Unis, France, Italie, Iran, Japon, Pays-Bas, Portugal, Royaume-Uni, Russie et Siam (Bell, 1991).

> La Commission vota neuf résolutions, qui peuvent sembler n'être que des vœux pieux, mais qui constituaient à l'époque un progrès phénoménal. Dans ces textes, la Commission reconnaissait le droit de la Chine de supprimer totalement l'abus et la production d'opium (résolution n° 1). Elle recommandait la fermeture immédiate des fumeries (résolution n° 7) et l'adoption de mesures draconiennes pour contrôler la production, la vente et la distribution de l'opium et de ses dérivés à l'échelon national (résolution n° 5). Elle reconnaissait aussi la nécessité de prendre des mesures raisonnables pour empêcher l'expédition d'opium aux pays qui en avaient interdit l'importation (résolution n° 4) (Bell, 1991, p. 4).

Il s'agissait donc de résolutions non contraignantes visant à limiter le commerce de l'opium.

Trois ans plus tard, fut signée une nouvelle convention internationale à La Haye qui demandait aux pays participants d'instaurer des législations nationales restreignant la production, l'importation, la détention et l'usage d'opiacés (Bell, 1991).

La collaboration mondiale actuelle en matière de drogues repose essentiellement sur la signature de trois conventions des Nations unies :

- *la Convention unique sur les stupéfiants* (1961, modifiée en 1972) ;
- *la Convention sur les substances psychotropes* (1971) ;
- *la Convention contre le trafic illicite de stupéfiants et de substances psychotropes* (1988).

Ces conventions signées au cours des trente dernières années avaient pour objectif de circonscrire par la criminalisation la culture, la production, le trafic, de même que la distribution de certaines drogues à l'exception de celles utilisées à des fins médicales ou de recherche, de même que de l'alcool, du tabac ou du café. Dans la pratique, ces mesures n'eurent cependant pas pour effet de limiter le gain en popularité de la consommation de ces drogues en Amérique du Nord durant les années 1970 et 1980 (Beauchesne, 1986). Il fallut, en effet, attendre la fin des années 1980 pour observer une stabilisation de cette popularité (Brochu, Ouimet et Mercier, 1993). Ces lois favorisèrent cependant la mise en place de stratégies de guerre contre les drogues, sous l'impulsion des États-Unis.

La guerre contre les drogues

Malgré les lacunes importantes relevées dans le chapitre précédent en rapport avec les modèles causals postulant un effet « criminogène » de la consommation de drogues ou de leur abus, il est clair que cette conception a joué un rôle important au chapitre de l'évolution des moyens envisagés afin de gérer la consommation de certaines drogues au sein des pays industrialisés. Les conceptions causales directes conservent encore la faveur générale et contribuent à justifier la guerre à la drogue (voir Choiseul-Praslin, 1991). On peut croire que cette popularité relève d'un désir de trouver un remède rapide aux problèmes de la consommation de drogues et du crime. Les tenants de cette position estiment que la consommation de drogues illicites conduit, à courte échéance, à l'avilissement moral, à l'indigence et au vol. Ils justifient donc la guerre contre ces drogues par une philosophie de lutte globale contre la criminalité (Hadaway, Beyerstein et Youdale, 1991). Ils suggèrent alors que les consommateurs constituent, par définition, des criminels, présumant que la consommation de drogues illicites exige un apport d'argent supérieur à ce qu'un salaire moyen peut offrir. Ces personnes doivent donc satisfaire leurs besoins en drogues par des moyens illicites. Toutefois, on l'a vu dans les chapitres précédents, c'est loin d'être toujours le cas, la majorité des consommateurs de ces drogues restreignant leur usage selon leurs revenus.

Il est possible d'observer trois grandes stratégies politiques afin de gagner cette guerre contre les drogues : l'élimination de l'offre ; l'élimination de la demande ; la réduction de la demande et des risques.

1. L'élimination de l'offre

La stratégie de l'élimination de l'offre constituait la tactique préférée des gouvernements des États-Unis sous l'administration républicaine (Observatoire géopolitique des drogues, 1993a). Cette stratégie consiste à couper l'approvisionnement en drogues à sa source (Moore, 1979). La difficulté consiste toutefois à déterminer la source réelle (Moore, 1990).

Pour les uns, il s'agira des **pays producteurs** de drogues illicites (Moore, 1990). À l'exception des drogues chimiques, les nations fournisseuses se distinguent en général assez bien des pays fortement consommateurs. Dans ces circonstances, la source, en se situant à l'extérieur du pays consommateur, requiert une politique internationale visant à proposer la suppression de toute production de drogues illicites et son remplacement par une culture de substitution :

> Les paysans reçoivent 2 000 dollars de dédommagement pour chaque hectare « reconverti » et des projets de développement cofinancés par l'aide américaine (USAID) ou les Nations unies (PNUCID) sont en principe mis en place (Observatoire géopolitique des drogues, 1993a, p. 256).

Cependant, pour ces pays généralement en voie de développement, les drogues cultivées appartiennent à la flore naturelle. Elles croissent dans ces pays depuis des siècles. La culture de ces plantes relève tout autant de la tradition que de l'économie, puisqu'il s'agit d'une des rares productions nationales en demande croissante :

> Il n'existe pas aujourd'hui de marché pour les produits alternatifs : aucune culture n'est aussi aisée et rentable que la coca mais aucune culture non plus ne pourrait disposer d'un marché interne pour sa réalisation économique (Brackelaire, 1992, p. 216).

Il s'avère donc très difficile de convaincre les paysans d'abandonner leur culture de coca ou de pavot pour celle de céréales, de fruits ou de café :

> Malgré tous les efforts internationaux déployés dans le domaine des **cultures de remplacement**, on a assisté à une augmentation considérable des zones de production et de nombreuses régions sont contrôlées par des organisations qui emploient «la manière forte». Il ne faut pas oublier que les trafiquants de drogue ont toujours coutume de surenchérir les produits de substitution ou que leur culture se fait en partie dans des régions impraticables ou politiquement neutres (zones frontalières du Triangle d'Or, Pakistan – Afghanistan)... Il faudrait, pour mener à bien ces cultures de substitution, garantir leurs débouchés, à un prix convenable et à un niveau mondial (Limburg, 1990, p. 67-68).

De plus, lorsqu'un pays parvient à juguler la culture du cannabis, du coca ou du pavot dans une région, d'autres voient leur production augmenter d'autant (Weisheit, 1990). En effet, les connaissances techniques de même que le matériel requis pour mener à bien cette opération agricole permettent ce type de déplacement (Moore, 1990).

Il est cependant possible d'entretenir une tout autre conception et de considérer la source comme étant l'**importation au sein du pays consommateur** (Moore, 1990). Il s'agit alors d'intercepter et de saisir toutes les drogues que l'on tente de faire entrer dans le pays. La difficulté majeure consiste à déjouer les astuces des trafiquants dans leurs tentatives d'importation de drogues. L'opération n'est pas très simple si l'on tient compte, par exemple, de la longueur des frontières d'un pays comme le Canada ou les États-Unis et de la masse des importations de tous genres qui pénètre dans ces pays chaque semaine. Peut-on effectivement exercer un contrôle rigoureux sur chacune des voies d'accès qui pourraient être empruntées ?

> On a calculé que, pour doubler l'importance des saisies de drogue, c'est-à-dire en intercepter 10 %, il faudrait multiplier par dix les investissements en moyens d'intervention. Il est donc tout à fait illusoire d'espérer qu'on pourra, dans quelque avenir que ce soit, tarir l'approvisionnement (Apap, 1991, p. 102).

Lorsqu'une route utilisée pour l'importation de drogues est bloquée, les trafiquants utilisent une autre voie d'accès (Reuter, 1990). Selon les hypothèses les plus optimistes, on ne parviendrait à saisir qu'entre 10 et 20 % de toutes les importations en drogues. C'est infime ! Ces saisies ne touchent donc pratiquement pas les organisations criminelles visées[143] (Choiseul-Praslin, 1991 ; Moore, 1990 ; Reuter, 1990). Par ailleurs, si ces opérations parvenaient à endiguer complètement le flot de drogues illicites qui pénètrent dans un pays, il est presque assuré que des laboratoires clandestins prendraient aussitôt la relève pour mettre rapidement sur le marché un produit similaire à celui qui a disparu (Weisheit, 1990).

2. L'élimination de la demande

Une autre stratégie politico-juridique consiste à éliminer la demande. Le Canada, à plusieurs égards, prône cette politique. Il sera donc pris en exemple dans cette section. Tour à tour, nous décrirons brièvement les politiques canadiennes à l'égard des drogues illicites et nous examinerons les programmes mis en place dans le cadre de ces politiques.

C'est donc au tournant du siècle (1908) que fut proclamée la *Loi sur l'opium* au Canada. Cette loi interdisait l'importation, la transformation et la vente de cette substance à des fins non médicales (Beauchesne, 1988, 1991). En 1911, la cocaïne et la morphine rejoignaient l'opium dans la *Loi sur l'opium* et les drogues. La codéine, l'héroïne et le cannabis ont, quant à eux, « gagné ce titre » de drogues illégales au Canada en 1923. C'est en 1961 que fut adoptée la loi actuelle sur les stupéfiants.

Cette *Loi sur les stupéfiants* contrôle la possession simple, le trafic, la possession en vue du trafic, l'importation et l'exportation, la culture, de même que le délit d'ordonnance en ce qui concerne plus de cent substances. Parmi les plus connues, se trouvent le cannabis, la cocaïne, la codéine, l'héroïne, la méthadone, la morphine et le phencyclidine. La possession, la culture et le délit d'ordonnance comportent des peines maximales[144] de sept ans d'emprisonnement

143. Reuter (1990) estime que s'il était possible de saisir 50 % de la cocaïne qui entre aux États-Unis en provenance de la Colombie, cette mesure n'accroîtrait que de 3 % son prix au détail.

144. Nous ne rapportons, dans ce chapitre, que les peines maximales pouvant être imposées par voie de mise en accusation. Le tribunal peut également procéder par déclaration sommaire de culpabilité, les peines maximales pouvant être imposées s'avèrent alors moins importantes. Le lecteur intéressé au détail de ces peines pourra consulter Brochu (1994).

tandis qu'une peine d'incarcération à perpétuité est possible pour les autres délits. La *Loi sur les stupéfiants* s'intéresse également au profit soutiré de la vente de ces drogues. Ainsi, la possession de biens ou de bénéfices, excédant 1 000 $, provenant de la vente de drogues peut entraîner une peine maximale de dix ans d'emprisonnement. Cette loi tente également d'attaquer les personnes qui travaillent en vue de convertir, transporter, modifier, cacher ou utiliser des biens obtenus par la transaction de ces drogues.

D'autre part, une deuxième loi canadienne, la *Loi sur les aliments et drogues*, comporte des dispositions concernant les psychotropes stimulants ou sédatifs utilisés à des fins médicales (dans ses annexes F et G) et certaines substances psycho-actives illicites (de façon générale les hallucinogènes, dans l'annexe H).

Ainsi, les psychotropes visés par l'annexe F (entre autres les sédatifs hypnotiques non barbituriques et les tranquillisants mineurs) peuvent bien sûr être vendus sous ordonnance. Néanmoins, la vente illicite de ces médicaments peut entraîner une peine maximale s'élevant à trois ans d'emprisonnement et/ou 5 000 $ d'amende.

Le trafic (et la possession en vue de faire le trafic) des drogues contrôlées de l'annexe G (amphétamines, barbituriques et quelques sédatifs et stimulants utilisés à des fins non médicales) fait l'objet d'une peine maximale de dix ans d'emprisonnement. De plus, une première infraction pour un délit d'ordonnance est punissable de trois années d'emprisonnement et/ou de 5 000 $ d'amende.

L'annexe H de la *Loi sur les aliments et drogues* s'applique aux drogues d'usage restreint (tels les hallucinogènes). Elle comprend des dispositions en matière de possession et de trafic. La simple possession de l'une de ces drogues rend l'auteur d'une première infraction passible d'une peine maximale de trois ans d'emprisonnement et/ou 5 000 $ d'amende, tandis que la personne trouvée coupable de trafic (ou de possession en vue de trafic) est passible d'une peine maximale de dix ans d'emprisonnement.

Enfin, la *Loi des aliments et drogues* prévoit également une catégorie d'infractions qui a trait aux profits de la vente de drogues (les annexes G et H sont ici visées). Les dispositions concernant les peines sont similaires à celles de la *Loi sur les stupéfiants*.

S'appuyant sur ces lois, plusieurs programmes ont été mis en place afin d'éliminer la demande. De façon générale, ces programmes partagent comme objectif intermédiaire d'augmenter les coûts associés à la demande de drogues. Par coûts, il faut non seulement entendre le prix des drogues, mais également les difficultés à se procurer le produit (par exemple les difficultés à trouver un vendeur), les conséquences légales d'une telle démarche, de même que les risques de consommer un produit adultéré (Kleinman et Smith, 1990). Dans cette optique, deux cibles sont ici privilégiées: les barons de la drogue et les petits trafiquants. Voyons tour à tour les programmes destinés à chacune de ces cibles.

Certains programmes policiers cherchent à traduire en justice les **barons de la drogue**, à la tête d'importants réseaux de distribution de drogues. On croit alors que paralyser les opérations de ces grands distributeurs privera la région d'un afflux de drogues. La difficulté à se procurer le produit réduira d'autant la consommation des usagers. Trois problèmes d'ordre conceptuel apparaissent cependant. Tout d'abord, on fait l'hypothèse que l'organisation attaquée ne pourra pas remplacer les personnes écrouées (Kleinman et Smith, 1990). Ensuite, on estime que les organisations concurrentes ne combleront pas le vide potentiellement créé par la paralysie du système de distribution qui fait l'objet de l'attention policière (Kleinman et Smith, 1990). Enfin, on ne tient pas compte de l'effet pervers possible consistant à favoriser la création d'un cartel constitué d'organisations plus puissantes grâce à l'élimination par la police des concurrents (Reuter, 1990).

Pour leur part, les programmes destinés à traduire en justice les **petits trafiquants** reposent sur le principe que la réduction du nombre de points de vente et la difficulté accrue de se procurer des drogues (méfiance des petits trafiquants, marché plus fermé), affectent la consommation, même si le prix des drogues demeure stable (Kleinman et Smith, 1990). En somme, selon cette philosophie, les personnes qui ne sont pas dépendantes de drogues acceptent volontiers de courir quelques risques, mais au-delà d'une certaine limite, elles préfèrent s'abstenir ou choisir un produit plus facile d'accès. Il faut cependant être conscient que l'emprisonnement d'un petit trafiquant de drogues ouvre facilement la voie à son remplaçant. L'opération policière se doit donc d'être systématique et continue, de façon à enrayer cette permutation rapide d'individus aux mêmes endroits. Les forces policières doivent alors procéder à ce que l'on appelle le «nettoyage» méthodique des rues. Encore ici, il est possible d'observer un certain nombre de difficultés inhérentes à ce type d'opérations. La première réside dans l'inefficacité des partenaires judiciaires à gérer adéquatement le flot d'arrestations nécessaires au succès de l'opération «nettoyage» (Belenko, 1990; Belenko, Fagan et Chin 1991; Rosenbaum, 1991). On peut donc croire que, dans de telles circonstances, à moins d'une augmentation sensible des budgets des partenaires judiciaires, les petits trafiquants arrêtés regagneront rapidement le chemin de la liberté, ainsi que leurs activités lucratives illicites[145]. La signification des arrestations sera alors diluée par la mollesse de la sanction (Kleinman et Smith, 1990). Une autre solution consiste à se concentrer exclusivement sur des quartiers qui éprouvent un problème endémique de trafic. On limite alors le flot des arrestations et on s'assure ainsi d'un traitement judiciaire normal. Un nouveau problème surgit cependant: le déplacement des opérations de trafic vers des quartiers voisins, au grand déplaisir de leurs habitants.

On est donc confronté à une vision pessimiste de l'impact de tels programmes sur la demande de drogues:

> L'élimination de la demande peut être une idée rassurante, mais le principe même de l'économie de marché s'y oppose: en effet, une fois qu'un produit marche, la seule manière de l'éliminer est d'offrir un produit meilleur pour le remplacer (Kaplan et Van Gelder, 1992, p. 356).

S'il s'avère extrêmement difficile d'évaluer concrètement l'impact réel de ces programmes, une chose est claire: ils alimentent bien le réseau judiciaire.

3. La réduction de la demande et des risques

Une approche quelque peu différente est soutenue par le gouvernement des Pays-Bas:

> Tout en intégrant des éléments traditionnels et modernes, la politique néerlandaise en matière de drogues est unique dans son application de valeurs post-modernes à l'élaboration de politiques publiques [...] accordent davantage de valeur à la modération qu'à l'émotionnel (Kaplan et Van Gelder, 1992, p. 357).

Il s'agit d'une politique de réduction de la demande et des risques que le consommateur et son entourage pourraient encourir suite à une forte consommation de certaines drogues (Ministère des Affaires sociales, de la Santé et de la Culture des Pays-Bas, 1991). Ainsi, à l'opposé d'une guerre politico-judiciaire visant l'abstinence face à certaines drogues, on met davantage l'accent sur un combat socio-sanitaire visant à remplacer des pratiques dangereuses d'usages de drogues par d'autres plus acceptables socialement.

145. Si l'on analyse la situation à l'extérieur du Canada, on est à même d'observer que, pour contrer cet effet pervers, certains États ont prévu une peine d'emprisonnement minimale, créant ainsi un problème de surpopulation dans les établissements carcéraux; ce qui entraîne la mise en liberté anticipée d'autres détenus, de même que la création d'un programme de construction de prisons et de pénitenciers. Le lecteur est prié de consulter Belenko (1990) pour une discussion plus complète de ce thème.

Néanmoins, les Pays-Bas continuent d'adhérer aux principales conventions internationales et la *Loi sur l'opium* de ce pays prévoit une série d'infractions et de peines correspondantes (voir Korf, 1992, ainsi que le Ministère des Affaires sociales, de la Santé et de la Culture des Pays-Bas, 1991). Pour les dérivés du cannabis, ces peines n'ont cependant aucune commune mesure avec ce que prévoient les lois canadiennes en cette matière. Ainsi, la vente, la fabrication ou la possession d'une quantité n'excédant pas 30 grammes de cannabis (haschich ou marijuana) est frappée d'une peine maximale d'un mois de prison et/ou d'une amende de 5 000 florins[146]. Au-delà de cette quantité, la peine maximale équivaut à deux ans de prison et/ou à une amende de 100 000 florins. L'importation ou l'exportation de cannabis peut entraîner, pour sa part, quatre ans de prison et/ou une amende de 25 000 florins.

Les lois néerlandaises, distinguant la «nocivité» des drogues, prévoient des peines beaucoup plus importantes en ce qui concerne les opiacés, la cocaïne, le LSD, les amphétamines et les drogues apparentées. Ainsi, la possession pour consommation personnelle de l'une de ces drogues rend son auteur passible d'une peine maximale d'un an de prison et/ou d'une amende de 100 000 florins. Tout autre type de possession est punissable d'une peine de quatre ans de prison et/ou d'une amende identique à l'infraction précédente. De plus, l'organisation de l'importation ou de l'exportation est assujettie à une peine de six ans de prison et/ou à une amende de 100 000 florins. Enfin, la vente, le transport ou la fabrication sont associés à une peine de prison de huit ans[147], alors que la personne condamnée pour importation ou exportation peut encourir une peine de douze ans de prison[148]. Il faut cependant noter que les récidivistes peuvent se voir appliquer une disposition qui a pour effet d'augmenter leur peine du tiers. Contrairement au Canada, la Hollande s'est donc dotée de lois s'appuyant sur le tort relatif de certaines drogues en pénalisant moins sévèrement la possession de petites quantités de cannabis que celle d'héroïne[149].

146. Au moment d'écrire ces lignes, 1 florin valait 0,70 $ Can. Une amende de 5 000 florins équivaut donc à près de 3 500 $ canadiens.

147. Et/ou une amende de 100 000 florins.

148. Et/ou une amende de 100 000 florins.

149. Il faut se rappeler que la loi canadienne ne fait pas de distinction entre la possession de cannabis et celle d'héroïne. Bien sûr, le juge peut compenser cette absence en appliquant des peines moins sévères aux infractions relatives à la possession de cannabis qu'à celles impliquant l'héroïne, mais cela revient à sa discrétion.

Cependant, au-delà de ces lois jugées parfois très permissives, les autorités néerlandaises ont adopté une approche pragmatique de coopération entre différentes instances gouvernementales afin de gérer le «phénomène des drogues». Le système de justice pénale ne constitue qu'un partenaire parmi d'autres en ce qui concerne les mesures prises pour diminuer les risques et les dommages encourus par les consommateurs de drogues et leur entourage (Ministère des Affaires sociales, de la Santé et de la Culture des Pays-Bas, 1991). En ce sens, les politiques du gouvernement hollandais ne visent pas seulement à identifier et à poursuivre les consommateurs ou les trafiquants de drogues prohibées, mais tentent également de prévenir les problèmes liés à certains types de consommation et d'aider les toxicomanes (Van de Wijngaart, 1991).

Tous ces interlocuteurs sont bien conscients que les risques encourus par les usagers de drogues ne proviennent pas uniquement des propriétés psychopharmacologiques des substances consommées, mais dépendent également de la personnalité des utilisateurs, des raisons pour lesquelles ils en font usage et surtout des conditions dans lesquelles ils ont recours à ces produits (Ministère des Affaires sociales, de la Santé et de la Culture des Pays-Bas, 1991). Dans cette optique, les énergies policières sont dirigées volontairement vers le combat contre les infractions graves plutôt que contre une petite consommation:

> [...] la police ne prend aucune mesure spéciale pour détecter la possession de drogues à usage personnel ou la vente et la possession de petites quantités de cannabis (jusqu'à 30 g). Lorsqu'il lui arrive d'en trouver, elle les confisque néanmoins. Le peu d'attention accordée à la possession et à la vente de cannabis en quantités inférieures à 30 g fait que l'on trouve de telles quantités en vente dans les maisons des jeunes et les *coffee shops*. Les autorités surveillent toutefois ces points de vente et les ferment si le commerce y devient trop florissant. Les directives se trouvent ainsi appliquées: pas de vente de grosses quantités, pas de vente d'autres stupéfiants (cocaïne, héroïne, etc.), pas de publicité, pas d'encouragement à la consommation, et pas de vente aux mineurs (Ministère des Affaires sociales, de la Santé et de la Culture des Pays-Bas, 1991, p. 8).

Cette attitude de libéralisme relatif permet, d'une part, de minimiser les conséquences juridiques associées au statut de consommateur et, d'autre part, de faire usage de drogues sans nécessairement devoir côtoyer la clandestinité (Leuw, 1990). On espère ainsi rendre la consommation de drogues moins attrayante en la dissociant du symbolisme d'opposition à la culture dominante (Ministère des Affaires sociales, de la Santé et de la Culture des Pays-Bas, 1991).

Les consommateurs et les toxicomanes agissent donc au vu et au su de tous et chacun. Un touriste en visite à Amsterdam peut facilement repérer des consommateurs de cannabis réunis dans l'un des nombreux *coffee shops*[150] ou peut même être témoin d'échanges de petites quantités de drogues se déroulant à quelques pas de policiers qui n'interviendront probablement pas :

> Au lieu de mener une campagne fondée sur la condamnation systématique des drogues, les autorités néerlandaises ont préféré mettre l'accent sur la prévention secondaire. Ainsi, on tolère l'usage expérimental ou de loisir du cannabis, en même temps que l'on renforce la prévention prônant l'automodération de façon à combattre l'abus de consommation et la toxicomanie (Korf, 1992, p. 343).

En revanche, on demande aux consommateurs de faire preuve d'un minimum de sens civique dans leurs rapports avec l'entourage (Korf, 1992, Leuw, 1990).

Afin de réduire certaines conséquences sanitaires reliées à l'usage d'héroïne par voie intraveineuse (sida, hépatites...), les autorités néerlandaises ont également mis sur pied un important réseau de distribution de méthadone[151] aux héroïnomanes[152] (Observatoire géopolitique des drogues, 1993a). La distribution de méthadone s'effectue selon trois modalités principales.

Une première modalité, très peu exigeante[153], se fait par l'entremise d'autobus spécialement aménagés qui empruntent des itinéraires fixes à travers les quartiers où vivent les héroïnomanes. Cette stratégie présente un taux de pénétration du milieu assez élevé, puisqu'elle rejoindrait près de six cents clients quotidiennement (Korf, 1992). C'est habituellement par ce service que les héroïnomanes entrent en contact avec le réseau de distribution de méthadone (Grapendaal, 1990). Cependant, selon Grapendaal (1992), un bon nombre d'utilisateurs de ce service n'ont aucune intention de mettre fin à leur consommation d'héroïne. La prescription de méthadone constitue plutôt, à leurs yeux, une assurance contre les «mauvais» jours... une façon de s'assurer de la disponibilité d'un opiacé si l'héroïne ou l'argent venait à manquer[154]. En ce sens, selon Grapendaal (1992),

150. Il y en aurait environ trois cents à Amsterdam (Korf, 1992).

151. Opiacé de substitution.

152. La Hollande n'est certes par le seul pays à prescrire de la méthadone aux héroïnomanes, mais l'intérêt réside ici dans le remplacement d'une partie des politiques pénales par des politiques socio-sanitaires.

153. Aucun test d'urine, pas de contacts fixes, pas d'obligation de rencontrer un travailleur social, mais une visite chez un médecin est exigée tous les trois ou quatre mois (Grapendaal, 1990).

154. Toujours selon Grapendaal (1992), si la personne peut se procurer son héroïne, la méthadone sera utilisée comme dose supplémentaire ou revendue sur le marché noir.

ce type de distribution de méthadone permet à certains héroïnomanes de continuer leur style de vie.

Les héroïnomanes qui désirent pousser plus loin leur prise en charge à l'aide des services de maintien à la méthadone peuvent alors se rendre dans des centres de services permanents spécialement aménagés. Ces centres, dont le but consiste à détourner le toxicomane de l'héroïne, auront de plus fortes exigences : on réclame une visite quotidienne ainsi que des analyses d'urine hebdomadaires (Grapendaal, 1990). Les clients y reçoivent cependant des services plus complets : ils peuvent y rencontrer des travailleurs sociaux ainsi que des professionnels de la santé qui les aident à gérer leurs différents problèmes de vie.

Parallèlement, environ deux cents médecins néerlandais prescrivent de la méthadone à près de mille sept cents héroïnomanes annuellement (Korf, 1992). Ces médecins n'ont généralement que très peu d'exigences face à cette clientèle qui n'a qu'à se présenter au cabinet toutes les deux ou trois semaines en vue d'obtenir une prescription lui donnant accès à des comprimés de méthadone (Grapendaal, 1990). Ce service des médecins néerlandais rend possible l'intégration du programme de distribution de méthadone dans une optique de santé globale de la personne, tout en permettant de détacher ces soins de la stigmatisation que pourrait entraîner la fréquentation de programmes spécifiques (Van de Wijngaart, 1991).

Le gouvernement néerlandais croit que la possibilité d'obtenir de la méthadone gratuitement élimine en partie le besoin de se procurer de l'héroïne sur le marché illicite (Grapendaal, 1990). De plus, ces mesures de distribution permettent de garder un contact plus ou moins régulier avec la grande majorité des héroïnomanes et ainsi de mieux contrôler un important problème de santé publique (Leuw, 1991). Un grand nombre d'entre eux bénéficient également de prestations sociales leur permettant de subvenir aux nécessités de la vie : logement, habillement, nourriture, soins de santé (Leuw, 1990).

Parallèlement à ces programmes de distribution de méthadone, existe également un programme d'échange de seringues. Il s'agit d'une façon de prévenir le sida parmi les usagers d'héroïne[155]. Au cours de l'année 1988, près de 720 000 seringues ont été échangées à Amsterdam (Van de Wijngaart, 1991).

Parmi les expériences néerlandaises que l'on pourrait qualifier de post-modernes, citons également la promotion d'associations de toxicomanes (*Junkiebond*) qui ont pour fonction de veiller aux

155. Une minorité d'héroïnomanes hollandais (8 %) auraient contracté le sida.

intérêts des usagers de drogues[156], ainsi que la création de forums de quartier visant le rapprochement entre les personnes qui font un usage régulier de drogues illicites, les toxicomanes et les autres citoyens (Cesoni, 1992 ; Kaplan et Van Gelder, 1992 ; Van de Wijngaart, 1991). Ce côtoiement, outre qu'il fait connaître mieux les toxicomanes, permet un rapprochement en vue de les convaincre de se faire désintoxiquer et de limiter les risques associés à leur consommation (Korf, 1992). Les mots clés sont donc ici « démarginalisation » et « normalisation » (Korf, 1992).

Bien que les politiques néerlandaises en matière de drogues visent la réduction de la demande, le nombre d'héroïnomanes dans ce pays, qui est demeuré stable au cours des dix dernières années, est évalué entre 15 000 et 20 000 (Junger-Tas, 1991). Par ailleurs, contrairement à quelques pays voisins, aucune diminution du nombre d'usagers de cannabis n'a été observée[157] (Junger-Tas, 1991 ; Korf, 1992). Les politiques permissives de ce pays attirent également un nombre considérable d'héroïnomanes étrangers qui viennent s'approvisionner en drogues (Observatoire géopolitique des drogues, 1993a)[158]. Pourtant, au-delà des chiffres, un certain nombre de questions fondamentales doivent être posées lorsqu'on évalue une politique des drogues (voir à cet égard Van de Wijngaart, 1991) : Dans quelles conditions les usagers vivent-ils ? Sont-ils marginalisés socialement ? Quelle est la qualité de vie de la population dans son ensemble ?

Bien que les politiques néerlandaises en matière de drogues illicites aient pu redonner une certaine « normalité » aux usagers de drogues, elles ne sont pas encore parvenues à toutes leurs fins. Selon Grapendaal (1990), bien que la logique néerlandaise prenne en compte le triangle drogue – consommateur – contexte, la mise en œuvre de certaines politiques n'a pas encore suffisamment considéré la signification du geste posé et les fonctions psychosociologiques de la toxicomanie.

156. Leur travail implique des consultations avec les représentants du gouvernement sur des sujets tels la distribution de la méthadone, la disponibilité de seringues stériles, l'application des politiques concernant l'usage de drogues, l'accessibilité à des logements salubres... Ces associations vont également prendre une part active dans des campagnes d'information concernant l'arrivée de drogues dangereuses sur le marché et vont même, à l'occasion, dénoncer de fausses informations présentées dans les médias (Van de Wijngaart, 1991).

157. Il faut souligner toutefois que leur nombre est bien moindre qu'aux États-Unis.

158. On estime que 30 % des toxicomanes de la ville d'Amsterdam sont des étrangers qui retrouvent en Hollande une terre plus accueillante que dans leur pays d'origine (Van de Wijngaart, 1991).

4. Les critiques générales

Malgré le nombre imposant d'arrestations et de condamnations, les lois, à elles seules, semblent incapables de faire cesser l'usage et de prévenir l'abus de drogues (Beauchesne, 1986 et 1991 ; Cormier, Brochu et Bergevin, 1991). Au contraire, le couple prohibition–répression semble engendrer un mal plus important que celui qu'il tente de guérir en créant un certain nombre d'effets pervers (Alexander, 1990). Bertrand (1986 et 1989) en rapporte quelques-uns. Ainsi, selon l'auteure, la répression est inéquitable lorsqu'elle frappe un infracteur sur cent, d'autant que ces personnes proviennent généralement de milieux socio-économiques défavorisés. Les pouvoirs extraordinaires accordés aux policiers de certains pays par les lois sur les drogues constituent des brèches aux droits de la personne et se trouvent parfois à la limite de la légalité. La disparité des sentences imposées dans les affaires de drogues contribue à discréditer le processus judiciaire. Les coûts de la prohibition s'avèrent énormes. Les fonctions pédagogiques du droit pénal sont compromises faute de distinction entre les substances dont la nocivité varie beaucoup. La prohibition crée la prolifération des marchés illicites où la qualité des produits transigés laisse à désirer. Détenir consommateurs et trafiquants dans les mêmes établissements favorise un commerce des drogues aussi important, sinon davantage, que dans le monde libre.

Bien plus, la prohibition stimule l'augmentation des intoxications en raison de la piètre qualité des produits vendus sur le marché noir, accroît la répression, la corruption et la criminalité, et confère des pouvoirs économiques à des groupes qui se situent en marge de la loi (Beauchesne, 1991).

La solution consiste-t-elle à renforcer davantage la guerre contre les drogues illicites afin de mieux tenter de contrôler ces produits ? Selon Hammersley *et al.* (1989), cette façon de faire aurait quatre grands effets : 1) la drogue contrôlée acquerrait un meilleur statut, serait plus convoitée et son prix augmenterait d'autant ; 2) si la drogue devenait vraiment inaccessible, nous serions alors témoins d'un déplacement de l'abus vers une nouvelle substance psychoactive qui deviendrait vite associée à son tour à la criminalité ; 3) le renforcement de son caractère illégal serait susceptible d'accroître la part des grandes organisations criminelles dans le trafic des drogues ; 4) les simples consommateurs délaisseraient alors le commerce de la drogue prohibée pour s'impliquer dans une délinquance acquisitive moins risquée. En ce sens, il n'est pas certain que des mesures de contrôle accrues produiraient les effets escomptés.

Devant ces constatations, plusieurs personnes croient que la répression ne constitue pas une réponse *adaptée à la réalité actuelle* et militent en faveur de l'antiprohibition.

De la criminalisation à la vente libre

Il existe actuellement quatre mouvements internationaux importants visant la promotion de mesures politiques plus libérales en matière de drogues : la coordination radicale antiprohibitionniste (CORA), la Drug Policy Foundation (DPF), la ligue internationale antiprohibitionniste (LIA) ainsi que le Mouvement européen pour la normalisation des politiques sur les drogues (MENPD).

De façon générale, les adhérents à ces mouvements allèguent que la drogue ne constitue pas en soi un élément aussi dangereux qu'on le croit habituellement, mais que la nocivité du produit réside plutôt dans son mode de consommation. Par ailleurs, les militants antiprohibitionnistes ne partagent pas tous les mêmes vues concernant les stratégies à instaurer. Ainsi, il est possible de relever trois étapes actuellement discutées : la décriminalisation *de facto* ; la décriminalisation officielle ; la légalisation.

1. La décriminalisation de facto

La décriminalisation *de facto* consiste à ne pas appliquer les procédures prévues par les conventions internationales. Ainsi, des lois pénalisant la possession de cannabis pourraient toujours être en vigueur sans que les agents responsables de leur mise en application y aient recours.

Cette mesure est généralement considérée comme une étape intermédiaire précédant les changements de conventions et la décriminalisation officielle.

2. La décriminalisation officielle

Pour sa part, la décriminalisation officielle suppose l'abrogation des conventions internationales de même que des législations nationales rendant la consommation de certaines substances psycho-actives illégale. La responsabilité gouvernementale s'arrêterait cependant à ce niveau, laissant ainsi au libre marché la responsabilité de la distribution des drogues.

Selon Bertrand (1990), de telles mesures feraient économiser des milliers de dollars au système de justice qui est actuellement submergé par des affaires de drogues, permettraient de canaliser les efforts des agences de contrôle pénal vers d'autres problèmes, en particulier les délits de droit commun, faciliteraient le traitement des toxicomanes qui ne craindraient plus d'être identifiés par les services gouvernementaux, harmoniseraient l'ensemble des politiques concernant les substances psycho-actives en éliminant le clivage entre drogues licites et illicites.

Cependant, pour un grand nombre de militants antiprohibitionnistes, le marché des drogues ne peut être laissé à lui-même, ne serait-ce que pour en barrer l'accès aux personnes mineures, s'assurer de la qualité des produits vendus ou régir la publicité. On ne discute plus alors de décriminalisation, mais plutôt de légalisation.

3. La légalisation

Les stratégies de légalisation des drogues s'apparentent aux politiques de décriminalisation officielle tout en préconisant certaines mesures de contrôle sur la qualité, le prix, les méthodes de fabrication et de distribution (Bertrand, 1990). Toutefois, il est possible d'observer une diversité d'opinions entre les tenants de cette position. Certains militent en faveur d'une approche graduelle : « d'abord le cannabis, ensuite nous verrons ! », d'autres envisagent un passage immédiat à la légalisation. De plus, il y a encore plusieurs débats quant au type de marché à mettre en place dans un respect de politiques de promotion de la santé.

Mais quels sont les bénéfices attendus de la légalisation des substances psycho-actives ?

Bénéfices attendus de la légalisation des substances psycho-actives*

1. BÉNÉFICES PRATIQUES
   - conversion dans l'économie licite d'une grande partie des fonds (narco-dollars) transigés dans l'économie souterraine ;
   - accès à des drogues dont la qualité et les lieux d'achat sont réglementés ;
   - accès à des drogues de faible concentration.
2. BÉNÉFICES HUMANITAIRES
   - suppression de l'encouragement à enfreindre la loi ;
   - élimination des mesures répressives, parfois en marge de la légalité, envers les consommateurs de drogues ;
   - élimination de la violence liée au marché des drogues.
3. BÉNÉFICES ÉTHIQUES
   - rétablissement des droits et libertés des personnes.

* Ce tableau constitue une adaptation de Cormier, Brochu et Bergevin (1991).

La légalisation des drogues comporterait, de façon générale, les mêmes avantages[159] que ceux reliés à la décriminalisation officielle sans en faciliter une distribution incontrôlée. En effet, il ne faudrait pas passer d'une vente prohibée à une commercialisation outrancière. C'est pourquoi, les tenants de cette approche préconisent que la distribution des drogues soit régie par une instance gouvernementale qui en assurerait la qualité (Frances, 1991). Toutefois, le rôle actif attribué aux instances gouvernementales dans ce scénario de légalisation comporte un danger: favoriser une incitation étatique à la consommation.

Les avantages attendus de la légalisation n'apparaîtront que si le gouvernement sait borner son appétit et ne surtaxe pas indûment ces produits. Les coûts prohibitifs artificiellement créés par une surtaxe auraient pour effet de maintenir ou de créer un marché parallèle tel que nous l'avons connu au Québec pour le tabac lorsque certains représentants gouvernementaux y ont vu une source de revenus presque inépuisable.

La grande majorité des tenants de la légalisation sont conscients que cette stratégie n'engendrera de résultats positifs que si le public est informé des raisons sous tendant les changements politiques et que si on prévoit la mise en place d'une infrastructure de santé adéquate pouvant accueillir, conseiller et aider ceux qui en font la demande. La légalisation des drogues ne doit pas être comprise comme un message valorisant l'intoxication et la fuite de ses responsabilités, mais plutôt comme une politique d'aide aux toxicomanes et de confiance envers ses citoyens. En d'autres termes, la légalisation ne doit pas être un objectif en soi, mais plutôt un moyen dans une stratégie globale de promotion de la santé.

4. Les critiques générales

L'un des arguments à l'appui des thèses antiprohibitionnistes porte sur la réduction de la criminalité. Pour certains des tenants de cette thèse, toutefois, cette hypothèse selon laquelle la légalisation des drogues entraînerait une réduction de la criminalité provient du même postulat causaliste, véhiculé par les tenants de la guerre à la drogue: la consommation de **drogues** dans un contexte illégal **cause** le **crime**. Il est vrai que l'usage de substances psycho-actives, une fois légalisé, perdrait de son attrait en tant qu'expression déviante. Mais il ne faut pas croire pour autant que la légalisation romprait définitivement le lien entre la consommation de drogues et

159. Si, bien entendu, toutes les drogues font l'objet de cette légalisation, sinon il est probable que nous assistions à un déplacement des activités de trafic et à une lutte entre trafiquants pour contrôler la part du marché demeurée illicite.

l'adoption d'un style de vie déviant. Le statut de drogue licite conféré à l'alcool ne détourne pourtant pas les jeunes de la recherche de l'ivresse éthylique[160].

Il faut insister à nouveau sur ce point: la grande majorité des usagers de substances psycho-actives illicites présentent une délinquance qui ne tire pas ses origines de la consommation. Bien sûr, cette délinquance initiale est accentuée par l'usage régulier (par exemple l'ajout d'une criminalité systémique) et la dépendance (addition d'une criminalité économico-compulsive), mais elle n'est pas créée de toutes pièces par la simple consommation de drogues. L'expérience de la distribution de la méthadone nous indique que la disponibilité d'une drogue n'a d'impact que sur les consommateurs réguliers ou dépendants qui **veulent** ou **doivent** abandonner leur style de vie déviant. Les autres pourront, à l'occasion, tirer profit de cette distribution sans pour autant abandonner leurs activités délinquantes. La légalisation des drogues n'aurait donc qu'une portée limitée sur la criminalité des jeunes consommateurs. Son plus grand effet sur la criminalité consistera plutôt à dissocier drogues et réseaux mafieux, soit la criminalité liée au marché illicite de ces produits.

Une seconde critique pouvant être adressée à l'option antiprohibitionniste concerne la difficulté à trouver un accord général sur des scénarios relativement précis. À l'exception de l'entente pour commercialiser les drogues à faible concentration (Beauchesne, 1991), les traités antiprohibitionnistes sont peu loquaces ou présentent parfois des points de vue contradictoires concernant l'application d'autres restrictions (âge, types d'établissements, quantité, publicité...) ou les limites de la distribution médicale (ce système est-il suffisamment responsable pour assumer ce rôle[161]? quelles drogues devraient alors être ainsi distribuées[162]?, etc. Il est clair que des

160. Bien sûr, certains n'ont pas atteint l'âge légal de la consommation d'alcool. Néanmoins, lorsque l'on interroge les jeunes sur les motifs de leur usage d'alcool, la recherche de l'intoxication semble beaucoup plus importante que la transgression de l'interdit. D'ailleurs, ce caractère d'interdiction semble parfois s'évaporer lorsqu'on observe les pratiques qui se déroulent dans les fêtes étudiantes (par exemple les fêtes des finissants du secondaire).

161. Voir les critiques adressées par Cormier (1993) ou Peele (1989) à l'égard de la profession médicale.

162. Plusieurs croient que l'héroïne devrait être distribuée sous contrôle médical, tout comme on distribue aujourd'hui la méthadone dans certains pays. Habituellement, on fait vaguement allusion à la dépendance pour justifier cette mesure. Pourtant, les usagers d'héroïne ne représentent pas la majorité des toxicomanes nord-américains. En effet, ces derniers font plutôt usage de cocaïne. On croit généralement que ces usagers expérimentent une dépendance physique (s'il en est une) différente de celle des héroïnomanes; chose certaine, leur dépendance psychologique est très élevée. Devrait-on également distribuer de la cocaïne ou du crack de la même manière que l'héroïne? Devrait-on alors limiter la distribution aux seules personnes présentant des signes de dépendance? Comment alors mesurer la dépendance à la cocaïne?

études doivent être entreprises afin de préciser le plus possible les scénarios les plus susceptibles de s'intégrer dans une stratégie globale de promotion de la santé.

SYNTHÈSE

Il s'avère extrêmement important de remettre en question les politiques actuelles sur les drogues. Les stratégies actuelles de guerre contre les drogues sont des dinosaures qui engouffrent chaque jour des crédits considérables. On ne pourra plus les nourrir bien longtemps. Bien plus, cette guerre fondée presque exclusivement sur l'usage du droit pénal et le déploiement de stratégies paramilitaires ne constituera jamais un moyen efficace pour résorber les problèmes de consommation excessive de substances psycho-actives. Il ne suffit pas de faire disparaître la cocaïne ou l'héroïne de la surface du globe pour que cessent les problèmes de toxicomanie et le malaise profond des toxicomanes.

Le débat prohibition–antiprohibition prend une part de plus en plus importante dans les discussions concernant les drogues, la toxicomanie et la criminalité. Plus qu'un débat empirique, il s'agit fondamentalement d'une querelle de paradigmes. Le paradigme positiviste, militant en faveur des actions guerrières contre les consommateurs de drogues, s'appuie généralement sur des modèles causalistes réductionnistes. La personne est perçue comme un être qui se laisse facilement influencer par son entourage. La disponibilité d'un produit la place alors dans une situation à risque de consommation et d'abus. À l'opposé, le paradigme phénoménologico-systémique s'inspire des théories humanistes, selon lesquelles les personnes sont douées de capacité de réflexion et capables d'actions propres dirigées vers leur mieux-être. Ces personnes vivent en interaction avec les systèmes environnants qui exercent sur elles une influence relative. Ce paradigme favorise alors des stratégies de réduction des risques et même de normalisation face à la consommation de substances psycho-actives aujourd'hui illicites.

Pourtant, la toxicomanie ne constitue pas seulement un problème politico-légal. Elle n'est pas qu'un artefact d'une société prohibitionniste ; elle représente avant tout un style de vie. Il ne faudrait pas que ces débats aient pour effet de détourner l'attention des problèmes d'adaptation dont souffrent les personnes qui abusent de drogues. Les politiques juridiques, quoique importantes dans la détermination des contextes de consommation, n'incitent pas les gens à adopter tel ou tel modèle de consommation.

10. Les interventions psycho-socio-sanitaires

Actuellement, en matière de toxicomanie, la condamnation du consommateur rappelle la victimisation de cet accusé et permet de le punir afin de le soigner. Traitement et punition sont ainsi très souvent intimement liés. Ce mariage de raison est-il le gage d'une union profitable ? Ce chapitre tentera de répondre à cette question en analysant la portée des programmes de traitement de la toxicomanie offerts en milieu de détention, de même que l'efficacité du renvoi des personnes judiciarisées vers des centres de traitement situés dans la communauté. Nous terminerons cette analyse en jetant un regard critique sur les interventions préventives dans le domaine de la toxicomanie et en présentant un type d'intervention qui s'appuie sur le modèle intégratif du chapitre 8 et qui a pour objectif de prévenir l'adoption d'un style de vie déviant.

Lorsque l'on discute d'intervention psycho-socio-sanitaire en matière de drogues pour les personnes judiciarisées, on pense d'abord au traitement des toxicomanes en établissement carcéral. En effet, il s'agit bien du lieu d'action souvent privilégié pour tenter d'aider les toxicomanes judiciarisés. Pourtant, d'autres types d'assistance s'avèrent également possibles. Ainsi, un nombre croissant de personnes judiciarisées sont envoyées dans des centres de soins réguliers de la toxicomanie, en sus ou au lieu d'une sentence. D'autre part, des programmes de prévention sont également mis sur pied afin d'éviter l'adoption d'un style de vie déviant chez les jeunes. Le présent chapitre est entièrement consacré au thème de l'intervention curative et préventive dans le domaine des drogues illicites.

Les interventions curatives

1. Le traitement de la toxicomanie en détention

a) « Nothing works ! »

« *Nothing works !* » « Rien ne fonctionne ! » « Les programmes de réadaptation correctionnelle n'ont pas d'effet ! » Combien de fois avons-nous entendu ces commentaires depuis la parution de l'article de Martinson (1974) dénonçant les graves limites des programmes de réadaptation destinés aux contrevenants ?

Cet article a été suivi de débats, parfois féroces, entre les défenseurs de ces programmes et certains de leurs opposants. La méthodologie évaluative actuelle éprouvant des problèmes à bien circonscrire l'impact (positif et négatif) des projets mis en place[163], il s'avère difficile de tirer des conclusions fiables sur l'effet de ces schémas d'intervention. Dans bien des cas, le contexte économique et les priorités budgétaires, parfois contradictoires, ne donnent pas à ces programmes une espérance de vie suffisamment longue pour qu'ils parviennent à maturité. De tels plans restent à la merci des changements de gestionnaires et de leurs politiques. Ils sont très souvent « corrompus » par des priorités administratives et sécuritaires[164]. De prime abord, le milieu carcéral ne fournit pas l'ambiance thérapeutique nécessaire à l'épanouissement personnel et au changement de style de vie des personnes qui le désireraient. Il ne faut donc pas s'étonner si les programmes de réadaptation en établissement de détention ont stagné au cours des dernières décennies.

Les personnes détenues ont cependant droit aux mêmes services de santé, tant psychologiques que physiques, que l'ensemble de la population :

> Les clients du système pénal ont bien souvent besoin d'assistance, de soins et d'éducation. Aussi, une fois la sentence prononcée, il importe de leur offrir aide, traitement et enseignement (Cusson, 1987, p. 180-181).

Il est, dans ces circonstances, hors de question de les priver de soins psychologiques et physiques. Il en va de même des services de réadaptation pour toxicomanes. Les gouvernements sont donc responsables de l'instauration de tels services auprès des personnes détenues. De plus en plus de programmes d'aide aux toxicomanes sont mis en place pour les contrevenants. Lévesque (1993) décrit la situation des services correctionnels de la région du Québec en ces termes :

> Actuellement, sans compter nos groupes d'entraide tels que Alcooliques Anonymes et Narcotiques Anonymes, nos quelque 40 programmes en place rejoignent environ 1 000 délinquants à chaque année dans nos établissements et 300 dans nos districts de libération conditionnelle (Lévesque, 1993, p. 11).

163. Ces plans d'intervention n'offrent généralement aucune composante évaluative. Lorsque cette dernière est présente, l'application des programmes permet rarement l'utilisation de devis expérimentaux (difficulté de distribuer les sujets au hasard, petits échantillons, suivi à courte échéance, utilisation des statistiques officielles concernant la récidive...).

164. Problèmes éthiques de toutes sortes, difficulté d'assurer le respect de la confidentialité, priorité administrative exigeant un transfert avant la fin du traitement, budgets insuffisants, difficulté de respecter les critères d'admission, autonomie du programme insuffisante... Pourtant, plus l'intégrité d'une méthode d'intervention est respectée, plus elle s'avère efficace (Luborsky *et al.*, 1985).

Quel peut être l'impact de tels programmes appliqués en milieu carcéral?

b) «Something works!»[165]

Les critiques les plus véhémentes des programmes de réadaptation furent formulées il y a près de vingt ans. Elles s'adressaient alors généralement aux stratégies d'intervention classiques tirées directement du répertoire thérapeutique offert à l'ensemble de la population, sans aucune adaptation de fond pour le milieu carcéral. Ces programmes de réadaptation visaient, pour la grande majorité, à transformer une personnalité antisociale ou à modifier une trajectoire criminelle en plein essor. L'objectif était peut-être trop ambitieux et les moyens trop modestes. Les développements récents dans le domaine de la psychologie (entre autres la théorie de l'apprentissage social et les méthodes qui y sont associées) ont cependant permis de constater l'impact positif de certains programmes qui s'attaquent directement à des problématiques spécifiques (voir Anglin et Hser, 1990[166]).

En ce sens, on a pu observer un effet positif[167] de certains programmes visant à aider les toxicomanes à se défaire de leur assuétude aux drogues. De façon générale, ces programmes partagent un certain nombre de caractéristiques communes: 1) ils bénéficient d'enveloppes budgétaires distinctes de l'administration du pénitencier hôte; 2) ils conservent une certaine autonomie administrative; 3) ils peuvent s'isoler, dans une certaine mesure, du fonctionnement pénitentiaire pour recréer un environnement thérapeutique; 4) ils ont établi un ensemble de règles à respecter et de sanctions pour les infracteurs; 5) les intervenants se perçoivent plus comme des aidants soucieux du bien-être des participants que comme des gardiens responsables de la sécurité; 6) le personnel joue un rôle de modèle pour les détenus; 7) les participants apprennent de nouvelles habiletés (entre autres pour affronter le marché du travail ou régler des problèmes familiaux); 8) les intervenants établissent un suivi auprès des personnes ayant terminé le programme et utilisent, au besoin, les services des ressources de la communauté (Andrews et Kiessling, 1980; Chaiken, 1989; Gendreau et Ross, 1987).

Parmi les programmes correctionnels les plus stables dont l'impact a été soumis à l'épreuve de l'évaluation se trouvent les

165. Quelque chose fonctionne.

166. Voir également Gendreau et Ross (1987); Speckart, Anglin et Deschenes (1989); Wexler et Williams (1986)

167. Entre autres, diminution de la consommation et réduction de la criminalité.

communautés thérapeutiques[168]. Ce type d'intervention appliqué en milieu carcéral offre une alternative au phénomène de prisonniérisation[169] qui porte à dénigrer les valeurs sociales traditionnelles (Peat et Winfree, 1992). Bien plus, il propose l'adoption d'un nouveau style de vie.

À titre d'illustration, examinons le programme appelé *Stay'N Out* à partir de la description qu'en donnent McDermott, Gicliotti et Stafford (1988), ainsi que Wexler et Williams (1986)[170]. La communauté est constituée de 35 à 70 clients et d'une dizaine d'employés dont un grand nombre sont des ex-détenus ayant terminé le programme. Ces détenus servent de modèle en démontrant qu'il est possible de changer de style de vie. Les membres de la communauté se trouvent dans un certain état d'isolement face à l'ensemble de la population carcérale[171]. Le programme s'étend sur une période de six à neuf mois. Son principal objectif est d'aider les participants à devenir plus responsables. Au moment de leur admission, les nouveaux arrivants sont évalués de façon à cerner les zones problématiques qui doivent être travaillées. Au cours des premières étapes du cheminement, chaque membre de la communauté bénéficie d'une thérapie individuelle. Parallèlement, et tout au long du processus, il doit participer aux rencontres de début et de fin de journée[172], et s'impliquer dans des thérapies de groupe. Il est contraint de participer aux activités domestiques de la collectivité, où des tâches n'impliquant que de faibles responsabilités lui sont d'abord dévolues. Ce stage dans la communauté est marqué par l'utilisation constante de renforcements (applaudissements, marques de reconnaissance publique, contacts corporels positifs, accès à des quartiers plus confortables...)

---

168. Les mouvements d'entraide tels que les Narcotiques anonymes (NA) et les Cocaïnomanes anonymes sont très présents dans les centres de détention. S'appuyant sur le modèle des douze étapes des Alcooliques anonymes (AA), ces programmes encouragent le partage d'expériences personnelles et insistent sur l'acquisition de la sobriété. Ces mouvements d'entraide offrent davantage un réseau de soutien aux personnes intéressées qu'un véritable programme de réadaptation.

169. Voir Lemire (1990) pour une discussion du phénomène de « prisonniérisation ».

170. Au moment d'écrire ces lignes, les communautés thérapeutiques mises en place par les services correctionnels canadiens dans les pénitenciers fédéraux n'avaient pas encore fait l'objet d'une étude d'impact.

171. Quartiers résidentiels séparés, aires de détente isolées...

172. Ces rencontres sont, en quelque sorte, l'équivalent des journaux de quartier, puisqu'on y annonce les efforts de chacun, on y dénonce les manquements aux règlements, on y informe les membres des activités de la journée. Ces rencontres stimulent donc la communication entre les participants tout en favorisant la création d'un sentiment d'appartenance.

et de punitions (réprimandes verbales privées ou publiques, restriction de certains privilèges, participation à des travaux humiliants tels que le lavage du plancher à genoux, port d'affiches ou de symboles dénotant certains manquements ou faiblesses, perte de statut, suspension temporaire du programme...). Il doit donc se plier aux demandes ou abandonner le programme. Au cours de ce cheminement, chaque membre acquiert un statut associé à de nouvelles responsabilités. Selon sa progression, il fait également l'objet de thérapies plus poussées au cours desquelles on met l'accent sur la discipline, la connaissance de soi, le respect de l'autorité et l'acceptation de ses responsabilités.

Wexler, Falkin et Lipton (1990) ainsi que Wexler *et al.* (1992) ont comparé l'impact de ce programme aux résultats obtenus par deux autres types de thérapie carcérale dans lesquelles la prise en charge de l'individu n'était pas aussi intense. Les résultats indiquent que le modèle de la communauté thérapeutique en établissements carcéraux pour hommes produit un impact positif plus important, en termes de réduction du nombre d'arrestations au cours de la période subséquente de libération conditionnelle, que celui relevé à la suite de l'application des autres programmes d'aide ou auprès d'un groupe de sujets inscrits sur une liste d'attente en vue d'être admis au sein de la communauté thérapeutique (aucun traitement)[173]. De plus, il apparaît que l'impact observé est proportionnel à la durée du séjour dans la communauté. Cette relation linéaire s'interrompt cependant au bout de douze mois, moment où l'effet positif semble plafonner. Chez les femmes incarcérées, bien que les résultats suivent les mêmes tendances que celles observées chez leurs homologues masculins, aucune différence significative[174] n'apparaît entre l'appartenance à la communauté thérapeutique et l'intervention alternative ou la situation-témoin (liste d'attente)[175].

Plusieurs autres adaptations du modèle des communautés thérapeutiques pour les établissements carcéraux se sont développées au cours des dernières années (Field, 1985 ; Forcier, 1991 ; Mullen, Arbiter et Glider, 1991). De façon générale, on y retrouve les mêmes ingrédients : 1) les membres de la communauté sont relativement isolés des autres détenus ; 2) les activités sont structurées et

173. L'arrestation constitue cependant une mesure d'impact fort limitée lorsqu'il s'agit d'évaluer l'efficacité d'un programme de réadaptation pour toxicomanes.

174. p. – 07

175. De façon générale, proportionnellement moins de femmes que d'hommes ont récidivé, quel que soit le traitement reçu. Cette faible proportion de récidivistes pourrait peut-être expliquer l'absence de différence significative notée entre les femmes assignées aux différents types de traitement.

réglementées ; 3) les privilèges sont gagnés graduellement[176], mais jamais définitivement ; 4) les membres doivent accepter leurs responsabilités personnelles et communautaires ; 5) ils doivent effectuer de constants efforts pour changer leurs valeurs, leur style de vie et pour créer un environnement propice à la réadaptation de chacun ; 6) ils doivent s'insérer dans une structure hiérarchique relativement rigide ; 7) les « vieux » membres agissent comme modèles pour les recrues ; 8) la discipline est omniprésente et tout manquement est sévèrement puni ; 9) les membres bénéficient d'un suivi après leur sortie de la communauté. Tantôt, la toxicomanie constitue un critère d'admission, tantôt, les gros consommateurs de drogues côtoient des membres qui n'éprouvent pas ce type de problème. Très souvent, l'impact de ces programmes ne fait pas l'objet d'évaluations rigoureuses. Toutefois, lorsque des résultats d'études sont publiés, ils sont généralement positifs, quoique les mesures d'impact utilisées soient habituellement fort limitées (Field, 1985 ; Fisher, 1984 et 1985 ; Forcier, 1991). Le Service correctionnel du Canada a mis en place deux communautés thérapeutiques dans des établissements de détention du Québec. Malheureusement, l'impact de ces programmes n'a pas encore été évalué.

Des adaptations plus radicales de cette stratégie d'intervention ont donné naissance aux programmes d'incarcération-choc mieux connus sous le terme *Boot Camps*. Ainsi, l'État de New York a graduellement transformé certaines de ses communautés thérapeutiques en milieu carcéral (connu sous le vocable *Network*) en programmes d'incarcération-choc (voir McDermott, Gicliotti et Stafford, 1988). Ces programmes s'avèrent fort populaires dans la presse américaine ainsi que parmi le grand public : 49 % des personnes interrogées lors d'une enquête effectuée aux États-Unis étaient favorables au renvoi des consommateurs occasionnels de drogues illicites dans ce type de programmes (U.S. Department of Justice, 1991).

Les premiers *Boot Camps* furent institués aux États-Unis en 1983. Dix ans plus tard, 26 États américains exploitaient un total de 57 camps pouvant accueillir 8 880 détenus (U. S. General Accounting Office, 1993). Même si certaines modifications ont été apportées à ces programmes depuis leur création, la philosophie de base demeure la même. Ces plans d'intervention physique et psychologique, d'une durée s'échelonnant entre trois et six mois[177], mettent

176. Les communautés thérapeutiques utilisent beaucoup le système de renforcement positif et de punition.

177. Offerts en échange d'une sentence pouvant aller jusqu'à dix ans (Sechrest, 1989).

l'accent sur l'acquisition d'une discipline très rigoureuse, de même que sur un changement radical de style de vie (Sechrest, 1989). Alors que la réadaptation emprunte des éléments aux communautés thérapeutiques, les dispositions disciplinaires rappellent des camps d'entraînement des recrues militaires (voir Brochu et Forget, 1990). On entretient ainsi l'espoir que les jeunes soumis à un tel entraînement physique et psychologique pourront cultiver le respect de l'autorité et adhérer aux valeurs actuellement prônées par les institutions en place (McDermott, Gicliotti et Stafford, 1988).

Même si ces programmes de type militaire s'inscrivent assez bien dans les stratégies américaines de guerre contre les drogues, les résultats des études d'impact ne permettent pas de pavoiser. En effet, le taux de retour en prison des clients ayant terminé ce type de programmes[178] n'est pas inférieur à celui des détenus des groupes de comparaison (Sechrest, 1989 ; Shaw et Mackenzie, 1992 ; U.S. General Accounting Office, 1993). Malheureusement, aucune étude d'efficacité plus globale n'a pu être retracée.

c) À quelles conditions?

Non seulement doit-on considérer l'impact d'un programme, mais il faut également examiner les composantes morales et éthiques d'une telle intervention.

En effet, le traitement de la toxicomanie chez les personnes placées sous mandat judiciaire soulève de nombreuses discussions parmi les chercheurs et les praticiens de la criminologie. Peut-on vraiment évaluer la problématique de la toxicomanie chez des personnes placées dans un contexte d'autorité? Quelles sont les limites au **pouvoir** et au **droit** d'intervenir dans un milieu coercitif? Ne devrait-on pas attendre que la personne ait purgé sa peine et lui conseiller alors de suivre un programme de traitement?

Un milieu coercitif ne favorise certes pas la coopération des personnes qui sont l'objet de mesures restrictives avec celles qui sont chargées de leur surveillance (voir Clément et Ray, 1991 ; Hirschel et Keny, 1990). En effet, l'intérêt immédiat des contrevenants ne concorde pas vraiment avec les objectifs du système de justice pénale (protection des citoyens, sécurité...). Les personnes faisant l'objet de procédures pénales recherchent généralement la meilleure façon de rendre leur cheminement le moins pénible et le plus court possible.

178. Il faut noter que, comme pour les communautés thérapeutiques, la moitié des participants ne terminent pas le programme.

Ainsi, certaines choisissent d'apparaître devant le juge comme n'étant pas totalement responsables de leurs actes en raison des sérieux problèmes de toxicomanie dont elles souffriraient (Yochelson et Samenow, 1986). La tactique vise ici à purger l'équivalent de la sentence dans un centre de traitement présentant un faible encadrement disciplinaire ou à obtenir une sentence suspendue (voir Brochu et Lévesque, 1990 ; Forcier, 1991). Une autre stratégie, qui semble à première vue contradictoire, mais qui s'avère très souvent complémentaire pour les personnes alors jugées, consiste à nier tout problème de drogues, de façon à obtenir plus aisément une libération conditionnelle (voir Brochu et Lévesque, 1990 ; Forcier, 1991). En effet, les détenus savent fort bien que la toxicomanie est perçue par les autorités judiciaires comme un risque de récidive. Ils veulent donc éviter cet étiquetage. La personne qui fait face au système de justice pénale croit qu'il est souvent nécessaire de brouiller les informations et de ne pas collaborer pleinement avec les intervenants chargés de l'aider (Brochu et Lévesque, 1990).

Non seulement l'évaluation réelle de la problématique est-elle hasardeuse, mais l'intervention doit s'effectuer sous un constant regard éthique et sous une continuelle « redéfinition » des limites que l'intervenant s'impose (voir Brochu et Frigon, 1989). Qui est le véritable client ? Est-ce la personne confiée aux soins de l'intervenant ou l'établissement qui l'envoie ? Qu'est-ce qui précipite la demande d'intervention : est-ce un désir de changement ou le souhait de bien paraître aux yeux des autorités ? Comment réagir face à un client adressé par l'administration pénitentiaire sur qui pèse une menace de transfert ou de report de la libération conditionnelle en cas d'abandon ou d'échec du traitement ? Quels sont les droits des intervenants d'exercer des pressions (de quel type ?) vers un changement jugé positif (selon quelles normes ?) ?

Les droits de la personne ne sont-ils pas bafoués par certaines de nos actions thérapeutiques ? La pratique de l'intervention n'est-elle pas corrompue par le contexte carcéral ? Certains programmes actuellement en place ne favorisent-ils pas l'abus d'autorité ?

Par ailleurs, peut-on refuser un traitement à une personne qui le souhaite ? A-t-on le droit de se décharger de la responsabilité de lui offrir des soins de santé appropriés ? Doit-on lui laisser l'entière responsabilité d'un changement de style de vie sans aucun soutien psychologique ? Peut-on croire qu'elle souhaitera toujours se faire traiter lors de sa libération ? Aura-t-elle alors suffisamment de volonté pour subir les pressions d'un nouvel établissement (de traitement) après avoir acquis sa liberté ?

On le voit, il est difficile de créer un climat sain et favorable au cheminement personnel des individus évoluant dans un milieu coercitif. Tant et aussi longtemps que les mêmes intervenants joueront à la fois un rôle au chapitre de la prestation de soins et de la surveillance[179], la suspicion des détenus demeurera le premier obstacle thérapeutique.

Aussi, s'avère-t-il important de dissocier au maximum les interventions du personnel de gestion régulière des cas de celles de l'équipe soignante :

> Pour que les services de santé aient une crédibilité auprès de la population des détenus, il faut que la santé soit séparée de la punition (Lauzon, 1990, p. 4).

Plus la cloison est étanche, moins les problèmes éthiques évoqués plus haut surgissent. C'est ainsi que certains psychologues œuvrant dans le domaine carcéral refusent, après entente avec les autorités, de rédiger tout rapport concernant l'évolution des clients[180] qu'ils suivent en thérapie. Ils veulent ainsi, d'une part, éviter que leur clientèle ne soit constituée que de personnes cherchant à se faire bien voir aux yeux de l'administration pénitentiaire et, d'autre part, rassurer les clients qui hésiteraient à se dévoiler par crainte des représailles administratives. Cette façon de procéder reconnaît le droit absolu à la confidentialité des informations dévoilées par les détenus lors du processus thérapeutique[181] :

> Ainsi un détenu qui participerait à un programme de réhabilitation et qui se soumettrait volontairement à des tests d'urine de dépistage de drogues doit avoir droit à la plus stricte confidentialité en ce qui concerne les résultats de ces tests qui sont entre lui et son intervenant(e). Si le résultat est divulgué et que le (la) détenu(e) est victime de mesures disciplinaires, ceci ne peut qu'entraîner une non-participation aux services de réhabilitation offerts (Lauzon, 1990, p. 4).

C'est dans cette optique que, pour certains pays dont la France, l'intervention socio-sanitaire n'est pas du ressort de la gestion pénitentiaire, mais relève plutôt de l'administration des services de santé de la région. La bureaucratie interministérielle permet ainsi l'étanchéité souhaitée.

---

179. Le mot « surveillance » est ici employé au sens large du terme en renvoyant à la fois au contrôle sécuritaire et à la gestion des cas.

180. Lorsqu'un rapport psychologique est demandé par une instance administrative, le client est envoyé à un autre psychologue spécialement chargé de l'évaluation.

181. On doit distinguer les démarches volontaires effectuées par le détenu, donnant droit à une confidentialité absolue, des procédures administratives régulières, auxquelles le détenu ne doit pas échapper du fait de sa participation à un processus de réadaptation.

Cette étanchéité semble, à première vue, plus facile à réaliser lorsque le processus de justice pénale renvoie les personnes contrevenantes vers des centres de traitement pour toxicomanes situés hors du milieu carcéral.

2. Le traitement de la toxicomanie hors du milieu carcéral

Le renvoi des personnes judiciarisées vers des centres de traitement spécialisés en toxicomanie situés hors du milieu carcéral fait surgir de nouvelles interrogations. La motivation des personnes ainsi confiées et, corrolairement, l'impact de ces programmes sur ce nouveau type de clientèle font partie des inquiétudes les plus importantes. Par ailleurs, certains s'interrogent sur la motivation des intervenants à accueillir les personnes envoyées par le système de justice pénale. Enfin, on peut se demander quel rôle jouent ces centres de traitement dans une optique d'extension du contrôle social.

a) Motivation des clients

Les clients s'inscrivent dans une démarche de changement pour toutes sortes de motifs. On associe souvent ces raisons à la motivation du client. Ce concept constitue cependant un terme très difficile à définir et encore plus à évaluer. Quel client est motivé, lequel ne l'est pas ? Est-ce que le client qui se présente en traitement à la suite d'une menace de divorce est plus motivé que celui qui se présente par suite de pressions de son employeur ? Ce sont souvent les résultats à longue échéance qui indiqueront les motivations réelles. Néanmoins, pour un intervenant, il n'est pas toujours facile de croire à la motivation d'une personne à l'apparence rebelle qui, lors de son premier rendez-vous, est accompagnée d'un agent de correction.

Loin de calmer leur appréhension face à cette clientèle, la lecture d'un certain nombre d'études scientifiques indique qu'un des facteurs de pronostic de la rechute consiste en l'importance du passé criminel (Anglin et Hser, 1990 ; Simpson *et al.*, 1986). En effet, les personnes qui présentent une trajectoire criminelle bien remplie s'adaptent généralement assez difficilement aux exigences des services de traitement et abandonnent rapidement leur démarche de réadaptation (Steer, 1980). Ces individus ne semblent entretenir aucune motivation intrinsèque pour changer leur style de vie. Quel bénéfice peut-on alors espérer en dirigeant ces clients vers des centres spécialisés dans le traitement de la toxicomanie ?

Contrairement aux résultats énoncés plus haut, il est permis de croire que le processus de judiciarisation peut faciliter l'implication dans un traitement. Ainsi, un certain nombre d'études (voir Brochu et

Forget, 1990[182]) indiquent clairement que les services réguliers de soins pour toxicomanes[183] peuvent s'avérer aussi efficaces pour les personnes judiciarisées que pour l'ensemble de la population. En fait, il apparaît que le temps passé en thérapie constitue le meilleur élément pouvant prédire son impact (De Leon, 1988 ; Simpson, 1979 et 1981). Si le système de justice peut obliger une personne à y demeurer en agitant le spectre des procédures judiciaires possibles, on peut croire que le traitement fera son œuvre. Faute d'envoyer des clients présentant une motivation intrinsèque initiale, le système de justice pénale, avec ses menaces de conséquences désagréables[184], s'est montré un puissant levier pouvant influencer l'implication des personnes ainsi confiées pour entreprendre un processus de changement (Anglin et Hser, 1990[185]). On parle, dans de tels cas, de motivations extrinsèques.

Dans ces circonstances, il est cependant essentiel que le programme qui accueille ces individus puisse offrir un traitement qui se déroule dans un encadrement offrant un contrôle adéquat[186]. Il est également important que ces clients fassent l'objet d'une supervision étroite lorsque les soins sont dispensés sur une base externe, afin d'imposer des mesures thérapeutiques rapides en cas de rechute (par exemple retour dans les services internes afin d'y retrouver un soutien plus grand, etc.) (Anglin, 1988 ; Anglin et Hser, 1990). De tels services de traitement de la toxicomanie présentent un impact beaucoup plus important sur la réduction de la récidive que l'incarcération[187], dans la mesure, bien sûr, où il est possible de maintenir ces personnes en thérapie (Anglin et Hser, 1990 ; Nurco, Hanlon et Kinlock, 1991). La rétention en traitement apparaît ici comme un facteur clé du succès thérapeutique (Bell, Hall et Byth, 1992).

---

182. Voir également Anglin, Brecht et Maddahian (1990), Anglin et Hser (1990), Anglin, McGlothlin et Speckart (1981), Collins et Allison (1983), McGlothlin et Anglin (1981), Speckart, Anglin et Deschenes (1989) ainsi que Simpson et Friend (1988).

183. Qu'il s'agisse de communautés thérapeutiques, de programmes de maintien à la méthadone, d'interventions basées sur le modèle des douze étapes ou de programmes d'interventions psychosociales.

184. La non-conformité aux exigences du traitement est alors traitée comme une violation des conditions de probation ou de mise en liberté des contrevenants.

185. Voir également Collins et Allison (1983), Hubbard *et al.* (1988) et (1989) ainsi que Yochelson et Samenow (1986).

186. Il est parfois nécessaire que les premières phases du traitement se déroulent en milieu résidentiel, du moins pour certains clients (Anglin, 1988).

187. Et ce à un coût moindre (voir Wexler, Lipton et Johnson, 1988).

Une collaboration étroite entre le système de justice et les services de réadaptation pour toxicomanes peut donc entraîner un effet bénéfique en termes d'impact sur la consommation abusive de drogues de même que sur la criminalité des contrevenants envoyés en traitement par une instance de justice pénale.

b) La motivation des intervenants

Il importe également de discuter de la motivation des intervenants des personnes qui ont vécu une «socialisation[188]» de détention. En effet, ces clients tentent parfois de recréer une atmosphère connue en reproduisant les éléments de base propres à la «loi du milieu» carcéral. Cette loi du milieu a pour effet d'interférer avec le processus thérapeutique traditionnel en décourageant le dévoilement de soi et la confrontation avec autrui. Certains cliniciens croient alors que l'admission de personnes envoyées par le système de justice pénale peut ralentir le processus thérapeutique de l'ensemble des clients. Pourtant, Hirschel et McCarthy (1983) non seulement ne soutiennent pas cette affirmation, mais indiquent que l'admission de cette clientèle produit généralement un changement de fonctionnement (par exemple une supervision plus étroite) bénéfique pour l'ensemble des patients réguliers.

c) L'extension du contrôle social

Le fait d'offrir un service thérapeutique en dehors du milieu carcéral peut entraîner une extension du contrôle social que les intervenants refusent parfois d'assumer. Dans leur pratique régulière, la majorité d'entre eux n'ont pas l'habitude d'épier leurs clients et ils n'ont pas l'intention d'assumer le rôle de gardiens auprès de cette nouvelle clientèle. Ce risque d'expansion du filet de surveillance pénale est en effet bien présent:

> Mais prenons garde à notre volonté de vouloir les guérir [les toxicomanes], et, sous prétexte de lutter contre le fléau ou d'éradiquer la drogue, de créer de nouveaux lieux d'enfermement... (Valleur, 1986, p. 13).

À titre d'exemple, voyons la tendance américaine[189] en matière de gestion pénale des toxicomanes. Pour un bon nombre de contrevenants, elle consiste à **exiger** leur implication dans une **démarche**

188. Nous discutons ici de l'adoption de normes et de valeurs véhiculées par ce que l'on nomme communément la « loi du milieu ». Il s'agit donc du phénomène de prisonniérisation discuté par Lemire (1990).

189. Ce terme est ici utilisé pour qualifier les États-Unis.

de traitement de la toxicomanie offerte dans la communauté[190] (comme alternative ou supplément aux sanctions pénales), accompagnée d'une **surveillance probatoire** à longue échéance (durant laquelle on utilise à l'occasion des bracelets électroniques) permettant de superviser leur consommation de drogues illicites à l'aide de fréquents **tests d'urine** (Anglin, 1988; Jolin et Stipak, 1992).

Dès que les centres de réadaptation communautaires acceptent les personnes envoyées directement par le système de justice pénale, il n'y a plus qu'un pas à franchir pour que la participation au traitement devienne une mesure **alternative obligatoire** ou **additionnelle** à l'incarcération, ou encore qu'elle devienne une **condition de mise en liberté**.

Dans ces circonstances un danger apparaît: l'absence de séparation claire entre la punition et la réadaptation (Hartjen *et al.*, 1982). La réadaptation devient punition. On se trouve alors en présence de possibilités d'extension substantielle des contrôles officiels au-delà de ce qui existerait autrement. Bien plus, il serait ainsi possible que les mesures punitives soient utilisées non pas au regard des actes répréhensibles commis, mais plutôt en fonction des probabilités que de tels gestes soient posés[191] (Hartjen *et al.*, 1982). Doit-on accepter en toute conscience une telle situation?

L'intervention curative auprès des personnes toxicomanes et judiciarisées n'est pas sans poser de problèmes. Tout d'abord, nous sommes confrontés à la difficulté de rejoindre cette clientèle avec un minimum d'efficacité et de dignité. Nous revenons alors à notre question de départ: Les programmes offerts aux toxicomanes sont-ils efficaces? Plus important encore: Les programmes efficaces sont-ils acceptables moralement? Un moyen pour diminuer la nécessité de traitement s'offre cependant à nous: la prévention.

190. Le programme d'évaluation et de renvoi vers des services de traitement communautaires le plus populaire aux États-Unis porte le nom de Treatment Alternative to Street Crime (TASC). Il est utilisé dans 125 sites répartis à travers 18 États (U.S. Department of Justice, 1988 et 1989).

191. D'ailleurs, les promoteurs de l'utilisation généralisée des tests d'urine par le système de justice pénale fondent leur argumentation sur le fait que des résultats positifs indiqueraient une rechute quant à la consommation et aux cas de récidive à courte échéance. À leurs yeux, l'incarcération des personnes présentant une urine maculée d'une drogue illicite constitue en soi une stratégie de prévention de la criminalité (Wish, 1988, ou Wish et Gropper, 1990).

Les interventions préventives[192]

1. Une courte histoire bien remplie

Le concept de prévention de la toxicomanie est relativement jeune. D'ailleurs, en psychologie et en psychiatrie, les premières définitions systématiques de la prévention ne remontent guère plus qu'à trente ou quarante ans. Malgré cette jeunesse relative, la prévention de l'abus de substances psycho-actives a connu de nombreuses mutations.

a) L'accent mis sur les connaissances

On a d'abord cru que la consommation de substances psycho-actives prenait ses origines dans une lacune au chapitre des connaissances de l'utilisateur : si l'usager savait les risques encourus, il ne s'engagerait pas dans l'utilisation de drogues (Danish, Mash et Howard-Gallagher, 1992). On s'est donc empressé d'instituer des programmes de prévention visant à informer des caractéristiques pharmacologiques des substances psycho-actives, de la façon de les utiliser et, bien sûr, des dangers d'une telle consommation. Malheureusement, même si ces programmes amélioraient les connaissances générales concernant les drogues, ils ne contribuaient guère à adopter une attitude plus saine vis-à-vis de l'usage (Cormier, Brochu et Bergevin, 1991). Bien plus, ces informations stimulaient la curiosité des jeunes les plus à risque et favorisaient ainsi indirectement leur expérimentation et leur usage (Swisher *et al.*, 1971). Devant le constat d'échec de ces mesures préventives (Brochu et Duplessis, 1986[193]), on a alors voulu « assaisonner » les programmes de prévention de détails parodiques ayant pour but d'entourer les drogues d'une aura d'appréhension.

b) Des informations qui font peur

Les nouvelles stratégies préventives consistèrent alors à présenter les mêmes informations qu'auparavant en insistant sur des détails dramatiques, insolites, parfois même bizarres et burlesques dans le but d'inquiéter les consommateurs potentiels (Danish, Mash et

192. Les interventions préventives se divisent en stratégies primaires (s'adressant à toute personne n'ayant pas développé de problèmes de drogues) et secondaires (ciblant les personnes qui présentent les premiers symptômes d'une relation inadéquate avec les drogues). Étant donné le peu d'espace disponible dans ce livre pour traiter des interventions préventives, nous analyserons ce concept dans sa globalité en mettant l'accent sur la prévention primaire. Le lecteur intéressé par une discussion plus détaillée des stratégies primaires et secondaires est prié de consulter Cormier, Brochu et Bergevin (1991).

193. Voir également Braucht *et al.* (1973), Dorn et Thompson (1976), Kinder, Pape et Walfish (1980) ainsi que Schaps *et al.* (1981).

Howard-Gallagher, 1992). On plaça usage et dépendance en rapport synonymique. Lorsque les informations disponibles ne permirent pas de réaliser un effet suffisamment angoissant, on attribua aux drogues certains effets nocifs plus ou moins précis. Les Américains ont pu récemment observer un vestige de cette stratégie préventive lorsqu'ils écoutèrent la campagne télévisuelle où l'on montrait au spectateur un œuf en train de frire dans une poêle chaude, alors que l'on tentait de les convaincre que la drogue agit de la même façon sur le cerveau de l'utilisateur. Plutôt que de véhiculer des éléments d'une connaissance éprouvée, ces informations caricaturales générèrent une intoxication intellectuelle chez les personnes crédules.

Heureusement, ces campagnes préventives, débris d'un passé moralisateur outrancier, sont en voie de disparition. Une bonne raison explique leur quasi-extinction : les personnes les plus à risque ridiculisèrent ces informations qui ne cadraient pas avec l'expérience de leur grand frère, ou de leurs amis, ou la leur. On se retrouva dans une situation où l'informateur n'était pas aussi bien renseigné sur les drogues que les personnes cibles, ce qui eut pour effet d'anéantir la crédibilité de la source du message et, parfois même, du monde des adultes en général. Les promoteurs d'une telle approche furent à même de constater les limites de leur stratégie, qui n'avait guère d'impact sur les comportements ou même les attitudes face à la consommation de substances psycho-actives (Brochu et Duplessis, 1986).

c) Juste dire non

On croit maintenant que les jeunes agissent par simple imitation : « Tout le monde le fait, fais-le donc. » Les stratégies préventives ont alors pris l'allure de grandes campagnes nationales véhiculées par certaines idoles de la jeunesse : chanteurs rock, vedettes du sport... Ce type de campagne vise à empêcher la consommation sans s'attarder aux acteurs impliqués ou réfléchir aux éléments incitant à une forte consommation. On se limite à répéter des paroles prêchant l'abstinence. La campagne américaine du *Just say no* en constitue un bon exemple qui, tout en transmettant un message sûrement valable pour certains, n'enseigne jamais les habiletés propres à actualiser ces propos. On préconise l'abstinence sans jamais vraiment expliquer aux jeunes les raisons de cette prise de position catégorique ni distinguer l'usage de l'abus, comme on le fait avec les drogues licites.

Le problème fondamental de ces stratégies préventives est relié à leur **base conceptuelle incomplète et problématique** : 1) il n'est pas suffisant ni nécessaire de répéter aux jeunes de dire non aux drogues, il faut plutôt les aider à acquérir une attitude saine face aux drogues ; 2) les adolescents n'agissent pas simplement par mimétisme, chacun de leurs comportements est chargé d'une signification symbolique, leurs messages doivent être compris d'un point de vue phénoménologique et selon une logique adaptative (Beauchesne, 1994).

2. Un avenir prometteur

Ces premiers pas dans le domaine de la prévention nous permettent maintenant de mieux cerner les éléments susceptibles de rejoindre les adolescents afin de prévenir l'adoption d'un style de vie déviant. La stratégie d'intervention proposée dans les lignes qui suivent s'appuie à la fois sur les données d'études empiriques récentes, les travaux antérieurs concernant la prévention de la toxicomanie (voir Cormier, Brochu et Bergevin, 1991) et le modèle intégratif de la relation drogue–crime présenté au chapitre 8.

a) La philosophie

Certains spécialistes de la prévention reconnaissent maintenant que l'initiation à une consommation abusive de drogues s'appuie sur un ensemble complexe de facteurs cognitifs, attitudinaux, sociaux, psychologiques, pharmacologiques et développementaux (Botvin, 1990, ou Danish, Mash et Howard-Gallagher, 1992). On l'a vu dans les chapitres antérieurs, un grand nombre de ces facteurs prédisposent également à toute une série de comportements déviants associés (Elliott, Huizinga et Menard, 1989). On a alors discuté d'un syndrome de comportements déviants. Ces observations nous interpellent et nous conduisent à axer nos efforts vers l'élaboration d'une conception élargie de la prévention.

Cette conception doit s'appuyer sur une meilleure compréhension des causes de l'implication dans un style de vie déviant. Elle postule qu'il faut entrer en contact avec les jeunes en suivant une approche holistique. En ce sens, nous croyons que les programmes de prévention ne visant que la consommation de drogues ou la délinquance, en négligeant les difficultés multiples auxquelles les jeunes sont confrontés, n'ont qu'un impact fort limité.

Une attention particulière doit donc être portée aux **facteurs psychosociaux** pouvant expliquer l'adoption d'un style de vie déviant. Cette approche rejoint les éléments fondamentaux de certaines théories psychologiques expliquant le comportement humain : la théorie de l'apprentissage social, la théorie des comportements problématiques de même que la théorie systémique. Ainsi, en accord avec ces théories, on conçoit l'adoption de certains comportements déviants comme des **gestes fonctionnels appris socialement**.

En ce sens, une stratégie de prévention devrait se détacher d'un «modèle pénal» qui pointe du doigt les «vilains» qui ne se comportent pas de la façon prescrite, et devrait plutôt opter pour un «modèle de promotion du bien-être» qui tente d'aider chacun des participants à retrouver ses valeurs propres, à se mettre en contact avec ses aspirations. Il ne faut cependant pas s'arrêter là! Il importe également de favoriser chez les participants l'acquisition des habiletés nécessaires à l'actualisation de leurs valeurs et de leurs désirs dans des comportements réfléchis et responsables.

Le terme **responsabilité** constitue un concept à double tranchant. Il a souvent dégagé une saveur moralisatrice puritaine associée à la faute. En matière de prévention, ce concept ainsi employé produit un effet paralysant. La notion de responsabilité doit plutôt renvoyer à un choix de conduites s'accordant aux valeurs propres de chacun. Cela implique donc une prise de conscience, une volonté, ainsi que la mise en branle d'habiletés spécifiques. Les programmes de prévention doivent donc travailler à favoriser l'émergence de ces trois facteurs s'ils visent vraiment l'acquisition de comportements responsables.

Les activités de ces programmes élargis de prévention doivent graviter autour des axes principaux que sont l'**acteur social** et son **milieu**.

b) L'acteur social, son épanouissement personnel

Voyons, en quelques mots, comment il est possible d'atteindre le premier objectif. Pour y parvenir, il faut: 1) aider la personne à prendre conscience de ses valeurs personnelles; 2) stimuler sa volonté de se réaliser pleinement; 3) l'assister dans une démarche de détermination de ses zones d'insécurité et de perturbation; 4) collaborer à la détermination d'une suite d'actions acceptables pour répondre adéquatement à ces sources d'anxiété; 5) faciliter l'acquisition d'un répertoire d'habiletés appropriées afin de réaliser son plan d'action; 6) anticiper l'aboutissement de ses actions; 7) évaluer leur portée. En d'autres mots, il s'agit d'aider la personne à acquérir un ensemble d'attitudes ainsi qu'un répertoire d'habiletés appropriées pour bien gérer les situations de la vie.

Bien que ces apprentissages s'amorcent au sein de la famille, il est irréaliste de croire que cette instance sociale puisse à elle seule remplir un mandat aussi large dans le contexte actuel. Du fait que les jeunes fréquentent un milieu commun, l'école, et que celui-ci est riche en interactions sociales, il s'avère un terrain de choix pour poursuivre le travail d'éducation amorcé par la famille. Les notions de valeur, d'autonomie, de responsabilité personnelle et sociale véhiculées par le cadre familial doivent être reprises de manière plus formelle au sein du milieu scolaire. Ces programmes doivent transmettre des messages et appuyer la mise en place d'activités valorisant l'autodétermination. Le système scolaire doit également, par son projet éducatif, favoriser l'acquisition d'habiletés personnelles et sociales permettant aux élèves de s'épanouir au sein de cet environnement.

Des programmes plus formels de prévention institués dans les écoles devraient favoriser l'acquisition des habiletés et des stratégies suivantes : 1) résolution de problèmes et prises de décision ; 2) choix des influences extérieures ; 3) auto-contrôle ; 4) relaxation et adaptation au stress ; 5) communication ; 6) recherche de soutien (Fralick et Brochu, 1988). Ces habiletés et ces stratégies présentent de plus grandes probabilités d'atteindre des cibles si elles sont enseignées selon un mode interactif. Ce mode d'enseignement offre aux élèves la possibilité de discuter des notions, d'assister à des démonstrations, d'expérimenter les capacités nouvellement acquises, de recevoir du *feed-back*, d'utiliser ces nouvelles compétences entre les rencontres et, finalement, d'effectuer un retour sur leurs tentatives ainsi que sur les difficultés éprouvées.

Il importe d'offrir ce type de programme préventif à des moments stratégiques de la vie des jeunes. On sait que l'initiation aux drogues se fait habituellement au cours des premières années d'études secondaires (Gibbs, 1982). Ces programmes devraient débuter avant que les élèves ne quittent l'école primaire. Des sessions de rappel ou de soutien pourraient également être offert par la suite. Si de tels programmes sont amorcés trop tardivement, ils sont condamnés à ne pas atteindre ceux qui pourraient le plus en profiter[194].

Dans un effort d'économie et de rendement, certains insistent sur le fait que les programmes de prévention devraient être restreints aux seules personnes à risque (Hawkins *et al.*, 1988). Cela est bien si, ce faisant, on s'assure d'éviter toute possibilité de ségrégation de la clientèle-cible. Autrement, les programmes de prévention deviendraient tout aussi nocifs que le mal qu'ils sont censés combattre. Devant cette incertitude et face à la difficulté de bien identifier ces personnes à risque, nous avons préféré opter pour une attitude plus englobante, croyant que, de toute façon, l'application généralisée de telles stratégies préventives ne peut être que bénéfique pour l'ensemble des jeunes.

194. Il faut être conscient du fait qu'un bon nombre de jeunes à risque ne suivent pas d'études secondaires.

Pour être vraiment utiles, ces programmes de prévention doivent cependant être élaborés de façon à rencontrer les besoins et à susciter l'intérêt des jeunes les plus à risque (Gibbs, 1982). On sait que ces derniers ne sont pas toujours atteints par les informations véhiculées de façon traditionnelle. Certains font peu confiance aux adultes ou aux messages institutionnels. Le système scolaire peut fournir l'occasion de former des jeunes[195] du même âge ou provenant de groupes scolaires plus avancés, afin de servir de modèles auprès des pairs et de coanimer les sessions avec un professeur respecté par l'ensemble des jeunes (Levine et Singer, 1988).

Outre le milieu scolaire, les maisons de jeunes et les contacts établis par les travailleurs de milieu constituent de bonnes entrées pour rejoindre les jeunes dits à risque. Le fait de partager leur environnement et de côtoyer leurs difficultés donne une crédibilité à ces intervenants.

c) Un milieu sain

La toxicomanie, tout comme la déviance, ne constitue pas avant tout un problème individuel. Il serait illusoire d'espérer obtenir un impact positif important des programmes de prévention destinés aux jeunes si des mesures sociales **simultanées, sinon préalables**, ne sont pas entreprises afin de réduire les facteurs de risque présents dans l'environnement de la personne :

> En prévention primaire et secondaire, avant de philosopher avec ceux qui s'orientent vers de sérieux problèmes de consommation et avant de jouer de la garcette avec eux, il faudrait sans doute d'abord leur donner à manger, de quoi s'abriter décemment et leur permettre de trouver des moyens légitimes pour assurer leur survie, en plus d'un sens dans la vie. Pourtant, on leur démontre régulièrement qu'ils sont responsables de leur état pitoyable – c'est parce qu'ils ne sont pas plus fins. Non seulement ils sont empêtrés dans des situations insoutenables que la société elle-même leur a créées, mais l'avenir demeure bouché. Le sens de valeur personnelle et l'estime de soi s'en trouve réduits à l'extrême et le sens d'utilité devient à peu près inexistant (Cormier, 1993).

À quoi servirait l'acquisition d'habiletés propres à résister aux influences extérieures (telle la pression des pairs favorisant la consommation de drogues en bas âge) si l'image de ces jeunes se heurte à un cul-de-sac culturel et socio-économique, s'ils n'entretiennent aucun espoir de réussir dans leur vie?

195. Afin de s'assurer qu'on atteint les jeunes les plus à risque, il est recommandé de sélectionner les animateurs-étudiants parmi ceux qui possèdent les meilleures habiletés de communication, qui manifestent une attitude responsable, mais qui ne présentent pas un style de vie trop conventionnel (Botvin, 1990).

La personne ne vit pas dans le vide. Ce qui l'attire vers la déviance ne relève pas uniquement de facteurs personnels. Il faut alors poser notre regard sur l'interaction de la personne avec les conditions matérielles et psychologiques de son milieu.

La prolifération de programmes de prévention dans les écoles peut contribuer à donner bonne conscience à certaines castes de la société, mais ce type d'interventions ne produira pas plus d'effet qu'un cataplasme sur une jambe de bois si l'on ne tient pas compte du milieu dans lequel évoluent ces personnes à risque et qu'on ne tente pas d'améliorer leur contexte de vie.

Une stratégie globale de prévention devrait intégrer une part importante d'actions sociales. En analysant attentivement les facteurs environnementaux, des mesures de redressement concrètes aptes à promouvoir le mieux-être de la population pourraient être appliquées. L'approche systémique s'avère donc une alternative prometteuse se détachant de l'approche traditionnelle segmentée. Non seulement faut-il tenir compte de l'individu dans son intégralité, mais encore faut-il le mettre en relation avec son environnement (Cormier, Brochu et Bergevin, 1991).

SYNTHÈSE

Que retenir de tout cela ? Tout d'abord, en ce qui concerne la prévention tertiaire (intervention réadaptative), la revue de la documentation scientifique récente montre bien que certains programmes de traitement de la toxicomanie produisent un effet marqué sur la consommation subséquente de drogues illicites, de même que sur l'implication criminelle. De façon générale, on relève une modification importante du style de vie (réduction importante de la consommation de drogues illicites et de la criminalité) chez 30 à 40 % des personnes traitées (judiciarisées ou non). Le temps consacré au traitement constitue le meilleur élément permettant de prédire l'impact de ces programmes. De ce fait, on peut croire que les pressions judiciaires exercent le rôle d'un puissant levier auprès des personnes judiciarisées qui auraient, autrement, tendance à abandonner leur démarche de changement.

Ces conclusions semblent s'appliquer tant aux programmes de traitement offerts en détention qu'à ceux fournis au sein de la communauté (et accessibles aux personnes judiciarisées). Un facteur cependant les distingue : la prise en charge globale, parfois même intransigeante dont sont l'objet les détenus. En effet, les programmes offerts aux toxicomanes en détention semblent exercer sur eux une pression extrême. Le traitement est parfois efficace, certes, mais au prix d'une remise en question de soi radicale et forcée. Ces programmes ouvrent la voie à l'ère de la réadaptation **punitive**.

De l'autre côté, en milieu externe, l'immixtion du système de justice pénale dans le traitement des toxicomanes en modifie la pratique : supervision plus étroite des clients ; utilisation des tests d'urine... On ouvre ici la voie au **contrôle «réadaptatif»**.

Comme le souligne Da Agra (1986), dans ces circonstances : «l'espace de la prison devient thérapeutique et l'espace thérapeutique prison» (p. 346), «la prison est contaminée et travestie par le clinique/thérapeutique, comme la thérapeutique par la prison» (p. 491). Ni la réadaptation punitive ni le contrôle «réadaptatif» ne parviendront à juguler l'abus de drogues illicites ou la criminalité.

Une intervention en amont s'avère nécessaire. À notre avis, il importe de mettre sur pied des programmes de prévention destinés aux jeunes qui s'inscrivent dans un cheminement déviant malsain (abus de substances psycho-actives, délinquance...). Il faut cesser de faire peur aux jeunes ou de leur répéter constamment de dire non aux drogues, mais plutôt favoriser leur prise de conscience, leur autodétermination et l'acquisition d'habiletés. Bien qu'utiles, ces programmes seuls ne réussiront cependant pas à régler les problèmes de ces jeunes à la source.

Les promoteurs des interventions socio-sanitaires ne doivent plus se contenter d'offrir des programmes de traitement ou de prévention destinés aux individus en laissant subsister les facteurs d'indignité sociale. Ils contribueraient ainsi à véhiculer le message voulant que l'individu soit l'unique responsable de la situation dans laquelle il évolue[196].

Ainsi, chaque instance détient une part de responsabilité. Les élus ont obtenu le mandat d'élaborer des politiques du mieux-être collectif ; la famille se doit d'assurer l'acquisition d'un sentiment de sécurité affective de base ; l'école est responsable de la transmission du sens des compétences et de maîtrise de soi ; le travail doit constituer un lieu de réalisation personnelle ; enfin, la personne est responsable d'effectuer des choix réfléchis.

Il s'agit donc de remettre à chacun des partenaires sociaux leur responsabilité propre. Le mot «responsable» ne doit plus rimer avec «coupable», mais avec «capable».

196. Cela équivaut à affirmer qu'il a fait de mauvais choix, mais peut-être n'a-t-il tout simplement pas eu suffisamment de choix!

En ce sens, la prévention doit dépasser la notion de programme (en constante quête de fonds) pour devenir un mouvement favorisant le mieux-être tant personnel que collectif. Pour y arriver, il faut lutter contre la complexité et l'étanchéité actuelle des guichets d'actions sociales et de prise en charge ; il importe de rapprocher les lieux d'actions préventives des milieux à risque ; il est nécessaire de mieux agencer l'articulation des divers dispositifs de prévention. Mais par-dessus tout, il faut permettre aux instances concernées de mettre sur pied des programmes favorisant la liberté et la responsabilité individuelle. Il est nécessaire que le contexte juridico-politique permette de véhiculer des messages de choix individuels et de consommation réfléchie. Tant que nos politiciens seront influencés par une philosophie de guerre à la drogue, ce mouvement en faveur de la prévention sera difficile à réaliser.

Conclusion

Les questions concernant les drogues illicites sont entourées de mythes persistants assaisonnés de sensationnalisme (Da Agra, 1986 et 1991). Beaucoup d'opinions concernant la drogue et ses utilisateurs ne sont pas fondées, d'autres s'avèrent carrément simplistes. L'image que l'on se fait des drogues démontre que ces chimères jouissent d'une espérance de vie fort longue, puisqu'elles occupent un rôle fonctionnel important sur le plan politique. De plus, elles ne risquent pas de heurter un regroupement d'électeurs très puissants.

Nous avons voulu, tout au long de cet ouvrage, déterminer jusqu'à quel point et de quelle façon la consommation de drogues contribue à déterminer le comportement criminel et vice versa.

Cet examen des études scientifiques nous a aidé à départager la réalité du leurre. Ainsi, d'une part, il faut bien dire que la majorité des usagers de drogues illicites ne commettent pas de délits autres que celui de se procurer leur substance sur le marché illicite. Par ailleurs, il apparaît qu'une certaine relation drogue–crime existe bel et bien pour les consommateurs de drogues coûteuses et proscrites socialement. En effet, il est clair que la majorité des toxicomanes dépendants de drogues illicites coûteuses s'impliquent dans une grande quantité de crimes, surtout de nature lucrative. Pourtant, contrairement à ce que l'on entend régulièrement, ce n'est pas la consommation de drogues qui les a initiés à la délinquance. Pour mieux comprendre la situation, il faut plutôt tourner notre regard vers un certain nombre de facteurs de risque pouvant orienter les jeunes à la fois dans un tracé délinquant et toxicomane. Il ne faut cependant pas concevoir cette relation facteurs de risque–déviance comme linéaire et directe puisque la présence de facteurs de protection peut influencer le tracé de chacun des individus. Une fois lancée dans cette trajectoire, la criminalité lucrative pourra revêtir des allures différentes selon la personne et son milieu. Pour sa part, la criminalité violente provient principalement de deux sources : une violence psychopharmacologique, plutôt rare, qui affecte principalement les personnes intoxiquées présentant déjà certaines dispositions ; et une criminalité systémique, plus fréquente, qui est reliée au marché illicite des drogues, donc au contexte juridico-politique actuel.

Devant ces faits, il est évident que la relation drogue–crime ne peut se réduire à une relation causale linéaire simple. Un schéma intégrant l'idiosyncrasie et reconnaissant les différents parcours du toxicomane et du délinquant colle davantage à la réalité. Les stratégies d'interventions entièrement fondées sur un modèle causal sont donc vouées à l'échec.

À la lumière de ces connaissances, reprenons une à une les questions formulées à titre d'introduction à cet ouvrage afin d'y répondre brièvement.

1. La relation drogue – crime : QUI sont les acteurs principaux ?

On a vu que l'adolescence constitue une période trouble de recherche de soi et d'expérimentations variées. C'est également à cette époque que se transfèrent certaines sources d'influence. Les amis acquièrent pendant cette période une place capitale, exerçant une emprise plus importante que la famille ou l'école. On les croit alors plus facilement vulnérables du fait qu'ils viennent tout juste de sortir du giron familial et scolaire. Nonobstant l'image que les mass médias présentent des adolescents, la grande majorité de ces jeunes manifestent une tendance marquée vers la *normalité* : ils veulent poursuivre leurs études encore un certain temps, ils rêvent de décrocher un bon emploi, ils s'ingénient à trouver le partenaire idéal et ils esquissent des projets d'une vie relativement tranquille où ils se sentiront heureux tout en apportant une contribution à la société. Toutefois, **ceux pour qui les établissements de socialisation n'ont pas fait germer d'attachement aux valeurs sociales dominantes peuvent se retrouver dans un parcours déviant.** Toute déviance n'est cependant pas malsaine. Pour certaines personnes, le jeu dynamique des facteurs de protection et de maturation leur permettra de bien gérer leurs difficultés d'adaptation sans poursuivre une trajectoire déviante malsaine. Une minorité va, quant à elle, s'enfoncer radicalement dans une direction où la consommation abusive de drogues et la criminalité feront bon ménage. Ces jeunes risquent alors de meubler les statistiques sur la consommation abusive de drogues des personnes détenues ou de l'implication criminelle des toxicomanes. La consommation de drogues illicites prendra pour ces derniers une signification phénoménologique particulière : il s'agira de l'adoption d'un style de vie déviant malsain.

2. La relation drogue – crime : POURQUOI une telle relation ?

Une minorité d'adolescents, parmi ceux qui consomment occasionnellement des drogues illicites, vont donc amorcer un parcours franchement criminel. Pour un bon nombre d'usagers de drogues s'inscrivant dans une telle trajectoire, on sera à même d'observer l'accumulation d'une série d'actes criminels. Un premier type est constitué par la délinquance de base qui prend naissance, pour la majorité de ces personnes, bien avant le contact assidu avec les drogues illicites **parce qu'elles ont d'abord et avant tout adopté un style de vie déviant malsain**. La consommation régulière de ces drogues peut, par la suite, être associée au trafic de ces drogues, à l'addition d'une criminalité systémique relevant de ce trafic de drogues, ainsi qu'à une intensification des activités délinquantes **parce que le crime et les drogues constituent l'un pour l'autre des bougies d'allumage**. Enfin, pour ceux qui poursuivent leur trajectoire jusqu'à la dépendance à des drogues illicites coûteuses, apparaît une criminalité économico-compulsive **parce que la dépendance exige sa ration de drogues et que le contexte juridico-politique actuel les rend difficiles d'accès.**

Pour les personnes qui adoptent un style de vie déviant malsain, la consommation de substances psycho-actives illicites et le cheminement délinquant suivent des voies toutes proches et parfois même entrelacées. Ces deux comportements sont en relation avec des facteurs de risque communs. Lors de ces phases initiales d'expérimentation de drogues illicites et d'activités criminelles, ces deux comportements ne sont pas liés de façon causale. Plus ils perdurent, plus ils se renforcent mutuellement jusqu'à ce que la dépendance toxicomaniaque s'installe. Ce n'est qu'à ce moment que le lien causal entre la toxicomanie et la criminalité économico–compulsive prend naissance.

3. La relation drogue–crime : COMMENT intervenir?

La consommation de drogues illicites, l'abus de celles-ci et le lien de cette consommation et de cet abus avec le comportement criminel ne peuvent se décrire que par la relation dynamique d'un acteur social (conception phénoménologique) avec son environnement (conception systémique[197]). On l'a vu, le paradigme positiviste et ses modèles conceptuels simples ne pourront jamais traduire avec justesse une réalité complexe. Bien plus, ils donneront naissance à des politiques sociales condamnées à l'échec.

Dans ces circonstances, comment intervenir ? Trois points de contact s'offrent à ceux qui veulent rompre la dynamique drogue–crime : la **prise en charge des toxicomanes et des contrevenants** ; la **prévention auprès des jeunes** ; la **promotion du mieux-être par la mise en place de politiques juridiques et sociales appropriées**.

a) La prise en charge

La prise en charge pénale ou sociomédicale des toxicomanes est devenue, en Amérique du Nord, une industrie très florissante. Les prisons affichent « complet », étant bondées de personnes incarcérées

197. Ne pas confondre avec le « modèle systémique » étroit, qui étudie la criminalité issue du réseau de distribution de drogues.

pour « affaires de drogues » et les centres de traitement pour toxicomanes affichent de longues listes d'attente.

Bien que le traitement du toxicomane semble préférable à son incarcération, il apparaît clairement que cette dernière forme de prise en charge socio-sanitaire a un impact limité sur les bénéficiaires. En effet, le thérapeute devra faire preuve de beaucoup de persuasion pour convaincre une personne sans grande instruction, souffrant du poids d'un casier judiciaire et étiquetée « toxicomane », qu'il vaut mieux trouver un emploi rémunéré au salaire minimum que d'effectuer des vols à l'étalage ou de se procurer des biens de consommation par l'entremise du marché noir.

Comment croire qu'une personne qui éprouve de la difficulté à se trouver un emploi, mais qui est tout de même envahie par une publicité tapageuse voulant stimuler la consommation de biens de toutes sortes, ne soit pas séduite par l'occasion de faire un « coup d'argent rapide » par des moyens illégitimes ? Comment croire qu'un individu qui se sent rejeté par une société qui glorifie l'argent puisse partager ses valeurs et croire en son message interdisant la consommation de drogues ?

L'influence globale des formes de traitement actuelles s'avère fort limitée : ces stratégies d'intervention ne rejoignent qu'une minorité de toxicomanes (voir Johnson *et al.*, 1985) ; elles n'abordent qu'indirectement certains problèmes cruciaux (difficulté de réinsertion dans le monde du travail, endettement chronique...) (voir Peele, 1989) ; bien plus, l'intervention tertiaire arrive beaucoup trop tard dans le processus de marginalisation (voir Cormier, Brochu et Bergevin, 1991). Il est donc normal, dans ces circonstances, que les taux de succès (atteinte des objectifs de traitement) ne dépassent guère les 40 % lorsqu'on évalue l'effet du traitement un an après la fin de celui-ci.

b) La prévention

Afin de dépasser les limites de l'intervention tertiaire, les mesures préventives sont de plus en plus sollicitées. Ces initiatives préventives, afin d'être efficaces, doivent préconiser la connaissance de soi (c'est-à-dire de ses valeurs, de ses désirs...) ; l'acquisition de compétences (affirmation de soi, habiletés sociales, réduction du stress...) ; le renforcement du sentiment d'autonomie ; le respect de soi, de l'autre et de l'environnement ; finalement, la responsabilité personnelle et sociale.

Encore ici, cette forme d'intervention sera rapidement confrontée à ses limites d'action si, parallèlement, des changements de politiques juridiques et sociales ne sont pas entreprises.

c) Les politiques juridiques et sociales

La consommation abusive de substances psycho-actives constitue davantage un symptôme de difficultés et d'exclusion sociales que la manifestation d'un problème individuel. Les politiques juridiques et sociales actuelles font autant, sinon plus, de déviants qu'elles n'en prennent en charge et n'en réadaptent. Comment, dans ces circonstances, espérer que la situation se modifie d'ici peu? L'espoir réside dans l'importance des changements juridiques et sociaux que nous sommes prêts à opérer afin de transformer les zones de répression en lieux d'accomplissement personnel.

Références

ADLER, P. T. (1992), «The "Post" Phase of Deviant Careers: Reintegrating Drug Traffickers», *Deviant Behavior,* Vol. 13, p. 103-126.

ADLER, P. T. et ADLER, P. (1982), «Criminal Commitment among Drug Dealers», *Deviant Behavior*, Vol. 3, p. 117-135.

ADLER, P. T. et LOTEKA, L. (1973), «Drug Use among High School Students: Patterns and Correlates», *International Journal of the Addictions,* Vol. 8, p. 537-548.

AGNEW, R. (1991), «The Interactive Effects of Peer Variables on Delinquency», *Criminology*, Vol. 29, p. 47-72.

AKERS, R. L. (1984), «Delinquent Behavior, Drugs, and Alcohol: What is the Relationship?», *Today's Delinquent*, Vol. 3, p. 19-47.

AKERSTROM, M. (1988), «Crooks and Squares: Lifestyles of Thieves and Addicts» *in Comparison to Conventional People*, Oxford, Transaction Books.

ALEXANDER, B. K. (1990), *Peaceful Measures, Canada's Way Out of the War on Drugs',* Toronto, University of Toronto Press.

ALEXANDER, B. K. (1994), «L'héroïne et la cocaïne provoquent-elles la dépendance? Au carrefour de la science et des dogmes établis», *in* P. Brisson *(éd.), Usage des drogues et la toxicomanie*, Boucherville, Gaëtan Morin, Vol. 2, p. 3-30.

ALTSCHULER, D. M. et BROUNSTEIN, P. J. (1991), «Patterns of Drug Use, Drug Trafficking, and Other Delinquency among Inner City Adolescent Males in Washington, DC», *Criminology*, Vol. 29, p. 589-622.

AMSEL, Z., MANDELL, W., MATTHIAS, L., MASON, C. et HOCHERMAN, I. (1976), «Reliability and Validity of Self-reported Illegal Activities and Drug Use, Collected from Narcotic Addicts», *The International Journal of the Addictions*, Vol. 11, p. 325-336.

ANDREWS, D. A. et KIESSLING, J. J. (1980), «Program Structure and Effective Correctional Practices: A Summary of the CAVIL Research», *in* R. R. Ross et P. Gendreau *(éd.), Effective Correctional Treatment*, Toronto, Butterworths.

ANGLIN, M. D. (1988), «The Efficacy of Civil Commitment in Treating Narcotic Addiction», *in NIDA Research Monograph Series, Compulsory Treatment of Drug Abuse: Research and Clinical Practice,* Rockville, MD, National Institute on Drug Abuse, Vol. 86, p. 8-34.

ANGLIN, M. D., BRECHT, M. L. et MADDAHIAN, E. (1990), «Pretreatment Characteristics and Treatment Performance of Legally Coerced versus Voluntary Methadone Maintenance Admissions», *Criminology*, Vol. 23, p. 1011-1027.

ANGLIN, M. D. et HSER, Y. I. (1987), «Addicted Women and Crime», *Criminology,* Vol. 25, p. 359-397.

ANGLIN, M. D. et HSER, Y. I. (1990), «Treatment of Drug Abuse», *in* M. Tonry et J. Q. Wilson *(éd.), Drugs and Crime, Crime and Justice; A Review of Research*, Vol. 13, p. 393-460. Chicago, The University of Chicago Press.

ANGLIN, M. D., MCGLOTHLIN, W. H. et SPECKART, G. (1981), «The Effect of Parole on Methadone Patient Behavior», *American Journal on Drug and Alcohol Abuse*, Vol. 8, p. 153-170.

ANGLIN, M. D. et SPECKART, G. (1988), «Narcotics Use and Crime : A Multisample, Multimethod Analysis», *Criminology*, Vol. 26, p. 197-233.

APAP, G. (1991), «Dangerosité, toxicomanie et loi», *in* Actes du colloque *La dangerosité, approche pénale et psychiatrique,* Toulouse, Paris, Privat, p. 101-108.

BAER, D. J. et CORRADO, J. J. (1974), «Heroin Addict Relationships with Parents During Childhood and Early Adolescents Years», *Journal of Genetic Psychology*, Vol. 124, p. 1131-1136.

BALL, J. C. (1991), «The Similarity of Crime Rates among Male Heroin Addicts in New York City, Philadelphia and Baltimore», *Journal of Drug Issues*, Vol. 21, p. 413-427.

BALL, J. C., LEVINE, B. K., DEMAREE, R. G. et NEMAN, J. F. (1975), «Pretreatment Criminality of Male and Female Drug Abuse Patients in the United States», *Addictive Diseases : An International Journal*, Vol. 1, p. 481-489.

BALL, J. C. et NURCO, D. N. (1983), «Criminality during the Life Course of Heroin Addiction», *in* National Institute *Drug Abuse Research Monograph Series : Problems of Drug Dependence*, Vol. 49, p. 305-312.

BALL, J. C., ROSEN, L., FLUECK, J. A. et NURCO, D. N. (1981), «The Criminality of Heroin Addicts : When Addicted and When off Opiates», *in* J. A. Inciardi *(éd.), The Drug-Crime Connection*, Beverly Hills, CA, Sage, p. 39-65.

BALL, J. C., ROSEN, L., FLUECK, J. A. et NURCO, D. N. (1982), «Lifetime Criminality of Heroin Addicts in the United States», *Journal of Drug Issues*, Vol. 12, p. 225-239.

BALL, J. C., SHAFFER, J. W. et NURCO, D. N. (1983), «The Day to Day Criminality of Heroin Addicts», *in* Baltimore – a Study in the Continuity of Offence Rates, *Drug and Alcohol Dependence*, Vol. 12, p. 119-142.

BARATTA, A. (1990), «Une politique rationnelle des drogues ?», *Déviance et société*, Vol. 14, p. 157-178.

BARNES, G. M. et WELTE, J. W. (1986), «Adolescent Alcohol Abuse : Subgroup Differences and Relationships to Other Problem Behaviors», *Journal of Adolescent Research*, Vol. 1, p. 79-94.

BARTON, W. I. (1980), «Drug Histories and Criminality : Survey of Inmates of State Correctional Facilities, January 1974 », *The International Journal of the Addictions*, Vol. 15, p. 233-258.

BAXLEY, R. C. (1980), «Voluntary Intoxication from Phencyclidine : Will it Raise a Reasonable Doubt of the Mental Capacity of a Person Charged with a Crime Requiring Specific Intent or Mental State», *Journal of Psychedelic Drugs*, Vol. 12, p. 330-335.

BEACHY, G. M., PETERSEN, D. M. et PEARSON, F. S. (1987), «Adolescent Drug Use and Delinquency : A research Note», *in* C. D. Chambers, J. A. Inciardi, D. M. Petersen, H. A. Siegal et O. Z. White *(éd.), Chemical Dependencies ; Patterns, Costs, and Consequences*, London, Ohio, University Press, p. 430-438.

BEAUCHESNE, L. (1986), *L'abus des drogues, les programmes de prévention chez les jeunes*, Montréal, PUQ.

BEAUCHESNE, L. (1988), «L'origine des lois canadiennes sur les drogues», *in* P. Brisson *(éd.)*, *L'usage des drogues et la toxicomanie*, Boucherville, Gaëtan Morin, Vol. 1, p. 125-136.

BEAUCHESNE, L. (1991), *La légalisation des drogues pour mieux en prévenir les abus*, Montréal, Méridien.

BEAUCHESNE, L. (1994), «La légalisation des drogues : un moyen d'action responsable en matière de promotion de la santé», *in* P. Brisson *(éd.)*, *Usage des drogues et la toxicomanie*, Boucherville, Gaëtan Morin, Vol. 2, p. 105-127.

BELENKO, S. (1990), «The Impact of Drug Offenders on the Criminal Justice System», *in* R. A. Weisheit *(éd.)*, *Drugs, Crime and the Criminal Justice System*, Cincinati, OH, Anderson Publishing Co., p. 27-78.

BELENKO, S., FAGAN, J. et CHIN, K. L. (1991), «Criminal Justice Responses to Crack», *Journal of Research in Crime and Delinquency*, Vol. 28, p. 55-74.

BELL, R. (1991), «Prohibition des stupéfiants, l'histoire de la législation», *Interpol; Revue internationale de police criminelle*, p. 2-6.

BELL, D. S. et CHAMPION, R. A. (1979), «Deviancy, Delinquency, and Drug Use», *British Journal of Psychiatry*, Vol. 134, p. 269-276.

BELL, J., HALL, W., et BYTH, K. (1992), «Changes in Criminal Activity after Entering Methadone Maintenance», *British Journal of Addiction*, Vol. 87, p. 251-258.

BENNETT, T. et WRIGHT, R. (1984), «The Relationship between Alcohol Use and Burglary», *British Journal of Addiction*, Vol. 79, p. 431-437.

BÉROUD, G. (1991), «Les guerres de l'opium dans la Chine du XIXe siècle», *Psychotropes*, Vol. 6, p. 59-71.

BERTRAND, M. A. (1990), «Beyond Antiprohibitionism», *Journal of Drug Issues*, Vol. 20, p. 533-542.

BERTRAND, M. A. (1986), «Débat : la politique des drogues : permanence des effets pervers et résistance au changement des lois sur les drogues», *Déviance et Société*, Vol. 10, p. 177-191.

BERTRAND, M. A. (1981), «Réflexions critiques sur l'intervention et les limites du droit à intervenir», *Santé mentale au Québec*, Vol. 10, p. 171-191.

BERTRAND, M. A. (1989), «Résurgence du mouvement antiprohibitionniste», *Criminologie*, Vol. 22, p. 121-133.

BLACKWELL, J. S. (1983), «Drifting, Controlling and Overcoming; Opiate Users who Avoid Becoming Chronically Dependent», *Journal of Drug Issues*, p. 219-235.

BLANE, H. T., MILLER, B. A. et LEONARD, K. E. (1988), *Intra and Inter-Generational Aspects of Serious Domestic Violence and Alcohol and Drugs*, Buffalo, NY, Research Institute on Alcoholism.

BLOUNT, W. R., DANNER, T. A., VEGA, M. et SILVERMAN, I. J. (1991), «Influence of Substance Use among Adult Female Inmates», *Journal of Drug Issues*, Vol. 21, p. 449-467.

BLUM, R. H. (1981), «Violence, Alcohol, and Setting : An Unexplores Nexus», *in* J. J. Collins *(éd.)*, *Drinking and Crime*, New York, Guilford Press, p. 110-142.

BLUMSTEIN, A., COHEN, J., ROTH, J. et VISHER, C. (1986), «*Criminal Careers and Career Criminals*», Washington, DC, National Academy Press.

BLUMSTEIN, A., FARRINGTON, D. P. et MOITRA, S. (1985), «Delinquency Careers : Innocents, Desisters, and Persisters», *in* M. Tonry et N. Morris *(éd.)*, *Crime and Justice, An Annual Review of Research,* Chicago, University of Chicago Press, Vol. 6.

BONITO, A., NURCO, D. et SHAFFER, J. (1976), «The Veridicality of Addict's Self-Reports», *in* Social Research, *The International Journal of the Addictions,* Vol. 11, p. 719-724.

BONNEMAIN, C. (1982), *Toxicomane et justice*, Rapport inédit, Centre national de la recherche scientifique, Centre d'études sociologiques.

BOTVIN, G. J. (1990), «Substance Abuse Prevention : Theory, Practice, and Effectiveness», *in* M. Tonry et J. Q. Wilson *(éd.)*, *Drugs and Crime*, *Crime and Justice*, Chicago, The University of Chicago Press. Vol. 13, p. 461-519.

BOURGOIS, P. (1989), «Crack in Spanish Harlem : Culture and Economy in the Inner City», *Anthropology Today,* Vol. 5, p. 6-11.

BOURHALA, R. (1989), *Trafic international de stupéfiants*, Université de droit, d'économie et des sciences d'Aix-Marseille, Institut de sciences pénales et de Criminologie.

BRACKELAIRE, V. (1992), «Les expériences de substitutions alternatives de production à la coca en Bolivie : Enseignements pour la coopération internationale», *in* M. Schiray, M. L. Cesoni, V. Brackelaire et G. Fonseca *(éd.)*, *Penser la drogue, penser les drogues, Vol.2, Les Marchés interdits de la drogue*, Paris, Descartes.

BRAUCHT, G. N., BRAKARSH, D. et FOLLINGSTAD, D. (1973), «Deviant Drug Use in Adolescence : A Review of Psychosocial Correlates», *Psychological Bulletin*, Vol. 79, p. 92-106.

BRAUCHT, G. N., FOLLINGSTAD, D., BRAKISH, D. et BERRY, K. L. (1973), «Drug Education ; A Review of Goals, Approaches, and Effectiveness, and a Paradigm for Evaluation», *Quarterly Journal of Studies on Alcohol,* Vol. 34, p. 1279-1292.

BRECHER, M., WANG, B. W., WONG, H. et MORGAN, J. P. (1988), «Phencyclidine and Violence : Clinical and Legal Issues », *Journal of Clinical Psychopharmacology,* Vol. 8, p. 397- 401.

BROCHU, S. (1994), «Consommation de drogues illicites et déviance», *in* F. Dumont, S. Langlois et Y. Martin *(éd.)*, Québec, Institut de la recherche sur la culture, p. 381-392.

BROCHU, S. (1994), « Consommation de psychotropes et questions criminelles», *in* M. LeBlanc et D. Szabo *(éd.)*, *La criminologie empirique au Québec*, Montréal, Presses de l'Université de Montréal, p. 113-134.

BROCHU, S. (1995), «Ivresse et violence : désinhibition ou excuse?», *Déviance et société*.

BROCHU, S., DESJARDINS, L., DOUYON, A. et FORGET, C. (1992), «Drug Use Prevalence among Offenders», *in* F. Losel, D. Bender et T. Bliesner *(éd.)*, *Psychology and Law : International Perspectives,* Berlin, Walter de Gruyter, p. 105-110.

BROCHU, S. et DOUYON, A. (1990), *La Consommation de psychotropes chez des jeunes de 13 à 18 ans en centre de réadaptation*, Montréal, Association des intervenants en toxicomanie du Québec, (Toxicomanie 3).

BROCHU, S. et DUPLESSIS, D. (1986), «Les programmes de prévention primaire en matière d'alcoolisme et de toxicomanie», *Psychotropes*, Vol. 3, p. 85-89.

BROCHU, S. et FORGET, C. (1990), «*Revue de la littérature concernant l'intervention auprès des toxicomanes judiciarisés*», Montréal, Centre international de criminologie comparée.

BROCHU, S. et FRIGON, S. (1989), «Toxicomanie et délinquance : une question d'éthique», *Revue internationale de criminologie et de police technique*, Vol. 42, p. 163-171.

BROCHU, S. et LÉVESQUE, M. (1990), «Treatment of Prisoners for Alcohol or Drug Abuse», *Alcoholism Treatment Quarterly*, Vol. 7, p. 15-21.

BROCHU, S. et MERCIER, C. (1992), «Les doubles problématiques avec une composante de toxicomanie : état de la littérature», *Psychotropes*, Vol. 7, p. 7-20.

BROCHU, S. et MERCIER, C. (1988), «Méthode d'évaluation des programmes», *in* P. Brisson *(éd.)*, *L'usage de drogues et la toxicomanie*, Boucherville, Gaëtan Morin, Vol. 1.

BROCHU, S., OUIMET, M. et MERCIER, C. (1993), «Testing the Convergence Hypothesis : Gender Differences in Substance Use for Different Age Group», *in* N. Giesbrecht, M. Eliany, J. Ferris et M. Nelson *(éd.)*, *Alcohol, Tobacco and Other Drug Use in Canada: Profiles, Consequences and Responses.*

BRODY, S. L. (1990), «Violence Associated with Acute Cocaine Use in Patients Admitted to a Medical Emergency Department», *NIDA Research Monograph Series, Drugs and Violence : Causes, Correlates, and Consequences*, Rockville, MD, National Institute on Drug Abuse, Vol. 103, p. 44-59.

BROOK, J. S., WHITEMAN, M. et GORDON, A. S. (1983), « Stages of Drug Use in Adolescence : Personality, Peer, and Family Correlates», *Developmental Psychology*, Vol. 19, p. 460-467.

BROUNSTEIN, P. J., HATRY, H. P., ALTSCHULER, D. M. et BLAIR, L. H. (1990), «*Substance Use and Delinquency among Inner City Adolescent Males*», Washington, The Urban Institute Press.

BROWN, B. S., GAUVEY, S. K., MEYERS, M. B. et STARK, S. D. (1971), «In their Own Words : Addicts' Reasons for Initiating and Withdrawing from Heroin», *The International Journal of the Addictions*, Vol. 6, p. 635-645.

BROWNSTEIN, H. H. et GOLDSTEIN, P. J. (1990), «Research and the Development of Public Policy : The Case of Drugs and Violent Crime», *Journal of Applied Sociology*, Vol. 7, p. 77- 92.

BRUNO, F. (1984), *Combatting Drug Abuse and Related Crime*, Rome, Fratelli Pabombi.

BRUNSWICK, A. F. et BOYLE, J. M. (1979), «Patterns of Drug Involvement : Developmental and Secular Influences on Age at Initiation», *Youth and Society*, Vol. 11, p. 139-162.

BUDD, R. D. (1989), «Cocaine Abuse and Violent Death», *American Journal of Drug and Alcohol Abuse*, Vol. 15, p. 375-382.

BURNS, T. F. (1980), «Getting Rowdy with the Boys», *Journal of Drug Issues*, Vol. 10, p. 273-286.

BURR, A. (1987), «Chasing the Dragon», *British Journal of Criminology*, Vol. 27, p. 333-357.

CARLSON, R. G. et SIEGAL, H. A. (1991), «The Crack Life : An Ethnographic Overview of Crack Use and Sexual Behavior among African Americans in a Midwest Metropolitan City», *Journal of Psychoactive Drugs*, Vol. 23, p. 11-20.

CARPENTER, C., GLASSNER, B., JOHNSON, B. D. et LOUGHLIN, J. (1988), *Kids, Drugs, and Crime*, Toronto, Lexington.

CARTER, J. H. (1981), «The Use of Psychotropics in the Prison Setting», *North Carolina Medical Journal*, Vol. 42, p. 645-647.

CENTRE CANADIEN DE LA STATISTIQUE JURIDIQUE (1987), *L'Homicide au Canada : Perspective statistique, 1987*, Ottawa, Ministère des Approvisionnements et Services.

CESONI, M. (1992), «Les Pays-Bas», *in* M. Schiray, M. L. Cesoni, V. Brackelaire et G. Fonseca *(éd.)*, *Penser la drogue, penser les drogues. Les marchés interdits de la drogue,* Paris, Descarte, Vol. II.

CERMAK, L. et BUTTERS, N. (1973), «Information Processing Deficits of Alcoholic Korsakoff Patients», *Quarterly Journal of Studies on Alcohol*, Vol. 34, p. 1110- 1132.

CERNKOVICH, S. A. et GIORDANO, P. C. (1987), «Family Relationships and Delinquency», *Criminology*, Vol. 25, p. 295- 319.

CHAIKEN, J. M. et CHAIKEN, M. R. (1990), «Drugs and Predatory Crimes», *in* M. Tonry et J. Q. Wilson *(éd.)*, *Drugs and Crime, Crime and Justice : A Review of Research*, Chicago, The University of Chicago Press, Vol. 13, p. 203-240

CHAIKEN, M. R. (1989), «Prison Programs for Drug-Involved Offenders», *Research in Action*, p. 1-5.

CHAIKEN, M. R. et JOHNSON, B. D. (1988), *Characteristics of Different Types of Drug Involved Offenders*, Washington, U.S. Department of Justice.

CHALEIL, M. (1981), *Le corps prostitué*, Paris, Galilée.

CHAMBERS, C. D., HINESLEY, R. K. et MOLDESTAD, M. (1970), «Narcotic Addiction in Females : A Race Comparison», *The International Journal of the Addictions*, Vol. 5, p. 257-278.

CHOISEUL-PRASLIN, C. H., DE (1991), *La drogue, une économie dynamisée par la répression*, Paris, Presses du CNRS.

CLAYTON, R. R. et TUCHFIELD, B. S. (1982), «The Drug Crime Debate : Obstacles to Understanding the Relationship», *Journal of Drug Issues*, Vol. 12, p. 153-166.

CLÉMENT, M. et RAY, D. (1991), «Les intervenants extérieurs au milieu carcéral : les limites de leur intervention», *Bulletin Liaison CNDT,* Vol. 17, p. 45-48.

COLLINS, J. J. (1981), «Alcohol Use and Criminal Behavior : An Empirical, Theoritical, and Methodological Overview», *in* J. J. Collins *(éd.)*, *Drinking and Crime*, New York, Guilford Press, p. 288-316

COLLINS, J. J. (1990a), «Alcohol and Interpersonal Violence», *in* N. A. Weiner et M. E. Wolfgang *(éd.)*, *Pathways to Criminal Violence*, London, Sage, p. 49-67.

COLLINS, J. J. (1986), «The Relationship of Problem Drinking to Individual Offending Sequence», *in* A. Blumstein, J. Cohen, J. A. Roth et C. A. Visher *(éd.)*, *Criminal Careers and "Career criminals"*, Washington, National Academy Press, Vol.2, p. 89-120.

COLLINS, J. J. (1988), «Suggested Explanatory Frameworks to Clarify the Alcohol Use/Violence Relationship», *Contemporary Drug Problems,* Vol. 15, p. 107-121.

COLLINS, J. J. (1990b), «Summary Thoughts About Drugs and Violence», *NIDA Research Monograph Series, Drugs and Violence : Causes, Correlates, and Consequences,* Rockville, MD, National Institute on Drug Abuse, Vol. 103, p. 265-275.

COLLINS, J. J. et ALLISON, M. (1983), «Legal Coercion and Treatment for Drug Abuse», *Hospital and Community Psychiatry*, Vol. 34, p. 1145-1149.

COLLINS, J. J., HUBBARD, R. et RACHAL, V. (1985), « Expensive Drug Use and Illegal Income : A Test of Explanatory Hypotheses», *Criminology*, Vol. 23, p. 743-764.

COOMBS, R. H. (1981), «Drug Abuse as Career», *Journal of Drug Issues,* Vol. 11, p. 369-387.

CORMIER, D. (1988), «Une perception de la toxicomanie comme problème multivarié», *in* P. Brisson *(éd.), L'usage des drogues et la toxicomanie*, Chicoutimi, Gaëtan Morin, p. 171-183.

CORMIER, D. (1993), «La prévention, c'est quoi?», *in Les Actes du XXe Colloque de l'AITQ,-1992, Montréal*, Association des intervenants en toxicomanie du Québec.

CORMIER, D. (1984), *Toxicomanies : style de vie*, Chicoutimi, Gaëtan Morin.

CORMIER, D., BROCHU, S. et BERGEVIN, J. P. (1991), *Prévention primaire et secondaire de la toxicomanie*, Montréal, Méridien.

COVINGTON, J. (1985), «Gender Differences in Criminality among Heroin Users», *Journal of Research in Crime and Delinquency*, Vol. 22, p. 329-354.

CRÉDOT, F. J. et BOUTEILLER, P. (1990), «Commentaire de la loi N° 90-614 du 12 juillet 1990 relative à la participation des organismes financiers à la lutte contre le blanchiment des capitaux provenant du trafic des stupéfiants», *Actualité législative Dalloz,* Vol. 20, p. 157- 165.

CROMWELL, P. F., OLSON, J. N., AVARY, D. W. et MARKS, A. (1991), «How Drugs Affect Decisions by Burglars», *International Journal of Offender Therapy and Comparative Criminology*, Vol. 35, p. 310-321.

CUSHMAN, P. (1974), «Relationship Between Narcotic Addiction and Crime», *Federal Probation*, Vol. 38, p. 38-43.

CUSKEY, W. R., PREMKUMAR, T. et SIGEL, L. (1972), «Survey of Opiate Addiction Among Females in the United State Between 1850 and 1970», *Public Health Review*, Vol. 1, p. 5-38.

CUSSON, M. (1987), *Pourquoi punir,* Paris, Dalloz.

DA AGRA, C. (1986), *Science, maladie mentale et dispositifs de l'enfance. Du paradigme biologique au paradigme systémique*, Lisbonne, Instituto Nacional de Investigaçao Cientifica.

DA AGRA, C. (1991), «Sujet autopoiétique et toxicodépendance», École de criminologie, Université de Montréal.

DALLAYRAC, D. (1976), *Le Nouveau visage de la prostitution : la révolte contre l'ordre mâle*, Paris, Laffont.

DANISH, S. J., MASH, J. M. et HOWARD-GALLAGHER, C. W. (1992), «But Will it Play in Peoria? : The Problem of Technology Transfer in Alcohol and Other Drug Use Prevention Programs», *in* C. E. Marcus et J. D. Swisher *(éd.), Working with Youth in High-Risk Environments : Experience in Prevention,* Rockville, MD, U.S. Department of Health and Human Services, Vol. 12.

DATESMAN, S. K. et INCIARDI, J. A. (1979), «Female Heroin Use, Criminality, and Prostitution», *Contemporary Drug Problems*, Vol. 8, p. 455-473.

DE LEON, G. (1988), «Legal Pressure in Therapeutic Communities», *NIDA Research Monograph Series, Compulsory Treatment of Drug Abuse : Research and Clinical Practice,* Rockville, MD, National Institute on Drug Abuse, Vol. 86, p. 160-177.

DEMBO, R., BLOUNT, W., SCHMEIDLER, J. et BURGOS, W. (1986), «Perceived Environmental Drug Use Risk ant the Correlates of Early Drug Use or Nonuse among Inner-City Youths : The Motivated Actor», *International Journal of the Addictions*, Vol. 21, p. 977-1000.

DEMBO, R., WASHBURN, M., WISH, E. D., SCHMEIDLER, J., GETREU, A., BERRY, E., WILLIAMS, L. et BLOUNT, W. R. (1987), «Further Examination of the Association between Heavy Marijuana Use and Crime among Youths Entering a Juvenile Detention Center», *Journal of Psychoactive Drugs*, Vol. 19, p. 361-373.

DEMBO, R., WILLIAMS, L., LAVOIE, L., BERRY, E., GETREU, A., WISH, E. D., SCHMEIDLER, J. et WASHBURN, M. (1989), «Physical Abuse, Sexual Victimisation, and Illicit Drug Use : Replication of a Structural Analysis among a New Sample of High-Risk Youths», *Violence and Victims*, Vol. 4, p. 122-138.

DEMBO, R., WILLIAMS, L., LAVOIE, L., GETREU, A., BERRY, E., GENUNG, L., SCHMEIDLER, J., WISH, E. D. et KERN, J. (1990), «A Longitudinal Study of the Relationships among Alcohol Use, Marijuana/Hashish Use, Cocaine Use, and Emotional/Psychological Functioning Problems in a Cohort of High Risk Youths», *The International Journal of the Addictions,* Vol. 25, p. 1341-1382.

DEMBO, R., WILLIAMS, L., SCHMEIDLER, J., BERRY, E., WOTHKE, W., GETREU, A., WISH, E.D. et CHRISTENSEN, C. (1992), « A Structural Model Examining the Relationship between Physical Child Abuse, Sexual Victimization, and Marijuana/Hashish Use in Delinquent Youth : A Longitudinal Study », *Violence and Victims*, Vol. 7, p. 41-62.

DEMBO, R., WILLIAMS, L., WISH, E. D., BERRY, E., GETREU, A., WASHBURN, M. et SCHMEIDLER, J. (1990), «Examination of the Relationships among Drug Use, Emotional/Psychological Problems, and Crime among Youths Entering a Juvenile Detention Center», *The International Journal of the Addictions*, Vol. 25, pp 1301-1340.

DESJARDINS, J., BROCHU, S. et LANGELIER-BIRON, L. (1992), *Étude épidémiologique sur la consommation de psychotropes chez les contrevenantes incarcérées*, Montréal, Université de Montréal.

DEWITT, C. B. (1991), «Drug Use Forecasting», *National Institute of Justice : Research in Brief*, p. 1-12.

DEWITT, C. B. (1992), «Drug Use Forecasting», *National Institute of Justice : Research in Brief,* p. 1-12.

DOBINSON, I. (1989), «Making Sense of the Heroin-Crime Link», *Australian and New Zealand Journal of Criminology*, vol. 22, p. 259-275.

DOBINSON, I. et WARD, P. (1986), «Heroin and Property Crime : An Australian Perspective», *Journal of Drug Issues*, Vol. 16, p. 249-262.

DONOVAN, J. E. et JESSOR, R. (1983), «Problem Drinking and the Dimension of Involvement with Drugs : A Guttman Scalogram Analysis of Adolescent Drug Use», *American Journal of Public Health*, Vol. 73, p. 543-552.

DONOVAN, J. E. et JESSOR, R. (1985), «Structure of Problem Behavior in Adolescence and Young Adulthood», *Journal of Consulting and Clinical Psychology*, Vol. 53, p. 890-904.

DONOVAN, J. E., JESSOR, R. et COSTA, F. M. (1988), «The Syndrome of Problem Behavior in Adolescence : A Replication», *Journal of Consulting and Clinical Psychology*, Vol. 56, p. 762-765.

D'ORBAN, P. T. (1973), «Female Narcotic Addicts : A Follow Up Study of Criminal and Addiction Careers», *British Medical Journal,* Vol. 4, p. 345-347.

D'ORBAN, P. T. (1970), «Heroin Dependence and Delinquency in Women – A Study of Heroin Addicts in Holloway Prison», *British Journal of the Addictions*, Vol. 65, p. 67-78.

DORN, N. et THOMPSON, A. (1976), «Evaluation of Drug Education in the Longer Term Is Not an Optional Extra», *Community Health*, Vol. 7, p. 154-161.

DRYFOOS, J. G. (1990), *Adolescents at Risk,* Oxford, Oxford University Press.

DURKHEIM, E. (1930), *De la division du travail social*, Septième édition, Paris, Presses universitaires de France, 1960.

EHRENBERG, A. et MIGNON, P. (1992), *Drogues, politiques et sociétés*, Paris, Descartes.

ELLINWOOD, E. H. (1971), «Assault and Homicide Associated with Amphetamine Abuse», *American Journal of Psychiatry*, Vol. 127, p. 90-95.

ELLINWOOD, E. H., SMITH, W. G. et VAILLANT, G. E. (1966), «Narcotic Addiction in Males and Females : A Comparison», *The International Journal of the Addictions*, Vol. 1, p. 33- 45.

ELLIOTT, D. S., HUIZINGA, D. et AGETON, S. S. (1985), *Explaining Delinquency and Drug Use*, London, Sage.

ELLIOTT, D. S., HUIZINGA, D. et MENARD, S. (1989), *Multiple Problem Youth : Delinquency, Substance Use, and Mental Health Problems*, New York, Springer-Verlag.

ELLIOTT, D. S. et MORSE, B. J. (1989), «Delinquency and Drug Use as Risk Factors in Teenage Sexual Activity», *Youth and Society*, Vol. 21, p. 32-60.

ERICKSON, P. G. et WATSON, V. A. (1990), «Women, Illicit Drugs, and Crime», *Research Advances in Alcohol and Drug Problems*, Vol. 10, p. 251-272.

FACY, F. (1991), *Toxicomanes incarcérés vus dans les antennes-toxicomanes : enquête épidémiologique 1989-1990*, Paris, INSERM.

FAGAN, J. (1990), «Intoxication and Aggression», *in* M. Tonry et J. Q. Wilson *(éd.)*, *Drugs and Crime, Crime and Justice : A Review of Research*, Chicago, The University of Chicago Press, Vol. 13, p. 241-320.

FAGAN, J. (1990), «Social Processes of Delinquency and Drug Use among Urban Gangs», *in* C. R. Huff *(éd.)*, *Gangs in America*, Londres, Sage, p. 183-219.

FAGAN, J. et CHIN, K. L. (1990), «Violence as Regulation and Social Control in the Distribution of Crack», *NIDA Research Monograph Series, Drugs and Violence : Causes, Correlates, and Consequences,* Rockville, MD, National Institute on Drug Abuse, Vol. 103, p. 8-43.

FAGAN, J., WEIS, J. G. et CHENG, Y. T. (1990), «Delinquency and Substance Use among Inner-City Students», *Journal of Drug Issues*, Vol. 20, p. 351-402.

FAGAN, J. et WEXLER, S. (1987), «Family Origins of Violent Delinquents», *Criminology*, Vol. 25, p. 643-669.

FARRELL, A. D., DANISH, S. J. et HOWARD, C. W., (1992), «Relationship between Drug Use and Other Problem Behaviors Urban Adolescents», *Journal of Consultating and Clinical Psychology*, Vol. 60, p. 705-712.

FAUMAN, M. et FAUMAN, B. (1980), «Chronic Phenylcyclidine (PCP) Abuse : A Psychiatric Perspective», *Journal of Psychedelic Drugs*, Vol. 12, p. 3-4.

FAUMAN, B. J. et FAUMAN, M. A. (1982), «Phencyclidine Abuse and Crime : A Psychiatric Perspective», *Bulletin of the American Academy of Psychiatry and the Law,* Vol. 10, p. 171-176.

FAUPEL, C. E. (1986), «Heroin Use, Street Crime, and the "Main Hustle": Implications for the Validity of Official Crime Data», *Deviant Behavior,* Vol. 7, p. 31-45.

FAUPEL, C. E. (1987a), «Drug Availability, Life Structure, and Situational Ethics of Heroin Addicts», *Urban Life,* Vol. 15, p. 395-419.

FAUPEL, C. E. (1987b), «Heroin Use and Criminal Careers», *Qualitative Sociology*, Vol. 10, p. 115-131.

FAUPEL, C. E. (1988), «Heroin Use, Crime and Employment Status », *Journal of Drug Issues*, Vol. 18, p. 467-479.

FAUPEL, C. E. (1991), *Shooting Dope: Career Pattern of Hard-Core Heroin Users*, Gainesville, University of Florida Press.

FAUPEL, C. E. et KLOCKARS, C. B. (1987), «Drugs Crime Connections: Elaborations from Life Histories of Hard Core Heroin Addicts», *Social Problems*, Vol. 34, p. 54-68.

FAWZY, F. I., COOMBS, R. H. et GERBER, B. (1983), «Generational Continuity in the Use of Substances: The Impact of Parental Substance Use on Adolescent Substance Use», *Addictive Behaviors*, Vol. 8, p. 109-114.

FIELD, G. (1985), «The Cornerstone Program: A Client Outcome Study », *Federal Probation,* Vol. 49, p. 50-55.

FIELD, G. (1989), «The Effects of Intensive Treatment on Reducing the Criminal Recidivism of Addicted Offenders», *Federal Probation*, Vol. 53, p. 51-56.

FILE, K. N., MCCAHILL, T. W. et SAVITZ, L. D. (1974), «Narcotics Involvement and Female Criminality», *Addictive Diseases: An International Journal,* Vol. 1, p. 177-188.

FISHER, R. L. (1984), «Outcome Analysis of 1982 Network Program Releases», *Report no. 1, A Preliminary Analysis of Recommitment Rates of 1982 Network Releases*, Albany, Department of State Correctional Services.

FISHER, R. L. (1985), «Outcome Analysis of 1982 Network Program Releases», *Report n°. 2, A Preliminary Analysis of the Effects of Network Participation on Parole Adjustment*, Albany, Department of State Correctional Services.

FITZPATRICK, J. P. (1974), «Drugs, Alcohol, and Violent Crime», *Addictive Diseases*, Vol. 1, p. 353-367.

FONSECA, G. (1992), «Économie de la drogue: taille, caractéristiques et impact économique», *Revue Tiers Monde,* Vol. 33, p. 489-516.

FORCIER, M. W. (1991), «Substance Abuse, Crime and Prison Based Treatment: Problems and Prospects», *Sociological Practice Review,* Vol. 2, p. 123-131.

FORGET, C. (1990), «La Consommation de substance psycho-actives chez les détenus du centre de détention de Montréal», Université de Montréal, Mémoire de maîtrise inédit.

FORSLUND, M. A. (1977), «Drug Use and Delinquent Behavior of Small Town and Rural Youth», *Journal of Drug and Education*, Vol. 7, p. 219-224.

FRALICK, P. et BROCHU, S. (1988), «The Canadian Forces Lifeskills Education Program», *Alcoholism Treatment Quarterly*, Vol. 5, p. 191-208.

FRANCES, R. J. (1991), «Should Drugs be Legalized? Implications of the Debate for the Mental Health Field», *Hospital and Community Psychiatry*, Vol. 42, p. 119-125.

FRÉCHETTE, M. et LEBLANC, M. (1987), *Délinquances et délinquants*, Chicoutimi, Gaëtan Morin.

FREUGE, J. C. (1972), «Approche criminologique du toxicomane», Mémoire de criminologie inédit, Institut de sciences pénales et de criminologie d'Aix-en-Provence.

FULLERTON, T. (1989), «Les drogues et leurs effets sur la population carcérale», *Actualités-Justice*, Vol. 6, p. 5-7.

GANDOSSY, R. P., WILLIAMS, J. R., COHEN, J. et HAARWOOD, H. J. (1980), *Drugs and Crime: A Survey and Analysis of the Literature,* Washington, U.S. Department of Justice.

GENDARMERIE ROYALE DU CANADA (1985), «Les narcodollars», *Revue internationale de police criminelle*, Vol. 40, p. 203-207.

GENDARMERIE ROYALE DU CANADA (1991), *Rapport annuel national sur les drogues 1990*, Ottawa, Ministère des Approvisionnements et Services Canada.

GENDARMERIE ROYALE DU CANADA (1992), *Rapport annuel national sur les drogues, 1991,* Ottawa, Ministère des Approvisionnement et Services.

GENDARMERIE ROYALE DU CANADA (1993), *Rapport annuel national sur les drogues, 1992*, Ottawa, Ministère des Approvisionnement et Services.

GENDREAU, P. et ROSS, R. (1987), «Revivification of Rehabilitation: Evidence of the 1980's», *Justice Quarterly*, Vol. 4, p. 349-408.

GIBBS, J. T. (1982), «Psychosocial Factors Related to Substance Abuse among Delinquent Females: Implications for Prevention and Treatment», *American Journal of Orthopsychiatry*, Vol. 52, p. 261-271.

GILLMORE, M. R., HAWKINS, J. D., CATALANO, R. F., DAY, L. E., MOORE, M. et ABBOTT, R. (1991), «Structure of Problem Behaviors in Preadolescence», *Journal of Consulting and Clinical Psychology*, Vol. 59, p. 499-506.

GINSBERG, I. J. et GREENLY, J. R. (1978), «Competing Theories on Marijuana Use: A Longitudinal Study», *Journal of Health and Social Behavior,* Vol. 19, p. 22-34.

GIRARD, S. (1993), «Aggravation de la délinquance, des troubles de comportement et de la consommation de substances psycho-actives chez les adolescents et adolescentes ayant fait l'objet d'une ordonnance du Tribunal de Montréal», *1992-93,* texte inédit, École de criminologie, Université de Montréal.

GIROUX, C. (1988), «Les substances psycho-actives: repères pharmacologiques et physiologiques», *in* P. Brisson *(éd.), L'usage des drogues et la toxicomanie*, Boucherville, Gaëtan Morin, Vol. 1, p. 37-62.

GLORIEUX, P. (1993), «La problématique du blanchiment de l'argent occulte en France», *Revue de la gendarmerie nationale*, p. 19-20.

GOLDMAN, F. (1981), «Drug Abuse, Crime Economics: The Dismal Limits of Social Choice», *in* J. Inciardi *(éd.)*, *The Drugs-Crime Connection*, Beverly Hills, Sage.

GOLDSTEIN, P. J. (1985), «The Drugs/Violence Nexus: A Tripartite Conceptual Framework», *Journal of Drug Issues*, Vol. 15, p. 493-506.

GOLDSTEIN, P. J. (1981), «Getting Over: Economic Alternatives to Predatory Crime among Street Drug Users», *in* J. Inciardi *(éd.)*, *The Drugs-Crime Connection*, Beverly Hills, Sage.

GOLDSTEIN, P. J. (1986), «Homicide Related to Drug Traffic», *Bulletin of the New York Academy of Medicine*, Vol. 62, p. 509-516.

GOLDSTEIN, P. J. (1987), «Impact of Drug-Related Violence», *Public Health Report*, Vol. 102, p. 625-627.

GOLDSTEIN, P. J. (1979), *Prostitution and Drugs*, Toronto, Lexington.

GOLDSTEIN, P. J., BROWNSTEIN, H. H., RYAN, P. J. et BELLUCCI, P. A. (1989), « Crack and Homicide in New York City, 1988 : A Conceptually Based Event Analysis », *Contemporary Drug Problems*, Vol. 16, p. 651-687.

GOLDSTEIN, P. J., BROWNSTEIN, H. H., SPUNT, B. J. et FENDRICH, M. (1992), « Drug Relationships in Murder, (DREIM) », Manuscrit inédit.

GORSUCH, R. L. et BUTLER, M. C. (1976), « Initial Drug Abuse : A Review of Predisposing Social Psychological Factors », *Psychological Bulletin*, Vol. 83, p. 120-137.

GOTTFREDSON, M. R. et HIRSCHI, T. (1990), *A General Theory of Crime*, Stanford, Stanford University Press.

GOTTHEIL, E., DRULEY, K. A., SKODOLA, T. E. et WAXMAN, H. M. (1983), « Aggression and Addiction : Summary and Overview », *in* E. Gottheil, K. Druley, T. E. Skoloda et H. M. Waxman *(éd.)*, *Alcohol, Drug Abuse and Aggression*, Springfield, IL, Charles C. Thomas, p. 333-356.

GOTTLIEB, P., KRAMP, P., LINDHARDT, A. et CHRISTENSEN, O. (1990), « The Social Background of Homicide », *International Journal of Offender Therapy and Comparative Criminology*, Vol. 34, p. 115-130.

GRAHAM, M. G. (1987), « Controlling Drug Abuse and Crime : A Research Update », *Research in Action*.

GRAPENDAAL, M. (1992), « Cutting Their Coat According to Their Clothes : Economic Behavior of Amsterdam Opiate Users », *The International Journal of the Addictions*, Vol. 27, p. 487-501.

GRAPENDAAL, M. (1990), « The Effectiveness of Methadone Maintenance on the Criminal Behaviour of Opiate Users in Amsterdam », Communication présentée à la *First International Conference on the Reduction of Drug Related Harm, Liverpool*, 9-12 avril.

GRAPENDAAL, M., LEUW, E. et NELEN, J. M. (1991), *De economie van het drugsbestaan*[198], La Haye, Gouda Quint bv.

GREENBERG, S. W. (1976), « The Relationship between Crime and Amphetamine Abuse : An Empirical Review of the Literature », *Contemporary Drug Problems*, Vol. 5, p. 101-129.

GREENBERG, S. W. et ADLER, F. (1974), « Crime and Addiction : An Empirical Analysis of the Literature, 1920-1973 », *Contemporary Drug Problems*, Vol. 3, p. 221-270.

GRIFFITHS, A. W. (1988), « Previous Psychiatric Illness and Addiction amongst Prisoners in 1973 and 1986 », *British Journal of Criminology*, Vol. 28, p. 402-403.

GROULX, F., BROCHU, S. et POUPART, J. (1992), *Consommation de psychotropes, activités délictuelles et placement des adolescents en centre de réadaptation*.

GUYON, L. et LANDRY, M. (1993), *Analyse descriptive de la population en traitement de Domrémy-Montréal à partir de l'IGT 1991-1992*, Montréal, RISQ.

HADAWAY, P., BEYERSTEIN, B. L. et YOUDALE, J. V. M. (1991), « Canadian Drug Policies : Irrational, Futile, and Unjust », *The Journal of Drug Issues*, Vol. 21, p. 183-197.

198. Consulté dans sa version anglaise en préparation.

HALEBSKY, M. A. (1987), «Adolescent Alcohol and Substance Abuse: Parent and Peer Effects», *Adolescence*, Vol. 22, p. 961-967.

HAMBURG, B. A., KRAEMER, H. C. et JAHNKE, W. (1975), «A Hierarchy of Drug Use in Adolescence: Behavioral and Attitudinal Correlates of Substantial Drug Use», *American Journal of Psychiatry*, Vol. 132, p. 1155 1163.

HAMILTON, C. J. et COLLINS, J. J. (1981), «The Role of Alcohol in Wife Beating and Child Abuse: A Review of the Litterature», *in* J. J. Collins *(éd.)*, *Drinking and Crime*, New York, Guilford Press, p. 253-287.

HAMMERSLEY, R., FORSYTH, A. et LAVELLE T. (1990), «The Criminality of New Drug Users in Glasgow», *British Journal of Addiction*, Vol. 85, p. 1583-1594.

HAMMERSLEY, R., FORSYTH, A., MORRISON, V. et DAVIES, J. B. (1989), «The Relationship between Crime and Opioid Use», *British Journal of Addiction*, Vol. 84, p. 1029-1043.

HAMMERSLEY, R., LAVELLE T. et FORSYTH, J. M. (sous presse), «Adolescent Drug Use, Health and Personality», *Drug and Alcohol Dependence*.

HARLOW, C. W. (1991), «Drugs and Jail Inmates, 1989», *The Narc Officer*, p. 37-51.

HARRISON, L. D. et GFROERER, J. (1992), «The Intersection of Drug Use and Criminal Behavior: Results from the National Household Survey on Drug Abuse», *Crime and Delinquency*, Vol. 38, p. 422-443.

HARRUF, R. C., FRANCISCO, J. T., ELKINS, S. K., PHILLIPS, A. M. et FERNANDEZ, G. S. (1988), «Cocaine and Homicide in Memphis and Shelby County: An Epidemic of Violence», *Journal of Forensic Sciences*, Vol. 33, p. 1231-1237.

HARTJEN, C. A., MITCHELL, S. M. et WASHBURNE, N. F. (1982), «Sentencing to Therapy: Some Legal Ethical, and Practical Issues», *Journal of Offender Counseling, Services and Rehabilitation*, Vol. 7, p. 21-39.

HAWKINS, J. D., CATALANO, R. F. et MILLER, J. Y. (1992), «Risk and Protective Factors for Alcohol and Other Drug Problems in Adolescence and Early Adulthood: Implication for Substance Abuse Prevention», *Psychological Bulletin*, 112(1), p. 64-105.

HAWKINS, J. D., JENSON, J. M., CATALANO, R. F. et LISHNER, D. M. (1988), «Delinquency and Drug Abuse: Implications for Social Services», *Social Service Review*, Vol. 62, p. 258-284.

HEATH, D. (1983), «Alcohol and Aggression: A "Missing Link" in Worldwide Perspective », *in* E. Gottheil, K. Druley, T. E. Skoloda et H. M. Waxman *(éd.)*, *Alcohol, Drug Abuse and Aggression*, Springfield, IL, Charles C. Thomas, p. 89-103.

HERBERT, E. E. et O'NEIL, J. A. (1991), «Drug Use Forecasting: An Insight into Arrestee Drug Use », *National Institute of Justice Reports*, Vol. 224, p. 11-13.

HILL, H. E., BELLEVILLE, R. E. et WILKER, A. (1957), «Motivational Determinants in Modification of Behavior by Morphine and Pentobarbital», *Archives of Neurology and Psychiatry*, Vol. 77, p. 28-35.

HILL, H. E., HAERTZEN, C. A. et DAVIS, H. (1962), «An MMPI Factor Analytic Study of Alcoholics, Narcotic Addicts and Criminals», *Quarterly Journal of Studies on Alcohol* , Vol. 23, p. 411-431.

HIRSCHEL, J. D. et KENY, J. R. (1990), «Outpatient Treatment for Substance-Abusing Offenders», *Journal of Offender Counseling, Services and Rehabilitation*, Vol. 15, p. 111-130.

HIRSCHEL, J. D. et MCCARTHY, B. R. (1983), «The TASC Drug Treatment Program Connection : Cooperation, Cooptation or Corruption of Treatment Objectives ?», *Journal of Offender Counseling, Services and Rehabilitation*, Vol. 8, p. 117-130.

HIRSCHI, T. et GOTTFREDSON, M. (1983), «Age and the Explanation of Crime», *American Journal of Sociology*, Vol. 89, p. 552-584.

HODGINS, S. et CÔTÉ, G. (1991), «The Mental Health of Penitentiary Inmates in Isolation», *Canadian Journal of Criminology*, Vol. 33, p. 175-182.

HODGINS, S. et CÔTÉ, G. (1990), «Prévalence des troubles mentaux chez les détenus des pénitenciers du Québec», *Santé mentale au Canada*, Vol. 33, p. 1-5.

HOEKSTRA, J. C. et SWART, P.S. (1990), «Economic Behaviour of Heroin Users and Effects of Policy Measures», *Medicine and Law*, Vol. 9, p. 831-840.

HONER, W. G., GERWITZ, G. et TUREY, M. (1987), «Psychosis and Violence in Cocaine Smokers», *Lancet*, Vol. 2, p. 451.

HSER, Y. I., ANGLIN, M. D. et BOOTH, M. W. (1987), «Sex Differences in Addict Careers. 3. Addiction», *American Journal of Drug and Alcohol Abuse*, Vol. 13, p. 231-251.

HSER, Y. I., ANGLIN, M. D. et CHOU, C. P. (1992), «Narcotics Use and Crime among Addicted Women : Longitudinal Patterns and Effects of Social Interventions», *in* T. Mieczkowski *(éd.)*, *Drugs, Crime, and Social Policy : Research, Issues, and Concerns*, Florida, Allyn and Bacon, p. 197-221.

HSER, Y. I., CHOU, C. P. et ANGLIN, M. D. (1990), «The Criminality of Female Narcotics Addicts : A Causal Modeling Approach», *Journal of Quantitative Criminology*, Vol. 6, p. 207-228.

HUBA, G. J., WINGARD, J. A. et BENTLER, P. M. (1979), «Beginning Adolescent Drug Use and Peer and Adult Interaction Patterns», *Journal of Consulting and Clinical Psychology*, Vol. 47, p. 265-276.

HUBBARD, R. L., COLLINS, J. J., RACHAL, J. V. et CAVANAUGH, E. R. (1988), «The Criminal Justice Client in Drug Abuse Treatment», *National Institute on Drug Abuse Research Monograph Series*, p. 57-80.

HUBBARD, R. L., MARSDEN, M. E., RACHAL, J. V., HARWOOD, H. J., CAVANAUGH, E. R. et GINZBURG, E. R. (1989), *Drug Abuse Treatment– A National Study of Effectiveness*, Chapel Hill, The University of North California Press.

HUIZINGA, D. et ELLIOTT, D. S. (1987), «Juvenile Offenders : Prevalence, Offender Incidence, and Arrest Rate by Race», *Crime and Delinquency*, Vol. 33, p. 206-223.

HUINZINGA, D. et ELLIOTT, D. S. (1986), «Reassessing the Reliability and Validity of Self-Report Delinquency Measures», *Journal of Quantitative Criminology*, Vol. 2, p. 292- 327.

HUIZINGA, D. H., MENARD, S. et ELLIOTT, D. S. (1989), «Delinquency and Drug Use : Temporal and Developmental Patterns», *Justice Quarterly*, Vol. 6, p. 419-455.

HUNDLEBY, J. D. (1987), «Adolescent Drug Use in a Behavioral Matrix : A Confirmation and Comparison of the Sexes», *Addictive Behaviors*, Vol. 12, p. 103-112.

HUNDLEBY, J. D. et GIRARD, S. (1980), «Home and Family Correlates of Prior Drug Involvement among Institutionalized Male Adolescents», *The International Journal of the Addictions*, Vol. 15, p. 689-699.

HUNT, D. E. (1990), «Drugs and Consensual Crimes: Drug Dealing and Prostitution», *in* M. Tonry et J. Q. Wilson *(éd.), Drugs and Crime, Crime and Justice: A Review of Research,* Chicago, The University of Chicago Press, Vol. 13, p. 159-202.

HUNT, D. E. (1991), «Stealing and Dealing: Cocaine and Property Crimes», *NIDA Research Monograph Series, The Epidemiology of Cocaine Use and Abuse*, Rockville, MD, National Institute on Drug Abuse, Vol. 110, p. 139-150.

HUNT, D. E., LIPTON, D. S. et SPUNT, B. (1984), «Patterns of Criminal Activity among Methadone Clients and Current Narcotics Users Not in Treatment», *Journal of Drug Issues*, Vol. 14, p. 687-702.

HUNT, D. E., SPUNT, B., LIPTON, D., GOLDSMITH, D. S. et STRUG, D. (1987), «The Costly Bonus: Cocaine Related Crime among Methadone Treatment Clients», *Advances in Alcohol and Substance Abuse*, Vol. 6, p. 107-122.

INCIARDI, J. A. (1990), «AIDS and Drug Use: Implications for Criminal Justice Policy», *in* R. A. Weisheit *(éd.), Drugs, Crime and the Criminal Justice System*, Cincinati, OH, Anderson Publishing Co, p. 303-328.

INCIARDI, J. A. (1987), «Crime and Alternative Patterns of Substance Abuse», *in* C. D. Chambers, J. A. Inciardi, D. M. Petersen, H. A. Siegal et O. Z. White *(éd.), Chemical Dependencie: Patterns, Cost, and Consequences*, London, Ohio University Press, p. 485-523.

INCIARDI, J. A. (1979), «Heroin Use and Street Crime», *Crime and Delinquency*, Vol. 25, p. 335 346.

INCIARDI, J. A. (1985), *The War on Drugs*, Palo Alto, Mayfield Press.

INCIARDI, J. A. et CHAMBERS, C. D. (1972), «Unreported Criminal Involvement of Narcotic Addicts», *Journal of Drug Issues*, Vol. 2, p. 57-64.

INCIARDI, J. A., LOCKWOOD, D. et QUINLAN, J.A. (1993), «Drug Use in Prison: Patterns, Process, and Implications for Treatment», *Journal of Drug Issues*, Vol. 23, p. 119-129.

INCIARDI, J. A., SCARPETTI, F. R. et LOCKWOOD, D. (1993), «Crest Outreach Center: Combining Therapeutic Community Treatment with Work Release», *45th annual Meeting of the American Society of Criminology*, Phoenix, Arizona. October, 27-30.

INCIARDI, J. A. et POTTIEGER, A. E. (1986), «Drug Use and Crime among Two Cohorts of Women Narcotics Users: An Empirical Assessment», *Journal of Drug Issues*, Vol. 16, p. 91-106.

INCIARDI, J. A., POTTIEGER, A. E. et FAUPEL, C. E. (1982), «Black Women, Heroin and Crime: Some Empirical Notes», *Journal of Drug Issues*, Vol. 12, p. 241-250.

INCIARDI, J. A., POTTIEGER, A. E., FORNEY, M. A., CHITWOOD, D. D. et MCBRIDE, D. C. (1991), «Prostitution, IV Drug Use, and Sex for Crack Exchanges among Serious Delinquents: Risks for HIV Infection», *Criminology*, Vol. 29, p. 221-235.

INGOLD, F. R. (1985), «La dépendance économique chez les héroïnomanes», *Revue internationale de police criminelle*, Vol. 40, p. 208-213.

INGOLD, F. R. et INGOLD, S. (1986), «Drogue et prison: processus de la dépendance et dynamique de l'incarcération», *Échange Santé*, Vol. 46, p. 12-16.

INNES, C. A. (1988), «State Prison Survey, 1986: Drug Use and Crime», *Bureau of Justice Statistics Special Report*, p. 1-8.

JACKSON, M. S. (1992), «Drug Use Patterns among Black Male Juvenile Delinquents», *Journal of Alcohol and Drug Education*, Vol 37, p. 64-70.

JAFFE, J. H., BABOR, T. F. et FISHBEIN, D. H. (1988), «Alcoholics, Aggression and Antisocial Personality», *Journal of Studies on Alcohol*, Vol 49, p. 211-218.

JAMES, J. (1976), «Prostitution and Addiction: An Interdisciplinary Approach», *Addictive Diseases: An International Journal*, Vol. 2, p. 601-618.

JAMES, J., GOSHO, C. et WOHL, R. B. (1979), «The Relationship between Female Criminality and Drug Use», *The International Journal of the Addictions*, Vol. 14, p. 215- 229.

JAMES, P. (1969), «Delinquency and Heroin Addiction in Britain», *British Journal of Criminology*, Vol. 9, p. 108-124.

JARVIS, G. et PARKER, H. (1989), «Young Heroin Users and Crime: How do the "New Users" Finance their Habits?», *British Journal of Criminology*, Vol. 29, p. 175-185.

JEKEL, J. F., ALLEN, D. F., PODLEWSKI, H., CLARKE, N., DEAN-PATTERSON, S. et CARTWRIGHT, P. (1986), «Epidemic Free-Base Cocaine Abuse: Case Study from the Bahamas», *Lancet*, Vol. 1, p. 459-562.

JENSEN, G. et BROWNFIELD, D. (1986), «Gender, Lifestyles, and Victimization: Beyond Routine Activity Theory », *Violence and Victims*, Vol. 1, p. 85-99.

JESSOR, R., CHASE, J. A. et DONOVAN, J. E. (1980), «Psychosocial Correlates of Marijuana Use and Problem Drinking in a National Sample of Adolescents», *American Journal of Public Health*, Vol. 70, p. 604-613.

JOHNS, A. et GOSSOP, M. (1990), «Drug Use, Crime and the Attitudes of Magistrates», *Medicine, Science and the Law*, Vol. 30, p. 263-70.

JOHNSON, B. D., GOLDSTEIN, P. J., PREBLE, E., SCHMIEDLER, J., LIPTON, D. S., SPUNT, B. et MILLER, T. (1985), *Taking Care of Business: The Economics of Crime by Heroin Abusers*, Toronto, Lexington.

JOHNSON, B. D. et KAPLAN, M. (1988), «Criminality of Drug Abusers in United States», *Proceedings of the 35th International Conference on Alcoholism and Addiction*, Oslo, 6, 1988, Vol. 2, p. 524-540.

JOHNSON, B. D., KAPLAN, M. A. et SCHMEIDLER, J. (1990), «Days with Drug Distribution: Which Drugs? How Many Transaction?», *in* R. A. Weisheit *(éd.), Drugs, Crime and the Criminal Justice System*, Cincinati, OH, Anderson Publishing Co., p. 193-214.

JOHNSON, B. D., WILLIANS, T., DEI, K. O. et SANABRIA, H. (1990), «Drug Abuse in the Inner-City: Impact on Hard-Drug Users and the Community», *in* M. Tonry et J. Q. Wilson *(éd.), Drugs and Crime, Crime and Justice: A Review of Research*, Chicago, The University of Chicago Press, Vol. 13, p. 9-68.

JOHNSON, B. D., WISH, E. D., SCHMEIDLER, J. et HUIZINGA, D. (1991), «Concentration of Delinquent Offending: Serious Drug Involvement and High Delinquency Rates», *Journal of Drug Issues*, Vol. 21, p. 205-229.

JOHNSON, G. M., SHONTZ, F. C. et LOCKE, T. P. (1984), «Relationships between Adolescent Drug Use and Parental Drug Behavior», *Adolescence*, Vol. 19, p. 295-299.

JOHNSON, R. E., MARCOS, A. C. et BAHR, S. J. (1987), «The Role of Peers in the Complex Etiology of Adolescent Drug Use», *Criminology*, Vol. 25, p. 323-339.

JOHNSON, S. D., GIBSON, L. et LINDEN, R. (1978), «Alcohol and Rape in Winnipeg, 1966-1975», *Journal of Studies on Alcohol*, Vol. 39, p. 1887-1894.

JOHNSTON, L. D. et O'MALLEY, P. M. (1986), «Why do the Nation's Students Use Drugs or Alcohol? Self-Reported Reasons from Nine National Surveys», *Journal of Drug Issues*, Vol. 16, p. 29-66.

JOLIN, A. et STIPAK, B. (1992), «Drug Treatment and Electronically Monitored Home Confinement: An Evaluation of a Community-Based Sentencing Option», *Crime and Delinquency*, Vol. 38, p. 158-170.

JUNGER-TAS, J. (1991), «The Young Adult Offender: Some Quantitative and Qualitative Data», *Council of Europe Tenth Criminological Colloquium*, p. 1-37.

KANDEL, D. B. (1973), «Adolescent Marijuana Use: Role of Parents and Peers», *Science*, Vol. 181, p. 1067-1070.

KANDEL, D. B. (1988), «Issues of Sequencing of Adolescent Drug Use and Other Problem Behaviors», *Drugs and Society*, Vol. 3, p. 55-76.

KANDEL, D. B. (1975), «Stages in Adolescent Involvement in Drug Use», *Science*, Vol. 190, p. 912-914.

KANDEL, D. B. et ANDREWS, K. A. (1987), «Processes of Adolescent Socialization by Parents and Peers», *The International Journal of the Addictions*, Vol. 22, p. 319-342.

KANDEL, D. B. et FAUST, R. (1975), «Sequence and Stages in Patterns of Adolescent Drug Use», *Archives of General Psychiatry*, Vol. 32, p. 923-932.

KANDEL, D. B., SIMCHA-FAGAN, O. et DAVIES, M. (1986), «Risk Factors for Delinquency and Illicit Drug Use from Adolescence to Young Adulthood», *Journal of Drug Issues*, Vol. 16, p. 67-90.

KANTOR, G. K. et STRAUS, M. A. (1987), «The "Drunken Bum" Theory of Wife Beating», *Social Problems*, Vol. 34, p. 213-230.

KAPLAN, C. D. et VAN GELDER, P. (1992), «La politique hollandaise de lutte contre la drogue – réflexion sur l'approche expérimentale», *in* A. Ehrenberg et P. Mignon *(éd.)*, *Drogues politiques et société*, Paris, Le Monde, p. 352-362.

KAPLAN, J. (1983), «*The Hardest Drug: Heroin and Public Policy*», Chicago, The University of Chicago Press.

KENSEY, A. et CIRBA, L. (1989), «Service des Études et de l'Organisation», *Les toxicomanes incarcérés*, Paris, Ministère de la Justice, (N° 38).

KINDER, B., PAPE, N. et WALFISH, S. (1980), «Drug and Alcohol Education Program: A Review of Outcomes Studies», *The International Journal of the Addictions*, Vol. 51, p. 1035-1054.

KINGERY, P. M., PRUITT, B.E. et HURLEY, R.S. (1992), «Violence and Illegal Drug Use among Adolescents: Evidence from the U.S. National Student Health Survey», *The International Journal of the Addictions*, Vol. 27, p. 1445-1464.

KINLOCK, T. W. (1991), «Does Phencyclidine (PCP) Use Increase Violent Crime?», *The Journal of Drug Issues*, Vol. 21, p. 795-816.

KLEINMAN, M. A. R. et SMITH, K. D. (1990), «State and Local Drug Enforcement: In Search of a Strategy», *in* M. Tonry et J. Q. Wilson *(éd.)*, *Drugs and Crime, Crime and Justice: A Review of Research*, Chicago, The University of Chicago Press, Vol. 13, p. 69-108.

KOEFOED, L. et MACMILLAN, J. (1986), «Alcoholism and Antisocial Personality», *Journal of Nervous and Mental Disease*, Vol. 174, p. 332-335.

KOLB, L., (1925), «Drug Addiction and Its Relation to Crime», *Mental Hygiene*, Vol. 9, p. 74-89.

KORF, D. J. (1992), «Dépénalisation, normalisation et limitation des méfaits de la drogue», *in* A. Ehrenberg et P. Mignon *(éd.)*, *Drogues politiques et société*, Paris, Le Monde, p. 334-351.

KOWALSKI, G. S. et FAUPEL, C. E. (1990), «Heroin Use, Crime, and the "Main Hustle"», *Deviant Behavior*, Vol. 11, p. 1-16.

KRAUS, J. (1981), «Juvenile Drug Abuse and Delinquency : Some Differential Associations», *British Journal of Psychiatry*, Vol. 139, p. 422-430.

LAHOSA, J. M. (1989), «Analyse de quelques données sur la toxicomanie, la délinquance et l'insécurité», *in Stratégies locales pour la réduction de l'insécurité urbaine en Europe*, Strasbourg, Conseil de l'Europe, Vol. 35, p. 347-351.

LAUGHTON, J. (1987), «L'approche financière des enquêtes contre les trafiquants internationaux des drogues : Une des priorités d'Interpol», *Revue internationale de police criminelle*, Vol. 42, p. 19-22.

LAUZON, P. (1990), *Les services aux personnes détenues,* Centre de Recherche et Aide aux Narcomanes.

LAVELLE, T., HAMMERSLEY, R. et FORSYTH, A. (sous presse), «Is the "Addictive Personality" Merely Delinquency?», *Addiction Research*.

LEBLANC, M. (1986), «*Drogue et délinquance chez les adolescents et les pupilles du tribunal de Montréal, épidémiologie et politique sociale*», Conseil des services de santé et des services sociaux du Montréal métropolitain, Mémoire présenté à la commission administrative sur l'alcoolisme et la toxicomanie.

LEBLANC, M. et FRÉCHETTE, M. (1989), *Male Criminality Activity from Childhood through Youth : Multilevel and Development Perspectives*, New York, Springer-Verlag.

LEBLANC, M. et TREMBLAY, R. (1987), «Drogues illicites et activités délictueuses chez les adolescents de Montréal : épidémiologie et esquisse d'une politique sociale» *Psychotropes*, Vol. 3, p. 57-71.

LECAVALIER, M. (1992), «L'abus de drogues licites et de cocaïne chez les femmes en traitement : les différences et similitudes dans les stratégies d'approvisionnement et dans les conséquences qui s'y rattachent ainsi que dans les antécédents personnels», Mémoire de maîtrise inédit, Université de Montréal.

LEMIRE, G. (1990), *Anatomie de la prison,* Montréal, Presses de l'Université de Montréal.

LEUW, E. (1990), «Drugs and Crime in an Accomodating Social Context», Communication présentée à la conférence de l'American Criminological Association, Baltimore.

LEUW, E. (1991), «Drugs and Drug Policy in the Netherlands», *in* M. Tonry *(éd.)*, *Crime and Justice : A Review of Research*, Chicago, University of Chicago Press, Vol. 14, p. 229-276.

LEVENSON, D. (1983), «Social Setting, Cultural Factors and Alcohol-Related Aggression», *in* E. Gottheil, K. Druley, T. E. Skoloda et H. M. Waxman *(éd.)*, *Alcohol, Drug Abuse and Aggression*, Springfield, IL, Charles C. Thomas, p. 41-58.

LÉVESQUE, M. (1993), *Modèles de traitement de la toxicomanie au Service correctionnel du Canada*, Congrès de justice pénale, Québec, le 14 octobre.

LÉVESQUE, M. (1994), «Population carcérale et consommation de drogues : une double problématique», *in* P. Brisson *(éd.), Usage des drogues et la toxicomanie*, Boucherville, Gaëtan Morin, Vol. 2, p. 255-271.

LEVINE, E. M. et KOZAK, C. (1979), «Drug and Alcohol Use, Delinquency, and Vandalism among Upper Middle Class Pre-and Post-Adolescents», *Journal of Youth and Adolescence*, Vol. 8, p. 91-101.

LEVINE, M. ET SINGER, S. I. (1988), «Delinquency, Substance Abuse, and Risk Taking in Middle Class Adolescents», *Behavioral Sciences and the Law*, Vol. 6, p. 386-400.

LEWIS, C. E., CLONINGER, C. R. et PAIS, J. (1983), «Alcoholism, Antisocial Personality and Drug Use in a Criminal Population», *Alcohol and Alcoholism*, Vol. 18, p. 53-60.

LIGHTFOOT, L. O. et HODGINS, D. (1988), «A Survey of Alcohol and Drug Problems in Incarcerated Offenders», *The International Journal of the Addictions*, Vol. 23, p. 687-706.

LIMBURG, V. (1990), «La criminalité liée à la drogue et organisée au niveau international : une étude du Bureau fédéral des Affaires criminelles», *Bulletin Liaison CNDT*, p. 66-78.

LOEBER, R. (1985), «Patterns and Development of Antisocial Child Behavior», *Annals of Child Development*, Vol. 2, p. 77-116.

LOEBER, R. (1982), «The Stability of Antisocial and Delinquent Child Behavior : A Review», *Child Development*, Vol. 53, p. 1431-1446.

LOEBER, R. et DISHION, T. (1983), «Early Predictors of Male Delinquency : A Review», *Psychological Bulletin*, Vol. 94, p. 68-94.

LOEBER, R. et STOUTHAMER-LOEBER, M. (1987), «Prediction», *in* H.C. Quay *(éd.), Handbook of Juvenile Delinquency*, Toronto, Wiley, p. 325-382.

LORCH, B., CHIEN, C. Y. A., JARVIS, G. et PARKER, H. (1988), «An Exploration of Race and its Relationship to Youth Substance Use and Other Delinquent Activities», *Sociological Viewpoints*, Vol. 4, p. 86-110.

LUBORSKY, L., MCCLELLAN, A. T., WOODY, G. E., O'BRIEN, C. P. et AUERBACH, A. (1985), «Therapist Success and its Determinants», *Archives of General Psychiatry*, Vol. 42, p. 602-611.

MACCOUN, R. et REUTER, P. (1992), «Are the Wages of Sin 30 $ an Hour ? Economic Aspects of Street-Level Drug Dealing», *Crime and Delinquency*, Vol. 38, p. 477-491.

MADDUX, J. et DESMOND, D. (1975), «Reliability and Validity of Information from Chronic Heroin Users», *Journal of Psychiatric Research*, Vol. 12, p. 87-95.

MADEN, A., SWINTON, M. et GUNN, J. (1992), «A Survey of Prearrest Drug Use in Sentenced Prisoners», *British Journal of Addiction*, Vol. 87, p. 27-33.

MARCOS, A. C., BAHR, S. J. et JOHNSON, R. E. (1986), «Test of a Bonding/Association Theory of Adolescent Drug Use», *Social Forces*, Vol. 65, p. 135-161.

MARSHALL, N. et HENDTLASS, J. (1986), «Drugs and Prostitution», *Journal of Drug Issues*, Vol. 16, p. 237-248.

MARTIN, R. L., CLONINGER, C. R. et GUZE, S. B. (1982), «Alcoholism and Female Criminality», *Journal of Clinical Psychiatry*, Vol. 43, p. 400-403.

MARTINEZ, H. (1989), «Prostitution et lutte contre le proxénétisme en France», *Revue internationale de police criminelle*, Vol. 44, p. 8-17.

MARTINSON, R. M. (1974), «What Works? Questions and Answers about Prison Reform», *The Public Interest*, Vol. 35, p. 22-54.

MCBRIDE, D. C., BURGMAN-HABERMEHL, C., ALPERT, J. et CHITWOOD, D. D. (1986), «Drugs and Homicide», *Bulletin of the New York Academy of Medicine*, Vol. 62, p. 497-508.

MCBRIDE, D. C. et MCCOY, C. B. (1982), «Crime and Drugs: The Issues and Literature», *Journal of Drug Issues*, Vol. 12, p. 137-152.

MCBRIDE, D. C. et SWARTZ, J. A. (1990), «Drugs and Violence in the Age of Crack Cocaine», *in* R. A. Weisheit *(éd.)*, *Drugs, Crime and the Criminal Justice System*, Cincinati, OH, Anderson Publishing, p. 141-170.

MCCAGHY, C. H. (1968), «Drinking and Deviance Disavowal: The Case of Child Molesters», *Social Problems,* Vol. 16, p. 43- 49.

MCCARDLE, L. et FISHBEIN, D. H. (1989), «The Self Reported Effects of PCP on Human Aggression», *Addictive Behaviors*, Vol. 14, p. 465-72.

MCDERMOTT, R. R., GICLIOTTI, C. J. et STAFFORD, R. (1988), *New York State Department of Corrections Comprehensive Drug Treatment Strategy*, New York, New York State Department of Correctional Services.

MCGEE, L. et NEWCOMB, M. D. (1992), «General Deviance Syndrome: Expanded Hierarchical Evaluations at Four Ages from Early Adolescence to Adulthood», *Journal of Counsultating and Clinical Psychology*, Vol. 60, p. 766-776.

MCGLOTHLIN, W. H. (1985), «Distinguishing Effects from Concomitants of Drug Use: The Case of Crime», *in* L. N. Robins *(éd.)*, *Studying Drug Abuse: Series in Psychosocial Epidemiology»*, New Brunswick, Rutgers University Press, Vol. 16, p. 153-172.

MCGLOTHLIN, W. H. et ANGLIN, M. D. (1981), «Long-Term Follow-up of High- and Low-Dose Methadone Programs», *Archives of General Psychiatry*, Vol. 38, p. 1055-1063.

MCGLOTHLIN, W. H., ANGLIN, M. D. et WILSON, B. D. (1978), «Narcotic Addiction and Crime», *Criminology*, Vol. 16, p. 293-315.

MCKEGANEY, N., BARNARD, M., BLOOR, M. et LEYLAND, A. (1990), «Injecting Drug Use and Female Street Working Prostitution in Glasgow», *Aids*, Vol. 4, p. 1153-1155.

MCMURRAN, M., HOLLIN, C. R. et BOWEN, A. (1990), «Consistency of Alcohol Self-Report Measures in a Male Young Offender Population», *British Journal of Addiction*, Vol. 85, p. 205-208.

MENARD, S. et HUIZINGA, D. (1989), «Age, Period, and Cohort Size Effects on Self Reported Alcohol, Marijuana, and Polydrug Use: Results from the National Youth Survey», *Social Science Research*, Vol. 18, p. 174-194.

MERCER, G. W., HUNDLEBY, J. D. et CARPENTER, R. A. (1978), «Adolescents Drug Use and Attitudes Toward the Family», *Canadian Journal of Behavioral Science*, Vol. 10, p. 79- 90.

MERCER, G. W. et KOHN, P. M. (1980), «Childrearing Factors, Autoritarianism, Drug Use Attitudes and Adolescents Drug Use: A Model», *Journal of Genetic Psychology*, Vol. 136, p. 159-171.

MERLO, G. (1989), «Norme, légalité et criminalité chez les toxicodépendants», *in Stratégies locales pour la réduction de l'insécurité urbaine en Europe*, Strasbourg, Renaissance urbaine en Europe, Conseil de l'Europe, Vol. 35, p. 336-340.

MESSIER, C. (1989), *Les troubles de comportements à l'adolescence*, Québec, Commission de protection des droits de la jeunesse.

MICZEK, K. A. et THOMPSON, M. L. (1983), «Drug of Abuse and Aggression : An Ethopharmacological Analysis», *in* E. Gottheil, K.Druley, T. E. Skoloda et H. M. Waxman *(éd.), Alcohol, Drug Abuse and Aggression*, Springfield, IL, Charles C. Thomas, p. 164-188.

MIECZKOWSKI, T. (1990), «The Accuracy of Self-Reported Drug Use : An Evaluation and Analysis of New Data», *in* R. A. Weisheit *(éd.)*, Drugs, Crime and the Criminal Justice System», Cincinati, OH, Anderson Publishing Co., p. 275-302.

MIECZKOWSKI, T. (1990), «The Operational Styles of Crack Houses in Detroit», *NIDA Research Monograph Series, Drugs and Violence : Causes, Correlates, and Consequences*, Rockville, MD, National Institute on Drug Abuse, Vol. 103, p. 60-91.

MILLER, M. M. et POTTER-EFRON, R. T. (1989), «Aggression and Violence Associated with Substance Abuse», *Journal of Chemical Dependency Treatment*, Vol. 3, p. 1-36.

MILLER, N. S. (1991), *The Pharmacology of Alcohol and Drug of Abuse and Addiction*, New York, Springer-Varlag.

MILLER, N. S., GOLD, M. S. et MAHLER, J. C. (1990), «A Study of Violent Behaviors Associated with Cocaine Use : Theoretical and Pharmacological Implications», *Annals of Clinical Psychiatry*, Vol. 2, p. 67-71.

MILLER, N. S., GOLD, M. S. et MAHLER, J. C. (1991), «Violent Behaviors Associated with Cocaine Use : Possible Pharmacological Mechanisms», *The International Journal of the Addictions*, Vol. 26, p. 1077-88.

MINISTÈRE DES AFFAIRES SOCIALES DE LA SANTÉ ET DE LA CULTURE DES PAYS-BAS (1991), «La politique des Pays-Bas en matière de drogue», *Revue internationale de police criminelle*, p. 7-16.

MONACO, O. (1991), *La coopération internationale en matière policière comme lutte contre le trafic des stupéfiants*, Aix-en-Provence, Université de droit, d'économie et des sciences d'Aix-Marseille.

MOORE, J. (1990), «Gangs, Drugs, and Violence», *NIDA Research Monograph Series, Drugs and Violence : Causes, Correlates, and Consequences*, Vol. 103, p. 160-176.

MOORE, M. H. (1979), «Limiting Supplies of Drugs to Illicit Markets in the United States», *Journal of Drug Issues*, Vol. 9, p. 291-303.

MORNINGSTAR, P. J. et CHITWOOD, D. D. (1987), «How Women and Men Get Cocaine : Sex Role Stereotypes and Acquisition Patterns», *Journal of Psychoactive Drugs*, Vol. 19, p. 135-142.

MOTT, J. et THOMPSON, K. M. (1986), «Opioid Use and Burglary», *British Journal of Addiction*, Vol. 81, p. 671-678.

MULLEN, R., ARBITER, N. et GLIDER, P. (1991), «A Comprehensive Therapeutic Community Approach for Chronic Substance-Abusing Juvenile Offenders : The Amity Model», *in* T. L. Amstrong *(éd.), Intensive Interventions with High-Risk Youths : Promising Approaches in Juvenile Probation and Parole*, New York, Criminal Justice Press, p. 211-243.

MUNTANER, C., WALTER, D., NAGOSHI, C., FISHBEIN, D., HAERTZEN, C. A. et JAFFE, J. H. (1990), «Self Report vs. Laboratory Measures of Aggression as Predictors of Substance Abuse», *Drug and Alcohol Dependence*, Vol. 25, p. 1-11.

NADEAU, L. (1993), «Critique épistémologique de la notion d'assuétude», Texte inédit d'une conférence présentée à Lille, p. 1-17.

NADELMANN, E. A. (1992), «Régimes globaux de prohibition et trafic international de drogue», *Revue Tiers Monde*, Vol. 33, p. 538-552.

NATIONAL INSTITUTE OF JUSTICE (1993), «Drug Use Forecasting in 1992», *National Institute of Justice Journal*, November, 32-34.

NEWCOMB M. D., BENTLER, P. M. et FAHY, B. (1987), «Cocaine Use and Psychopathology: Associations among Young Adults», *The International Journal of the Addictions*, Vol. 22, p. 1167-1188.

NORMAND, N. et BROCHU, S. (1993), *Adolescents, psychotropes, activité criminelle, contexte environnemental*, Montréal, Centre international de criminologie comparée.

NURCO, D. N., BALL, J. C., SHAFFER, J. W. et HANLON, T. E. (1985), «The Criminality of Narcotic Addicts», *Journal of Nervous and Mental Disease*, Vol. 173, p. 94-102.

NURCO, D. N., BALL, J. C., SHAFFER, J. W. et HANLON, E. (1988), «Narcotic Addiction and Crime», *in* J. M. Scher et M. Segal *(éd.)*, *Perspectives in Drug Abuse: Drugs and the Law*, London, Freund Publishing House, N° 1, p. 197-205.

NURCO, D. N., CISIN, I. H. et BALL, J. C. (1985), «Crime as a Source of Income for Narcotic Addicts», *Journal of Substance Abuse Treatment*, Vol. 2, p. 113-115.

NURCO, D. N., CISIN, I. H. et BALTER, M. B. (1981), «Addict Careers. III. Trends across Time», *The International Journal of the Addictions*, Vol. 16, p. 1357-1372.

NURCO, D. N., HANLON, T. E., BALTER, M. B., KINLOCK, T. W. et SLAGHT (1991), «A Classification of Narcotic Addicts Based on Type, Amount and Severity of Crime», *Journal of Drug Issues*, Vol. 21, p. 429-448.

NURCO, D. N., HANLON, T. E. et KINLOCK, T. W. (1991), «Recent Research on the Relationship between Illicit Drug Use and Crime», *Behavioral Sciences & the Law*, Vol. 9, p. 221-242.

NURCO, D. N., HANLON, T. E., KINLOCK, T. W. et DUSZYNSKI, K. R. (1988), «Differential Criminal Patterns of Narcotic Addicts Over an Addiction Career», *Criminology*, Vol. 26, p. 407-423.

NURCO, D. N., KINLOCK, T. W., HANLON, T. E. et BALL, J. C. (1988), «Nonnarcotic Drug Use over an Addiction Career a Study of Heroin Addicts in Baltimore and New York City», *Comprehensive Psychiatry*, Vol. 29, p. 450-459.

NURCO, D. N., SHAFFER, J. W., BALL, J. C. et KINLOCK, T. W. (1984), «Trends in the Commission of Crime among Narcotic Addicts over Successive Periods of Addiction and Nonaddiction», *American Journal of Drug and Alcohol Abuse*, Vol. 10, p. 481-489.

NURCO, D. N., SHAFFER, J. W., BALL, J. C., KINLOCK, T. W. et LANGRAD (1986), «A Comparison by Ethnic Group and City of the Criminal Activities of Narcotic Addicts», *Journal of Nervous and Mental Disease*, Vol. 174, p. 112-116.

OBSERVATOIRE GÉOPOLITIQUE DES DROGUES (1993b), «BIRMANIE: massacre dans le Triangle d'Or», *La Dépêche internationale des drogues*, Vol. 20, p. 1-3.

OBSERVATOIRE GÉOPOLITIQUE DES DROGUES (1993a), *La Drogue : nouveau désordre mondial,* Paris, Hachette.

O'DONNELL, J. A. (1966), «Narcotic Addiction and Crime», *Social Problems*, Vol. 13, p. 374-385.

O'DONNELL, J. A. et CLAYTON, R. R. (1982), «The Stepping-Stone Hypothesis – Marijuana, Heroin, and Causality», *Chemical Depencency*, Vol. 4, p. 229-241.

O'NEIL, J. (1993), «Drug Use Forecasting», *National Institute of Justice Research Report*, p. 1-12.

OSGOOD, D. W., JOHNSTON, L. D., O'MALLEY, P. M. et BACHMAN, J. G. (1988), «The Generality of Deviance in Late Adolescence and Early Adulthood», *American Sociological Review*, Vol. 53, p. 81-93.

OUIMET, M. et LEBLANC, M. (1993), «Événements de vie et continuation de la carrière criminelle au cours de la jeunesse», *Revue internationale de criminologie et de police technique*, Vol. 46, p. 321-344.

PARKER, E. S. et NOBLE, E. P. (1977), «Alcohol Consumption and Cognition Filing in Social Drinkers», *Journal of Studies on Alcohol*, Vol. 38, p. 1224-1232.

PARKER, H. et NEWCOMBE, R. (1987), «Heroin Use and Acquisitive Crime in an English Community», *British Journal of Sociology*, Vol. 38, p. 331-350.

PATTERSON, G. R. et DISHION, T. J. (1985), «Contributions of Families and Peers to Delinquency», *Criminology*, Vol. 23, p. 63-79.

PEAT, B. J. et WINFREE, L. T. (1992), «Reducing the Intra-Institutional Effects of "Prisonization" : A Study of a Therapeutic Community for Drug-Using Inmates», *Criminal Justice and Behavior*, Vol. 19, p. 206-225.

PEELE, S. (1989), *Diseasing of America : Addiction Treatment Out of Control*, Lexington, MA, Lexington Books.

PERNANEN, K. (1981), «Theoretical Aspects of the Relationship between Alcohol Use and Crime», *in* J. J. Collins *(éd.)*, *Drinking and Crime*, New York, Guilford Press, p. 1-69.

PHILPOT, C. R., HARCOURT, C. L. et EDWARDS, J. M. (1989), «Drug Use by Prostitutes in Sydney», *British Journal of Addiction*, Vol. 84, p. 499-505.

PICCA, G. (1992), «Le blanchiment des produits du crime : vers de nouvelles stratégies internales ?», *Revue internationale de criminologie et de police technique*, Vol. 14, p. 483-485.

PLANT, M. L., PLANT, M. A. et THOMAS, R. M. (1990), «Alcohol, AIDS, Risks and Commercial Sex : Some Preliminary Results from a Scottish Study», *Drug and Alcohol Dependence*, Vol. 25, p. 51-55.

PREBLE, E. (1983), «Aggressive, Accounting in the Illegal Drug Market», *in* E. Gottheil, K. Druley, T. E. Skoloda et H. M. Wasman *(éd.)*, *Alcohol, Drug Abuse and Aggression»*, Springfield, IL, Charles C. Thomas, p. 82-88.

PREBLE, E. et CASEY, J. (1969), «Taking Care of Business : The Heroin User's Life on the Street», *The International Journal of the Addictions*, Vol. 4, p. 1-24.

QUAY, H.C. (1987), «Intelligence», *in* H.C. Quay *(éd.)*, *Handbook of Juvenile, Delinquency*. Toronto, Wiley, p. 106-117.

RADA, R. T. (1975), «Alcoholism and Forcible Rape», *American Journal of Psychiatry*, Vol. 132, p. 444-446.

REASONS, C. E. (1976), «Images of Crime and the Criminal: The Dope Fiend Mythology», *Journal of Research in Crime and Delinquency*, Vol. 13, p. 133-144.

REES, C. D. et WILBORN, B. L. (1983), «Correlates of Drug Abuse in Adolescents: A comparison of Families of Drug Abusers with Families of Nondrug Abusers», *Journal of Youth and Adolescence*, Vol. 12, p. 55-63.

REINARMAN, C. (1979), «Moral Entrepreneurs and Political Economy: History and Ethnographic, Notes on the Construction of the Cocaine Menace», *Contemporary Crises*, Vol. 3, p. 225-254.

REUTER, P. (1990), «Can the Borders Be Sealed? *in* R. A. Weisheit *(éd.)*, *Drugs, Crime and the Criminal Justice System*, Cincinati, OH, Anderson Publishing, p. 13-26.

REUTER, P. , MACCOUN, R. et MURPHY, P. (1990), *Money from Crime: A Study of the Economics of Drug Dealing in Washington, D.C.*, Santa Monica, CA, Rand.

RICO, J. M. (1986), «Les législations sur les drogues: origine et évolution», *Psychotropes*, Vol. 3, p. 69-83.

ROBINS, N. et HILLS, S. Y. (1966), «Assessing the Contributions of Family Structure, Class, and Peer Groups to Juvenile delinquency», *Journal of Criminal Law, Criminology and Police Science*, Vol. 57, p. 325-334.

ROBINS, L. N. et MCEVOY, L. (1990), «Conduct Problems as Predictors of Substance Abuse», *in* L. N. Robins et M. Rutter *(éd.)*, *Straight and Devious Pathways from Childhood to Adulthood*, New York, Cambridge University Press, p. 182-204.

ROMAN, P. M. (1981), «Situational Factors in the Relationship between Alcohol and Crime», *in* J. J. Collins *(éd.)*, *Drinking and Crime,* New York, Guilford Press, p. 143-151.

ROSENBAUM, D. P. (1991), «La poursuite de la "justice" aux États-Unis: une leçon de politique dans la guerre contre le crime et les drogues», *Journal du Collège canadien de police*, Vol. 15, p. 251-271.

RUBINGTON, E. (1967), «Drug Addiction as a Deviant Career», *The International Journal of the Addictions*, Vol. 2, p. 3-20.

SABOURIN, S. (1991), «L'argent de la drogue», *Interpol Revue internationale de police criminelle*, p. 1-5.

SANCHEZ, J. E. et JOHNSON, B. D. (1987), «Women and the Drugs Crime Connection: Crime Rates among Drug Abusing Women at Rikers Island», *Journal of Psychoactive Drugs*, Vol. 19, p. 205-216.

SANTÉ ET BIEN-ÊTRE SOCIAL CANADA (1989), *Enquête nationale sur l'alcool et les autres drogues, Points saillants*, Ottawa, Direction générale des services et de la promotion de la santé.

SARNECKI, J. (1989), «Rapports entre l'abus de drogue et la délinquance», *in Stratégies locales pour la réduction de l'insécurité urbaine en Europe*, Strasbourg 1989, Conseil de l'Europe, Vol. 35, p. 327-335.

SCHAPS, E., BARTOLO, R. D., MOSKOWITZ, J., PALLEY, C. S. et CHURGIN, S. (1981), «A Review of 127 Drug Abuse Prevention Program Evaluations», *Journal of Drug Issues*, Vol. 13, p. 17-43.

SHAW, J.W. et MACKENZIE, D.L. (1992), «The One-Year Community Supervision Performance of Drug Offenders and Louisiana Doc-Identified Substance Abusers Graduating from Shock Incarceration», *Journal of Criminal Justice*, Vol. 20, p. 501-516.

SCHIRAY, M. (1992), «Aspect international : Évaluation des connaissances des marchés interdits de la drogue en Europe, avec un regard sur les États-Unis», *in* M. Schiray, M. L. Cesoni, V. Brackelaire et G. Fonseca *(éd.), Penser la drogue, penser les drogues, Vol. II, Les marchés interdits de la drogue*, Paris, Descartes.

SECHREST, D. K. (1989), «Prison "Boot Camps" do Not Measure Upp», *Federal Probation*, Vol. 53, p. 15-20.

SECRÉTARIAT GÉNÉRAL DE L'ORGANISATION INTERNATIONALE DE POLICE CRIMINELLE (1990), «Trafic international des drogues», *Revue internationale de police criminelle*, Vol. 45, p. 18-20.

SERVICE CORRECTIONNEL DU CANADA (1991), *Rapport du groupe d'étude sur la réduction de la toxicomanie*, Ottawa, Approvisionnments et services Canada.

SHAFFER, J. W., NURCO, D. N., BALL, J. C. et KINLOCK, T. W. (1985), «The Frequency of Nonnarcotic Drug Use and its Relationship to Criminal Activity among Narcotic Addicts», *Comprehensive Psychiatry*, Vol. 26, p. 558-566.

SHAFFER, J. W., NURCO, D. N. et KINLOCK, T. W. (1984), «A New Classification of Narcotic Addicts Based on Type and Extent of Criminal Activity», *Comprehensive Psychiatry*, Vol. 25, p. 315-328.

SHAFFER, J. W., NURCO, D. N., BALL, J. C., KINLOCK, T. W., DUSZYNSKI, K. R. et LANGROD, J. (1987), «The Relationship of Preaddiction Characteristics to the Types and Amounts of Crime Committed by Narcotic Addicts», *The International Journal of the Addictions*, Vol. 22, p. 153-165.

SHEEHAN, M. et NUCIFORA, J. (1990), «The Young, Delinquency, Drink and Driving», *in* J. Vernon *(éd.), Alcohol and Crime*, Australia, Canberra, Vol. 1, p. 95-106.

SILBERT, M. H., PINES, A. M. et LYNCH, T. (1982), «Substance Abuse and Prostitution», *Journal of Psychoactive Drugs*, Vol. 14, p. 193-197.

SILVERMAN, I. J. (1982), «Women, Crime and Drugs», *Journal of Drug Issues*, Vol. 12, p. 167-183.

SIMONDS, J. F. et KASHANI, J. (1980), «Specific Drug Use and Violence in Delinquent Boys», *American Journal of Drug and Alcohol Abuse*, Vol. 7, p. 305-322.

SIMPSON, D. D. (1979), «The Relation of Time Spent in Drug Abuse Treatment to Posttreatment Outcome», *American Journal of Psychiatry*, Vol. 136, p. 1449-1453.

SIMPSON, D. D. (1981), «Treatment of Drug Abuse : Follow-up Outcomes and Lenght of Time Spent», *Archive of General Psychiatry*, Vol. 38, p. 875-880.

SIMPSON, D. D. et FRIEND, H. J. (1988), «Legal Status and Long Term Outcomes for Addicts in the DARP Follow-up Project», *in NIDA Research Monograph Series, Compulsory Treatment of Drug Abuse : Research and Clinical Practice*, Rockville, MD, National Institute on Drug Abuse, Vol. 86, p. 81-98.

SIMPSON, D. D., JOE, L. J., LEHMAN, W. E. K. et SELLS, S. B. (1986), «Addiction Careers : Etiology, Treatment, and 12-Years Follow-up Outcomes», *Journal of Drug Issues*, Vol. 16, p. 107-121.

SINGER, S. M. (1981), «Homogeneous Victim-Offender Populations : A Review and Some Research Implications», *The Journal of Criminal Law and Criminology*, Vol. 72, p. 779-788.

SIPILA, J. (1985), «Community Structure and Deviant Behavior among Adolescents», *Youth and Society*, Vol. 16, p. 471- 497.

SMITH, D.A. et POLSENBERG, C. (1992), «Specifying the Relationship Between Arrestee Drug Test Results and Recidivism», *The Journal of Criminal Law and Criminology*, Vol. 83, p. 364-377.

SOBELL, L. C., SOBELL, M. B., MAISTO, S. A. et FAIN, W. (1983), «Alcohol and Drug Use by Alcohol and Drug Abusers when Incarcerated: Clinical Implications», *Addictive Behaviors*, Vol. 8, p. 89-92.

SPECKART, G. et ANGLIN, M. D. (1986a), «Narcotics Use and Crime: An Overview of Recent Research Advances», *Contemporary Drug Problems*, Vol. 13, p. 741-769.

SPECKART, G. et ANGLIN, M. D. (1986b), «Narcotics and Crime: A Causal Modeling Approach», *Journal of Quantitative Criminology*, Vol. 2, p. 3-28.

SPECKART, G. R., ANGLIN, M. D. et DESCHENES, E. P. (1989), «Modeling the Longitudinal Impact of Legal Sanctions on Narcotics Use and Property Crime», *Journal of Quantitative Criminology*, Vol. 5, p. 33-56.

SPOTTS, J. et SHONTZ, F. (1984), «The Phenomenological Structure of Drug-Induced Ego States. II. Barbiturates and Sedative Hypnotics: Phenomenology and Implications», *The International Journal of the Addictions*, Vol. 19, p. 295- 326.

SPOVACK, M. et PIHL, R. O. (1976), «Nonmedical Drug Use by High School Students: A Three Year Survey Study, *The International Journal of the Addictions*, Vol. 11, p. 755-792.

STEER, R. A. (1980), «Psychosocial Correlates of Retention in Methadone Maintenance», *The International Journal of the Addictions*, Vol. 15, p. 169-181.

STEPHENS, R. (1972), «The Truthfulness of Addict Respondents in Research Projects», *The International Journal of the Addictions*, Vol. 7, p. 549-558.

STEPHENS, R. C. et ELLIS, R. D. (1975), «Narcotic Addicts and Crime», *Criminology*, Vol. 12, p. 474-488.

STERK, C.E., ELIFSON, K.W. (1990), «Drug Related Violency and Street Prostitution», *in NIDA Research Monograph Series*, *Drugs and Violence: Causes, Correlates and Consequences*, Rockville, MD. National Institute on Drug Abuse, Vol. 103, p. 208-221.

STRAUSS, M. A. (1978), «Wife Beating: How Common and Why?», *Victimology*, Vol. 2, p. 443-457.

STREIT, F., HALSTED, D. L. et PASCALE, P. J. (1974), «Differences among Youthful Users and Non-Users of Drugs Based on Their Perceptions of Parental Behavior», *The International Journal of the Addictions*, Vol. 9, p. 749-755.

SWISHER, J. D., CRAWFORD, J. L., GOLDSTEIN, R. et YURA, M. (1971), «Drugs Education Pushing or Preventing?», *Peabody Journal of Education*, Vol. 49, p. 68-75.

SZABO, D. (1992), «Discours de réception lors de la remise d'un doctorat Honoris Causa», *La criminologie dans l'Europe en cette fin de siècle: quelques enseignements de la criminologie comparée*, Montréal, Centre international de criminologie comparée.

THOMAS, C. W. et CAGE, R. J. (1977), «Correlates of Prison Drug Use: An Evaluation of Two Conceptual Models», *Criminology*, Vol. 15, p. 193-210.

THORNBERRY, T. P. et CHRISTENSON, R. L. (1984), «Unemployment and Criminal Involvement: An Investigation of Reciprocal Causal Structures», *American Sociological Review*, Vol. 49, p. 398-411.

TIMS, F. M., FLETCHER, B. W. et HUBBARD, R. L. (1990), «Treatment Outcome for Drug Abuse Clients», *NIDA Research Monograph Series, Improving Drug Abuse Treatment*, Rockville, MD, National Institute on Drug Abuse, Vol. 106, p. 93-113.

TINKLENBERG, J. R. et MURPHY, P. (1972), «Marihuana and Crime: A Survey Report», *Journal of Psychedelic Drugs*, Vol. 5, p. 183-191.

TINKLENBERG, J. R., MURPHY, P., MURPHY, P. L. et PFEFFERBAUM, A. (1981), «Drugs and Criminal Assaults by Adolescents: A Replication Study», *Journal of Psychoactive Drugs*, Vol. 13, p. 277-287.

TINKLENBERG, J. R. et WOODROW, K. M. (1974), «Drug Use among Youthful Assaultive and Sexual Offenders», *Research Publications: Association For Research in Nervous and Mental Disease*, Vol. 52, p. 209-224.

TOLAN, P. H. (1987), «Implication of Age of Onset for Delinquency Risk», *Journal of Abnormal Child Psychology*, Vol. 15, p. 47-65.

TOLAN, P. H. et THOMAS, P. (1988), «Correlates of Delinquency Participation and Persistence», *Criminal Justice Behavior*, Vol. 15, p. 306-322.

TREMBLAY, R. E. (1992), «Les femmes et les enfants d'abord: vers une concertation des efforts préventifs et curatifs dans le domaine de l'inadaptation psychosociale», conférence d'ouverture de la Journée d'étude *Jeunes et Toxicomanies: Des actions conjointes pour mieux les aider* organisée par la Commission des centres de réadaptation pour personnes alcooliques et toxicomanes, Association des Centres d'accueil du Québec, p. 1-19.

TREMBLAY, R. E. (1990), «La prévention à l'adolescence, que faut-il prévenir?», *in* J. F. Saucier et L. Houde, *Prévention psychosociale pour l'enfance et l'adolescence*, Montréal, Les Presses de l'Université de Montréal, p. 295-310.

TREMBLAY, R. E., LEBLANC, M. et SCHWARTZMAN, A. E. (1988), «The Predictive Power of First-Grade Peer and Teacher Ratings of Behavior: Sex Differences in Antisocial Behavior and Personality at Adolescence», *Journal of Abnormal Child Psychology*, Vol. 16, p. 571-583.

TREMBLAY, R. E., MASSE, B., PERRON, D., LEBLANC, M., SCHWARTZMAN, A. E. et LEDINGHAM, J. E. (1992), «Early Disruptive Behavior, Poor School Achievement, Delinquent Behavior, and Delinquent Personality: Longitudinal Analyses», *Journal of Consulting and Clinical Psychology*, Vol. 60, p. 64-72.

TREMBLAY, R. E., MCCORD, J., BOILEAU, H., CHARLEBOIS, P., GAGNON, C., LEBLANC, M. et LARIVÉE, S. (1991a), «Can Disruptive Boys Be Helped to Become Competent?», *Psychiatry*, Vol. 54, p. 148-161.

TREMBLAY, R. E., MCCORD, J., BOILEAU, H., CHARLEBOIS, P., GAGNON, C., LEBLANC, M. et LARIVÉE, S. (1991b), «Can Disruptive Boys Be Helped to Become Competent?», *Psychiatry*, Vol. 54, p. 148-161.

TROVERO, F., PIROT, S. et TASSIN, J. P. (1989), «*État des connaissances neurobiologiques sur les produits de consommation illicite*», Paris, INSERM.

TUCHFELD, B. S., CLAYTON, R. R. et LOGAN, J. A. (1982), «Alcohol, Drug Use, and Delinquent and Criminal Behaviors among Male Adolescents and Young Adults», *Journal of Drug Issues*, Vol. 12, p. 185-198.

U.S. DEPARTMENT OF JUSTICE (1991), *Sourcebook of Criminal Justice Statistics 1990*, Washington, Bureau of Justice Statistics.

U.S. DEPARTMENT OF JUSTICE (1988), *Treatment Alternatives to Street Crime: TASC Program*, Washington, Bureau of Justice Assistance.

U.S. DEPARTMENT OF JUSTICE (1989), *Treatment Alternatives to Street Crime*, Washington, Bureau of Justice Assistance.

U.S. GENERAL ACCOUNTING OFFICE (1993), *Prison Boot Camps: Short-Term Prison Costs Reduced, but Long-Term Impact Uncertain*, Washington, General Government Division.

VALLEUR, M. (1992), «Drogues et droits du toxicomane. Le point de vue du praticien», *in Drogues et droits de l'homme*, Université de Nanterre, Paris, 1992.

VALLEUR, M. (1986), «Jeunesse, toxicomanie, délinquance», Texte inédit, Marmottan.

VALLEUR, M. (1988), «Jeunesse, toxicomanie et délinquance: de la prise de risques au fléau social», *in* P. Brisson *(éd.), L'usage des drogues et la toxicomanie*, Montréal, Gaëtan Morin. p. 297-310.

VAN DE WIJNGAART, G.F. (1991), *Competing Perspectives on Drug Use: The Dutch Experience*, Amsterdam, Swets et Zeitlinger.

VAN HASSELT, V. B., MORRISSON, R. L. et BELLACK, A. S. (1985), «Alcohol Use in Wife Abusers and Their Spouses», *Addictive Behaviors*, Vol. 10, p. 127-135.

VAN HOEVEN, K. H., STONEBURNER, R. L. et ROONEY, W. C. (1991), «Drug Use among New York City Prison Inmates: A Demographic Study with Temporal Trends», *The International Journal of the Addictions*, Vol. 26, p. 1089-1110.

VANKAMMEN, W. B., LOEBER, R. et STOUTHAMER-LOEBER, M. (1991), «Substance Use and its Relationship to Conduct Problems and Delinquency in Young Boys», *Journal of Youth and Adolescence*, Vol. 20, p. 399-413.

VOSS, H. L. et STEPHENS, R. C. (1973), «Criminal History of Narcotic Addicts», *Drug Forum*, Vol. 2, p. 191-202.

WATTERS, J. K., REINARMAN, C. et FAGAN, J. (1985), «Causality, Context, and Contingency: Relationships between Drug Abuse and Delinquency», *Contemporary Drug Problems*, Vol. 12, p. 351-373.

WEIS, J. G. (1986), «Issues in the Measurement of Criminal Careers», *in* A. Blumstein, J. Cohen, J. A. Roth et C. A. Visher *(éd.), Criminal Careers and "Career criminals"»*, Washington, National Academy Press, Vol. 2, p. 1-51.

WEISHEIT, R. A. (1990), «Declaring a "Civil War on Drugs"», *in* R. A. Weisheit *(éd.), Drugs, Crime and the Criminal Justice System»*, Cincinati, OH, Anderson Publishing, p. 1-10.

WEISSMAN, J. C., MARR, S. W. et KATSAMPES, P. L. (1976), «Addiction and Criminal Behavior: A Continuing Examination of Criminal Addicts», *Journal of Drug Issues*, Vol. 6, p. 153-165.

WEITZEL, S. L. et BLOUNT, W. R. (1982), «Incarcerated Female Felons and Substance Abuse», *Journal of Drug Issues*, Vol, 12, p. 259-273.

WELSH, R. S. (1976), «Severe Parental Punishment and Delinquency: A Development Theory», *Journal of Clinical Child Psychology*, Vol. 5, p. 17-21.

WELTE, J. W. et BARNES, G. M. (1985), «Alcohol: The Gateway of Other Drug Use among Secondary-School Students», *Journal of Youth and Adolescence*, Vol. 14, p. 487-498.

WELTI, C. V. et FISHBAIN, D. A. (1985), «Cocaine-Induced Psychosis and Sudden Death in Recreational Cocaine Users», *Journal of Forensic Sciences*, Vol. 30, p. 873-880.

WESSON, D. R. (1982), «Cocaine Use by Masseuses», *Journal of Psychoactive Drugs*, Vol. 14, p. 75-76.

WEXLER, H. K., FALKIN, G. P. et LIPTON, D. S. (1990), «Outcome Evaluation of a Prison Therapeutic Community for Substance Abuse Treatment», *Criminal Justice and Behavior*, Vol. 17, p. 71-92.

WEXLER, H. K., FALKIN, G. P., LIPTON, D. S. et ROSENBLUM, A.B. (1992), «Outcome Evaluation of a Prison Therapeutic Community for Substance Abuse Treatment», *in* C.G. Leukefield et F.M. Tims *(éd.)*, *NIDA Research Monograph Series, Drug Abuse Treatment in Prison and Jails*, Rockville, MD, National Institute on Drug Abuse, Vol. 118, p. 156-175.

WEXLER, H. K., LIPTON, D. S. et JOHNSON, B. D. (1988), *A Criminal Justice System Strategy for Treating Cocaine-Heroin Abusing Offenders in Custody*, Washington, U.S. Department of Justice.

WEXLER, H. K. et WILLIAMS, R. (1986), «The Stay'n Out Therapeutic Community: Prison Treatment for Substance Abusers», *Journal of Psychoactive Drugs*, Vol. 18, p. 221-230.

WHITE, H. R. (1990), «The Drug Use-Delinquency connection in Adolescence», *in* R. A. Weisheit *(éd.)*, *Drugs, Crime and the Criminal Justice System*, Cincinati, OH, Anderson Publishing Co., p. 215-256.

WHITE, H. R., JOHNSON, V. et GARRISON, C. G. (1985), «The Drug Crime Nexus among Adolescents and Their Peers», *Deviant Behavior*, Vol. 6, p. 183-204.

WHITE, H. R., PANDINA, R. J. et LAGRANGE, R. L. (1987), «Longitudinal Predictors of Serious Substance Use and Delinquency», *Criminology*, Vol. 25, p. 715-740.

WHITE, J. L., MOFFIT, T. E., EARLS, F., ROBINS, L. et SILVA, P. A. (1990), «How Early Can we Tell?: Predictors of Childhood Conduct Disorder and Adolescent Delinquency», *Criminology*, Vol. 28, p. 507-527.

WILLIAMS, B., CHANG, K. et TRUONG, M. V. (1992), *Canadian Profile 1992, Alcohol and Other Drugs*, Toronto, Addiction Research Foundation.

WILLIS, J. (1971), «Delinquency and Drug Dependence in the United Kingdom and the United States», *British Journal of Addictions*, Vol. 66, p. 235-248.

WILSON, J. Q. et HERRNSTEIN, R. J. (1985), *Crime and Human Nature*, New York, Touchestone.

WINDLE, M. (1990), «A Longitudinal Study of Antisocial Behaviors in Early Adolescence as Predictors of Late Adolescent Substance Use: Gender and Ethnic Group Differences», *Journal of Abnormal Psychology*, Vol. 99, p. 86-91.

WINDLE, M. (1992), «A Longitudinal Study of Stress Buffering for Adolescent Problem Behaviors», *Developmental Psychology*, Vol. 28, p. 522-530.

WINDLE, M. (1989), «Substance Use and Abuse among Adolescent Runaways: A Four Year Follow Up Study», *Journal of Youth and Adolescence*, Vol. 18, p. 331-344.

WINICK, C. (1962), «Maturing Out of Drug Addiction», *Bulletin on Narcotics*, Vol. 14, p. 1-7.

WISH, E. D. (1987), «Drug Use Forecasting: New York 1984 to 1986», *National Institute of Justice Research Report*, Washington, USA, Department of Justice.

WISH, E. D. (1986), «PCP and Crime: Just Another Illicit Drug?», *NIDA Research Monograph Series, Phencyclidine: An Update*, Rockville, MD, National Institute on Drug Abuse, Vol. 64, p. 174-189.

WISH, E. D. (1988), «Urine Testing of Criminals: What Are We Waiting for?», *Journal of Policy Analysis and Management*, Vol. 7, p. 551-554.

WISH, E. D. (1991), «U.S. Drug Policy in the 1990s : Insights from New Data from Arrestees», *The International Journal of the Addictions*, Vol. 25, p. 377-409.

WISH, E. D. et GROPPER, B. A. (1990), «Drug Testing by the Criminal Justice System : Methods, Research, and Application», *in* M. Tonry et J. Q. Wilson *(éd.), Drugs and Crime, Crime and Justice : A Review of Research*, Chicago, The University of Chicago Press, Vol. 13, p. 321-392.

WISH, E. D. et JOHNSON, B. D. (1986), «The Impact of Substance Abuse on Criminal Careers», *in* A. Blumstein, J. Cohen, J. A. Roth et C. A. Visher *(éd.), Criminal Careers and "Career criminals"*, Washington, National Academy Press, Vol. 2, p. 52-88.

WISH, E. D. et O'NEIL, J. (1991), «Cocaine Use in Arrestees : Refining Measures of National Trends by Sampling the Criminal Population», *National Institute on Drug Abuse Research Monograph Series : The Epidemiology of Cocaine Use and Abuse*, Vol. 110, p. 57-70.

YAGO, K., PITTS, F., BURGOYNE, R., ANILINE, O., YAGO, L. et PITTS, A. (1981), «The Urban Epidemic of Phencyclidine (PCP) Use : Clinical and Laboratory Evidence from a Public Psychiatric Hospital Emergency Service», *Journal of Clinical Psychiatry*, Vol. 42, p. 193-196.

YAMAGUCHI, K. et KANDEL, D. B. (1984a), «Patterns of Drug Use from Adolescence to Early Adulthood - II. Sequence of Progression», *American Journal of Public Health*, Vol. 74, p. 668-672.

YAMAGUCHI, K. et KANDEL, D. B. (1984b), «Patterns of Drug Use from Adolescence to Early Adulthood - II. Predictors of Progression», *American Journal of Public Health*, Vol. 74, p. 673-681.

YOCHELSON, S. et SAMENOW, S.E. (1986), *The Criminal Personality, Vol. III : The Drug User*, New Jersey, Jason Aronson.

ZABIN, L. H., HARDY, J. B., SMITH, E. A. et HIRSCH, M. B. (1986), «Substance Use and Its Relation to Sexual Activity among Inner-city Adolescents», *Journal of Adolescent Health Care*, Vol. 7, p. 320-331.

ZINBERG, N. E. (1984), *Drug, Set and Setting : The Basis of Controlled Intoxicant Use*, New Haven, Yale University Press.

ZINBERG, N. E. et JACOBSON, R. C. (1976), «The Natural History of Chipping», *American Journal of Psychiatry*, Vol. 133, p. 37-41.

Annexes

1. Peut-on se fier à la parole d'un délinquant ou d'un toxicomane ?

2. L'organisation du trafic de drogues illicites

1. Peut-on se fier à la parole d'un délinquant ou d'un toxicomane?

La grande majorité des études qui tentent de mieux cerner la nature de la relation entre la consommation ou l'abus de drogues et la criminalité utilisent des rapports auto-révélés comme technique principale de collecte de données. Cette méthode laisse planer des doutes sur la validité des résultats ainsi obtenus. Cette façon de procéder n'aurait-elle pas pour effet de surestimer la prévalence et la fréquence de consommation de drogues de la part des personnes qui ont commis des infractions? L'intoxication ou la toxicomanie ne constituent-elles pas des excuses pour ceux qui désirent amoindrir les conséquences d'une infraction ou qui, à tout le moins, veulent se décharger d'une partie de son poids? N'est-on pas en présence d'une inflation statistique due à la méthode employée? Certains détracteurs pourraient également faire valoir l'argument contraire. N'y aurait-il pas lieu de se méfier du rapport auto-révélé concernant la consommation des substances psycho-actives illégales, puisque cette auto-dénonciation pourrait mener à l'opprobre et à la condamnation?

Des doutes semblables peuvent habiter certains lecteurs lorsqu'ils parcourent les études réalisées auprès des toxicomanes. En effet, les rapports provenant des gros consommateurs de substances psycho-actives illicites suscitent soupçons et incertitudes sur leur exactitude. Un toxicomane qui se trouve, par définition, en état d'intoxication fréquent peut-il vraiment se remémorer les fluctuations spécifiques de sa consommation et les associer par la suite, de façon précise et valable, aux divers actes délinquants commis? Lorsqu'on lui demande en toute candeur de rapporter ses épisodes d'activités délinquantes et toxicomanes de l'année qui vient de s'écouler, n'existe-t-il pas alors un danger imminent qu'une mémoire défaillante ou incertaine laisse place à un débordement imaginaire reproduisant alors artificiellement une relation entre la drogue consommée et le crime commis? En d'autres mots, quelle est la validité de ces rapports auto-révélés dans les cas précis qui nous intéressent?

La validité des rapports auto-révélés

Certains affirmeront qu'il n'existe personne de plus menteur qu'un toxicomane; d'autres ajouteront pourtant que les toxicomanes apparaissent comme des «enfants d'école» en comparaison de la maîtrise de l'art de leurrer et de duper qu'ont su développer les délinquants.

Bref, d'un point de vue extérieur, la validité des informations transmises par les contrevenants ou les gros consommateurs de substances psycho-actives est vue avec le plus grand scepticisme. Peut-on se fier à la parole donnée pour établir une relation drogue–crime ? Quel éclairage apporte la documentation scientifique sur ce thème épineux ? Que faut-il conclure à ce sujet ?

1. La validité des rapports des personnes judiciarisées

Nous l'avons déjà abordé dans les chapitres précédents, les données officielles provenant du système de justice ne reflètent qu'une infime partie de toute l'activité criminelle des toxicomanes-contrevenants. La personne qui s'intéresse à la nature de la relation drogue–crime se trouve dans l'obligation d'utiliser une source d'information alternative. Il s'agit généralement de l'emploi du rapport auto-révélé.

Des études démontrant une sous-évaluation de la consommation réelle de substances psycho-actives lors de l'utilisation de rapports auto-révélés sont fréquemment publiées dans différentes revues scientifiques (Dembo *et al.*, 1990[199]). Une analyse minutieuse de ces travaux scientifiques montre qu'il s'agit généralement de recherches effectuées auprès de personnes qui viennent tout juste d'être appréhendées et conduites dans un poste de police. Dans ces conditions extrêmes, les conclusions des études sont claires et unanimes : même si le chercheur déploie tous les efforts humainement possibles pour garantir la confidentialité et l'anonymat, les sujets ne le croiront pas. À tout le moins, ils demeureront très méfiants et essaieront alors de camoufler ou d'atténuer leur usage récent de drogues illicites par crainte des poursuites judiciaires pouvant être engagées contre eux. Le facteur de sous-estimation pourra alors atteindre les 50 %. En d'autres termes, lorsque la divulgation des informations recherchées concernant la consommation récente de substances psycho-actives est associée à des représailles possibles, ne serait-ce qu'aux yeux des sujets, il devient très difficile, voire impossible, de mener une étude valide.

Dans ces circonstances bien précises, il s'avère nécessaire de procéder à la cueillette d'informations à l'aide de techniques plus « intrusives » que le rapport auto-révélé. Nous pensons, entre autres, à l'utilisation de tests d'urine. Cependant, dans une telle conjoncture, la relation chercheur–sujets, empreinte d'autorité et de crainte, ne nous apparaît pas propice à la conduite d'une étude. Il importe alors de se

199. Voir également Wish et Gropper (1990), Wish (1986), ainsi que Wish (1987).

questionner, du point de vue éthique, sur la valeur du consentement reçu.

D'autre part, la situation de judiciarisation ne porte pas nécessairement au maquillage des informations concernant la consommation de drogues illicites. En effet, il semble que les détenus qui ne sont plus en attente d'une sentence rapportent généralement des renseignements valides sur leur consommation de substances psychoactives avant le délit lorsque la confidentialité et l'anonymat leur sont assurés (Dembo *et al.*, 1987 ; McMurran, Hollin et Bowen, 1990 ; Wish et Gropper, 1990).

2. La validité des rapports recueillis auprès de toxicomanes

La situation est quelque peu différente pour les toxicomanes. Peut-on se fier aux rapports recueillis auprès de ces personnes ? L'intoxication constitue assurément un handicap à la mémorisation des événements. Dans certaines circonstances, une perte de mémoire complète concernant une séquence d'événements[200] peut même survenir (Cermak et Butters, 1973 ; Parker et Noble, 1977 ; Weis, 1986).

Pourtant, de façon générale, et ce malgré l'inconfort souvent ressenti lors de l'utilisation de rapports auto-révélés auprès des toxicomanes, les chercheurs s'accordent pour déclarer valide cette méthode de cueillette d'informations. En fait, ces rapports renseignent beaucoup plus sur la consommation réelle des sujets que la consultation des dossiers officiels ou les entrevues effectuées auprès de personnes significatives (Amsel *et al.*, 1976[201]). En effet, la falsification délibérée des informations ne se produit que très rarement (Elliott, Huizinga et Menard, 1989).

Toutefois, un autre problème, plus subtil celui-là, guette le chercheur. Les résultats de certaines études suggèrent que les toxicomanes entretiennent une image de leur consommation peu en accord avec les faits réels. Ainsi, plusieurs héroïnomanes semblent enclins à éclipser de leur récit de vie les journées de faible consommation ou d'abstinence au profit des jours durant lesquels ils ont pu consommer de plus grandes quantités de drogues (Johnson *et al.*, 1985). Il est donc recommandé d'utiliser des périodes de référence relativement restreintes dans le temps ainsi que différentes techniques mnémoniques de façon à remettre le sujet en contact avec la réalité d'un passé immédiat.

ils en mettent à

200. Habituellement, il s'agit de séquences d'événements qui éveillent l'anxiété, la peur, la culpabilité, la honte ou d'autres émotions négatives.

201. Voir également Bonito *et al.* (1976), Brochu et Mercier (1988), Maddux et Desmond (1975), ainsi que Stephens (1972).

Les problèmes de validité des rapports auto-révélés ne proviennent pas uniquement des sujets interviewés, mais parfois plutôt du devis de recherche en lui-même.

Des devis de recherche problématiques

Deux problèmes de taille, prenant leurs origines dans l'élaboration du devis de recherche, peuvent influer grandement sur les informations recueillies au point de les invalider : la construction de l'instrument de cueillette des données ; le choix de l'échantillon étudié.

1. La construction de l'instrument de cueillette des données

Le premier problème qui mérite d'être mentionné consiste en la formulation de questions qui ne permettent pas de saisir toute la subtilité et les nuances des comportements étudiés. Ainsi, beaucoup d'instruments de collecte de données utilisent un ensemble de catégories de réponses normatives (souvent, quelquefois, occasionnellement ; jamais, une ou deux fois, plus de trois fois...) qui, bien que très pratiques à première vue pour l'examinateur, ne livrent pas toute la palette de couleurs et de nuances qu'empruntent les comportements étudiés[202]. Au contraire, cette catégorisation rudimentaire pourrait même modifier sensiblement la distribution réelle des réponses (Elliott, Huinzinga et Menard, 1989).

Dans beaucoup d'études rétrospectives effectuées afin de mieux comprendre la nature de la relation drogue–crime, la période ciblée correspond aux douze mois précédant le moment de l'entrevue. Ces entretiens s'effectuent fréquemment auprès d'une clientèle desservie par les services socio-sanitaires ou par le système de justice. Cette période rétrospective de douze mois pose un problème important quant à la validité et à la généralisation des résultats ainsi obtenus. Elle constitue tout à la fois une période trop étendue et trop brève.

D'une part, il s'agit d'une durée trop longue, puisque les sujets éprouvent en général énormément de difficultés à présenter des rapports précis, nuancés, valides et fiables de leur consommation et du nombre de délits commis lorsque la période de référence dépasse un mois. À titre de démonstration, le lecteur n'a qu'à tenter de se remémorer précisément le nombre de verres d'alcool qu'il a bus au cours de la journée du 8 mars dernier. La difficulté s'accroît avec le temps passé ainsi qu'avec l'intensité de l'usage. En effet, ceux qui ne

202. En ce qui concerne la période étudiée, il n'est pas rare que des questionnaires placent dans une même catégorie une personne qui a commis trois vols par effraction et celle qui en a commis 25.

prennent de l'alcool qu'en fin de semaine pourront peut-être affirmer qu'ils n'ont pas ingurgité d'alcool. Il en est tout autrement pour les personnes qui en engloutissent de grandes quantités, d'autant plus que leur consommation fluctue généralement d'un jour à l'autre. Certaines personnes pourraient alors associer artificiellement leur consommation à leurs épisodes délinquants[203]. En effet, le temps fait parfois revêtir à la réalité une parure caricaturale. Pour pallier cette difficulté, il est recommandé de contacter les sujets sur une base plus fréquente de façon à ce que l'entrevue porte sur une phase plus courte. Ainsi, pour le chercheur qui s'intéresse à une période de 12 mois, il est suggéré de rencontrer les sujets en quatre occasions afin de les questionner sur leur consommation pendant les trois mois précédant l'entrevue.

D'autre part, cette période de douze mois dépeint un cycle d'observation trop court qui risque fort de ne pas être représentatif des activités délinquantes et toxicomaniaques des années antérieures. Il faut se rappeler que certaines études ont bien démontré que la conjonction de ces deux types d'activités faisait en sorte que l'individu parcourait une trajectoire très souvent marquée par l'amplification de la consommation (phénomène de tolérance) ainsi que des crimes reliés. L'année qui précède la prise en charge constitue très souvent une époque caractérisée par un tumulte hors de l'ordinaire qui justement précipite le recours aux services de soins ou l'arrestation par les forces de l'ordre (Clayton et Tuchfield, 1982). Si la rencontre des toxicomanes-contrevenants avec le chercheur s'effectue lors de la prise en charge socio-sanitaire ou judiciaire, il y a fort à parier que les activités délinquantes et toxicomaniaques se trouvaient alors à leur apogée, rendant par le fait même impossible toute généralisation aux années antérieures.

2. Les biais d'échantillonnage

Tenons pour acquis qu'un rapport auto-révélé, bien construit et administré selon les règles de l'art et dans des conditions non empreintes d'autorité punitive fournisse une esquisse valide de la fréquence de consommation de substances psycho-actives de la part des personnes judiciarisées ou de la criminalité des toxicomanes. Certaines questions de validité doivent encore être soulevées. Ainsi, la majorité des études ont été effectuées auprès de personnes prises en charge : détenus ou toxicomanes en traitement. Ne peut-on croire en un biais d'échantillonnage conduisant à une mauvaise interprétation de la

203. Il faut bien comprendre que les sujets sont également influencés par tous les préjugés entourant la consommation de drogues et les questions criminelles.

situation réelle? Le détenu consommateur n'a-t-il pas été appréhendé à cause de son intoxication alors que son copain non-consommateur qui se trouvait à jeun et en plein contrôle de tous ses moyens s'en est tiré[204]? L'héroïnomane qui demande des services de réadaptation ne risque-t-il pas d'avoir établi avec son produit d'assuétude une relation différente de celle de sa compagne qui décide d'arrêter seule sa consommation d'héroïne? L'un s'inscrit dans les statistiques concernant la criminalité des héroïnomanes alors qu'on ne sait rien de la criminalité de l'autre. Bien plus, les consommateurs de drogues illicites qui conservent un emploi et possèdent un domicile fixe risquent moins d'être interpellés par le système de justice, donc d'être écroués (Ball *et al.*, 1983[205]). Pour ces raisons, il s'avère donc essentiel d'accorder une attention toute particulière aux études effectuées auprès de toxicomanes ou de contrevenants qui ne sont pas pris en charge par les services socio-sanitaires ou judiciaires. Les informations ainsi recueillies nous dévoilent parfois une facette de la relation existante trop souvent tenue dans l'ombre.

L'utilité des tests d'urine

Les tests d'urine ont, pour ainsi dire, fait leur apparition sur le marché des études drogues–crimes au début des années 1980. Leur utilisation a vite gagné en popularité auprès de chercheurs qui y voyaient une façon d'obtenir des données valides sur la consommation des sujets rencontrés. Au cours de la dernière décennie, ils n'ont cessé de gagner en popularité, de sorte qu'ils apparaissent, aux yeux de certains chercheurs, comme une condition nécessaire à toute bonne recherche concernant la relation drogue–crime. Les tests d'urine sont ainsi très souvent utilisés comme technique d'appoint pour confirmer les résultats des rapports auto-révélés ou encore comme technique principale pour mesurer une consommation récente.

Pourtant, il faut bien mentionner que ces tests d'urine ne permettent de porter qu'un regard fort limité sur la consommation passée des sujets. En effet, de façon générale, la substance psychoactive consommée n'est détectable que pour une période d'environ 72 heures[206] (Harrison et Gfroerer, 1992; Wish et Gropper, 1990). Ainsi, les analyses d'urine s'avèrent inutiles lorsque le crime a été

204. Chaiken et Chaiken (1990) indiquent que les contrevenants qui s'abstiennent de consommer des substances psycho-actives illicites, ou qui n'en font usage que sur une base très irrégulière, encourent beaucoup moins de risques de se faire appréhender que les contrevenants qui en consomment régulièrement.

205. Voir également Graham (1987), Ingold et Ingold (1986), ainsi que Shaffer *et al.* (1985).

206. Selon les types de tests et les produits détectés.

commis quelques jours avant l'arrestation des présumés fautifs. On peut également imaginer de nombreuses autres circonstances où ces tests ne sont d'aucune utilité. Pensons ici aux travaux tentant de mesurer rétrospectivement les fluctuations de la consommation en rapport avec l'implication délinquante.

En somme, l'analyse des études portant sur la validité des rapports auto-révélés, publiées au cours des vingt dernières années, suggère que les contrevenants ou les détenus risquent de présenter une sous-estimation de leur consommation proportionnelle aux conséquences négatives perçues. Dans ce milieu, étant donné qu'il devient pratiquement impossible d'effacer toute crainte de conséquences négatives à la suite de la divulgation d'activités hors la loi, on croit généralement que les rapports auto-révélés fournissent une légère sous-évaluation de la situation réelle de consommation.

Pour leur part, les toxicomanes entretiennent peu de raisons de falsifier volontairement leur rapport. On peut donc généralement s'y fier. Pourtant, les circonstances et les devis de recherche sont souvent tels que le sujet n'est pas capable de se remémorer adéquatement les informations requises et donc de les restituer adéquatement. Une tendance bien humaine consiste, dans ces circonstances, à combler ce handicap mnésique par un imaginaire probable.

Le chercheur doit donc s'assurer que ses demandes cadrent bien avec la réalité des gens interrogés. Il doit en outre être convaincu que le seul recours à la mémoire de l'interviewé permet de répondre à la totalité du questionnaire. Enfin, plus que dans tout autre domaine de recherche, il doit s'efforcer d'évacuer toute tension entre lui et son sujet et d'établir une bonne relation de façon à pouvoir le rassurer sur le traitement confidentiel de ses réponses. Il s'agit là des exigences minimales pour obtenir des réponses franches et honnêtes de la part des personnes interrogées.

2. L'organisation du trafic de drogues illicites

Le commerce des substances psycho-actives illicites obéit d'abord aux mécanismes du marché. Ensuite, il s'alimente de la prohibition qui le frappe pour justifier ses prix (Choiseul-Praslin, 1991). En ce sens, l'organisation du trafic des drogues est caractérisée par une extrême complexité et une hiérarchie associées au partage de profits d'autant plus élevés qu'il y a prohibition. Partage n'est pas synonyme d'égalité ; la répartition du pécule accumulé se fait, bien entendu, inégalement, généralement au détriment des fourmis ouvrières de la base et au profit des grands patrons des opérations.

Héroïne, cocaïne, cannabis et drogues de synthèse

Le trafic de drogues s'est considérablement développé au cours du dernier demi-siècle : « limité à l'origine à certains continents, il touche aujourd'hui tous les pays » (Bourhala, 1989).

Les substances psycho-actives qui monopolisent actuellement le marché illicite sont l'héroïne, la cocaïne, le cannabis et les drogues de synthèse. Elles sont cultivées ou fabriquées dans des pays différents et suivant des structures qui comptent un certain nombre de particularités que nous allons maintenant étudier.

L'**héroïne** provient principalement des régions productrices suivantes : le Croissant d'Or[208] (Afghanistan, Iran et Pakistan) ; le Triangle d'Or[209] (Birmanie, Laos et Thaïlande) ; enfin le Liban, le Guatemala et le Mexique. La production combinée de tous ces pays se serait élevée, en 1990, à plus de 4 000 tonnes d'opium, ce qui équivaut à plus de 400 tonnes d'héroïne (Fonseca, 1992 ; Monaco, 1991). Les observateurs de la scène mondiale jettent cependant un regard du côté de l'ancienne Union soviétique, qui se taille graduellement une place importante au sein de ce marché illicite :

> Le climat, l'altitude mais aussi les traditions très anciennes de production d'opium et de haschich offrent des conditions favorables, qui ne leur laissent rien envier à leurs prédécesseurs et concurrents susnommés. Ensuite, la conjoncture est également éminemment propice. L'effondrement de l'URSS,

208. La région du Croissant d'Or a fourni 70 % de l'héroïne consommée en Europe, ainsi que 20 % de celle utilisée en Amérique du Nord pour l'année 1992 (Observatoire géopolitique des drogues, 1993a).

209. La région du Sud-est asiatique constituait, en 1992, le premier producteur et exportateur d'héroïne dans le monde (Observatoire géopolitique des drogues, 1993a).

> le passage à de nouveaux types de relations économiques et la chute rapide et dramatique du niveau de vie de la majorité de la population, ainsi que l'apparition de nouvelles forces politico-militaro-criminelles, favorisée par les processus d'indépendance, sont autant d'éléments qui expliquent l'explosion actuelle de la production et du commerce de drogues en Asie centrale et dans l'ensemble de l'ex-URSS. La Russie, avec sa capitale Moscou, est à la fois la plaque tournante de tous les trafics et le principal centre de consommation de drogues (Observatoire géopolitique des drogues, 1993a, p. 83).

Le négoce de l'héroïne constitue un commerce très lucratif. En voici un exemple : alors que le coût de production de 10 kilos d'opium (équivalent de 1 kilo d'héroïne) se chiffrait, au début des années 1990, entre 1 000 et 1 500 $ dollars, le prix de détail de 1 kilo d'héroïne vendu sur le marché nord-américain s'élevait entre 1,5 million et 2 millions de dollars[210] (Fonseca, 1992).

La **cocaïne** est produite en trois étapes principales : 1) la confection de la pâte à partir des feuilles de coca séchées ; 2) la transformation de cette pâte en cocaïne-base ; 3) le raffinage de la base en chlorhydrate de cocaïne (Fonseca, 1992). En 1990, les trois plus grands pays cultivant les feuilles de coca étaient le Pérou[211] (108 540 tonnes), la Bolivie (64 000 tonnes), ainsi que la Colombie (39 360 tonnes)[212] (Fonseca, 1992 ; Monaco, 1991 ; Observatoire géopolitique des drogues, 1993a). La pâte de coca et la cocaïne-base sont généralement exportées vers la Colombie pour y être transformées en chlorhydrate de cocaïne. Malgré un certain déplacement des opérations de transformation vers la Bolivie, la Colombie demeurait encore, en 1993, le plus grand producteur de cocaïne. L'arrestation provisoire de plusieurs chefs des puissants cartels colombiens[213], la mort de Pablo Escobar et les saisies records n'ont pas vraiment atteint l'approvisionnement du marché nord-américain. Il est encore possible de « trouver de la cocaïne par kilos entiers dans la plupart des grandes villes du monde » (Secrétariat général de l'Organisation internationale de police criminelle, 1990, p. 18). De plus, le cours de la cocaïne n'a connu que peu de fluctuations ces dernières années,

210. Le dixième de gramme d'héroïne se transige, au détail, entre 35 $ et 60 $ dollars pour une pureté allant de 5 % (blanche) à 35 % (brune) (Gendarmerie royale du Canada, 1991).

211. On peut noter de grandes divergences entre les évaluations de la production potentielle de cocaïne. Ces fluctuations sont attribuables à l'estimation de la productivité moyenne par hectare ainsi que des différents coefficients de conversion lors du processus de production (Fonseca, 1992).

212. Il faut cependant noter l'apparition de cultures de feuilles de coca en quantités importantes au Brésil et en Équateur (Fonseca, 1992).

213. Selon l'Observatoire géopolitique des drogues (1993a), Pablo Escobar aurait mis à profit son incarcération « volontaire » dans un centre de détention princier pour panser les plaies de son organisation.

bien que le prix de cette substance vendue au détail ait tendance à baisser. À titre d'exemple, le prix moyen d'un gramme de cocaïne est passé de 80 $ à 70 $ dollars sur le marché québécois, sans qu'il y ait eu de changement quant à sa pureté (Gendarmerie royale du Canada, 1992). Ce commerce lucratif suscite la convoitise de plusieurs organisations criminelles, dont certaines qui n'entretenaient auparavant aucun lien avec la vente de la cocaïne. Les policiers associent maintenant ce trafic, et plus particulièrement le commerce du crack, à la violence urbaine :

> Le commerce du crack continue d'engendrer la violence alors que [*sic*] les groupes de trafiquants se font la lutte pour obtenir le contrôle des quartiers urbains pauvres où l'utilisation de crack abonde (Gendarmerie royale du Canada, 1992, p. 4).

Pour sa part, le **cannabis** constitue une plante qui s'adapte très bien aux rigueurs de différents climats ; elle peut être cultivée pratiquement partout dans le monde. Le Québec, réputé pour être une région froide du continent américain, compte ainsi un bon nombre de cultivateurs qui s'adonnent, à l'occasion, à cette culture illicite durant les mois les plus chauds. D'autres, plus entreprenants, ont même amélioré leur production en adoptant une technologie moderne : la culture hydroponique du cannabis (Gendarmerie royale du Canada, 1992). Pourtant, la récolte québécoise est loin de répondre entièrement à la demande du marché canadien. En fait, le Canada n'est pas classé parmi les grands pays producteurs de cannabis, tels le Maroc, qui alimente une grande partie du marché européen, le Liban, qui approvisionne l'Europe et l'Amérique du Nord, ainsi que le Mexique, qui dirige ses exportations principalement vers les États-Unis (Fonseca, 1992 ; Monaco, 1991 ; Secrétariat général de l'Organisation internationale de police criminelle, 1990). Quant à eux, les consommateurs canadiens enrichissent principalement les producteurs colombiens (cannabis), afghano-pakistanais (haschich) et jamaïquains (haschich liquide) (Gendarmerie royale du Canada, 1992). Habituellement, le cannabis est importé au Canada par cargaisons maritimes, caché dans des conteneurs (Gendarmerie royale du Canada, 1993).

Enfin, les **drogues de synthèse** tels le LSD, le PCP et autres substances de même type peuvent être confectionnées avec une certaine facilité par un chimiste ou toute personne qui possède de bonnes notions de chimie. Les drogues de synthèse sont habituellement préparées à partir de produits précurseurs très souvent en vente libre. Elles sont donc souvent fabriquées dans les pays consommateurs (Gendarmerie royale du Canada, 1992). Ainsi, au Canada, le Québec et l'Ontario sont demeurés les principaux centres de production de drogues de synthèse. Il faut également ajouter que plusieurs produits pharmaceutiques, habituellement vendus sous ordonnance médicale, sont fréquemment détournés de leur réseau de distribution habituel. À ce titre, au Canada, les produits les plus populaires sont les narcotiques et le diazépam (Gendarmerie royale du Canada, 1992).

La structure du trafic des drogues

Une fois que ces produits «exotiques» ont quitté leur pays de culture ou leur laboratoire de fabrication, plusieurs personnes tentent de tirer profit de leur distribution. Ces gens sont reliés à une structure organisationnelle plus ou moins divisée hiérarchiquement et comportant un cloisonnement intérieur relativement étanche (Limburg, 1990). Les études concordent généralement pour distinguer quatre niveaux d'intermédiaires avant que la drogue ne parvienne entre les mains du consommateur. Chaque intermédiaire en fait augmenter le coût tout en réduisant sa pureté (Preble, 1983). Au sommet de la hiérarchie de chacun des pays consommateurs se trouvent les importateurs ou les «gros trafiquants» :

> Le trafiquant de drogue, d'envergure internationale et pourvu de la puissance que confère l'argent est, comme *un* type phénoménologique, difficile à décrire (Limburg, 1990, p. 70).

Bien souvent, ces personnes n'ont pas de contacts directs avec la drogue. Elles se contentent de fournir l'organisation, le matériel ainsi que les capitaux nécessaires à la réalisation de l'affaire. Elles ne sont donc à peu près jamais atteintes par le système judiciaire.

À l'étape suivante, les distributeurs en gros achètent par kilogrammes directement de l'importateur ou du fabricant (pour les produits de synthèse préparés dans le pays). Ils divisent et diluent cette importante quantité en unités plus petites (livres ou onces selon le type de drogues) qu'ils vendent à des distributeurs au détail (Adler et Adler, 1982[214]).

À ce niveau, le distributeur au détail les morcelle de nouveau en prenant soin de couper les drogues avec des produits ressemblants, mais de moindre qualité, afin d'augmenter son profit (Adler et Adler, 1982[215]).

Pour sa part, le revendeur (*pusher*) reçoit plusieurs unités de drogues en consigne afin de les vendre sur son territoire. On s'attend

214. Voir également Chaiken et Johnson (1988), Hunt (1990), ainsi que Johnson *et al.* (1990).

215. Voir également Chaiken et Johnson (1988), Hunt (1990), ainsi que Johnson *et al.* (1990).

alors à ce qu'il remette au distributeur 60 % de la valeur marchande du produit (Adler et Adler, 1982[216]).

Chacune de ces étapes nécessite l'apport d'un nombre impressionnant de personnes exerçant divers rôles afin de faciliter ce commerce. Ainsi, l'importateur emploie des passeurs pour introduire les drogues dans le pays. Les distributeurs embauchent des lieutenants, des hommes de bras, des livreurs et des gérants pour les assister, les protéger, transporter la marchandise et gérer les opérations (Chaiken et Johnson, 1988[217]).

Les revendeurs s'associent à des gens qui peuvent faciliter les transactions tout en les protégeant de certains risques. On pense ici aux « guides » qui dirigent un client vers le revendeur ou au rabatteur qui localise les acheteurs potentiels, mais également aux individus qui acceptent d'entreposer certaines quantités de drogues dans leur appartement, aux livreurs qui transportent les drogues ou l'argent dans des endroits spécifiques, aux gardes ou aux sentinelles qui ont comme fonction de protéger le revendeur contre un client menaçant ou aux vigiles qui les informent de l'arrivée des policiers (Hunt, 1990 ; Ingold, 1985). Il est fréquent d'observer divers changements de rôles, au même palier de hiérarchie, et ce au cours d'une seule journée (Chaiken et Johnson, 1988[218]).

L'image populaire veut que le petit trafic de drogues s'effectue dans la rue. Il s'agit là de la technique la plus rudimentaire pour effectuer des transactions de drogues. Pourtant, il est également possible de réaliser certains négoces par téléphone ou télé-avertisseur et de se faire livrer la marchandise à domicile, telle une pizza, ou dans tout autre point de rencontre préalablement déterminé[219]. D'autres préfèrent acheter (et consommer) leur produit dans des lieux spécialisés tels que les « piqueries » ou les « crack houses » (Mieczkowski, 1990).

Les profits du commerce de ces drogues sont énormes. Pourtant, les gains réalisés par les petits revendeurs n'ont aucune commune mesure avec l'énorme profit fait par les dirigeants des opérations qui occupent le haut de la hiérarchie... habituellement regroupés au sein de réseaux mafieux :

216. Voir également Chaiken et Johnson (1988), Hunt (1990), ainsi que Johnson *et al.* (1990).

217. Voir également Johnson *et al.* (1985) et (1990), Johnson, Kaplan et Schmeidler (1990), ainsi que MacCoun et Reuter (1992).

218. Voir également Johnson *et al.* (1985) et (1990), Johnson, Kaplan et Schmeidler (1990), ainsi que MacCoun et Reuter (1992).

219. Cela suppose une concertation préalable.

> Sous la forme de mafia (Italie et États-Unis), cartel (Colombie), triade (Chine et Hong-Kong) ou yakuza (Japon), le crime organisé contrôle la production et le trafic des drogues. L'argent drainé par ce trafic donne à ces groupes un pouvoir économique, social et politique important (Ehrenberg et Mignon, 1992, p. 18).

On désigne généralement les profits tirés du commerce des drogues par le terme narco-dollars.

Le blanchiment des narco-dollars

On croit que le chiffre d'affaires du commerce de la drogue s'élèverait annuellement entre cent et cinq cents milliards de dollars (Choiseul-Praslin, 1991 ; Crédot et Bouteiller, 1990 ; Glorieux, 1993 ; Limburg, 1990 ; Observatoire géopolitique des drogues, 1993a ; Schiray, 1992). Ces milliards de dollars en revenus doivent cependant être recyclés afin que les trafiquants jouissent du produit de leurs activités illicites en les réintégrant dans les circuits économiques. Le blanchiment[220] des narco-dollars constitue donc l'opération de recyclage permettant aux trafiquants de placer leurs capitaux à l'abri de la curiosité des autorités.

La méthode la plus simple consiste à transporter physiquement[221] l'argent dans le circuit des pays étrangers où les activités bancaires sont peu réglementées[222] :

> [...] des passeurs transportent des valises pleines de billets (principalement des dollars) dans un pays étranger où cette devise est particulièrement demandée sur le marché noir (Sabourin, 1991, p. 2).

Un deuxième procédé fort usité consiste à mandater un grand nombre de personnes pour déposer, dans différentes banques, des sommes d'argent inférieures à la limite réglementaire[223] décrétée par chacun des pays, au-dessus de laquelle toute transaction doit être révélée aux autorités. Dans une deuxième étape, ces fonds sont transférés dans des comptes bancaires de certains pays étrangers[224] par une variété d'opérations financières dont la complexité n'a d'égale

220. Selon Picca (1992), le terme «blanchiment» tirerait son origine des États-Unis où des organisations mafieuses géraient des chaînes de laveries automatiques afin d'y recycler des fonds en provenance de sources illicites.

221. Cet argent est habituellement transporté avec la complicité de passeurs ou placé dans des conteneurs maritimes ou aériens.

222. Le prototype en est la Suisse, mais on peut également penser aux îles Caïmans, à Singapour ou à Hong-Kong (voir Choiseul-Praslin, 1991).

223. Au Canada et aux États-Unis, cette limite réglementaire s'élève à 10 000 $ dollars tandis que la CEE a fixé ce plafond à 15 000 ÉCU.

224. Ces pays possédant une réglementation bancaire laxiste sont généralement qualifiés de «refuges fiscaux» car ils tolèrent le secret bancaire et autorisent la création de sociétés-écrans sans révéler l'identité des véritables propriétaires (Glorieux, 1993).

que la créativité de leurs maîtres (technique dite de l'empilage ; voir Glorieux, 1993). On l'a compris, cet enchevêtrement opérationnel vise bien entendu à embrouiller la provenance des fonds (Gendarmerie royale du Canada, 1985[225]).

Peu importe le stratagème utilisé, la dernière étape du cycle de blanchiment consiste à rapatrier les fonds de façon à ce qu'ils semblent avoir été acquis légalement. L'investissement dans des secteurs brassant beaucoup de liquidités (industrie du jeu, firmes de placements, négociants en métaux précieux, service d'encaissement de chèques, immeubles, restaurants, bars, etc.) devient alors fort attrayant :

> En présumant que les fonds ont été déposés dans une banque étrangère, il [le trafiquant] prendra les dispositions nécessaires pour faire un placement au Canada en versant un acompte avec de l'argent « propre ». Par la suite, il empruntera le reste du prix d'achat à une banque ou à l'une de ses sociétés à l'étranger. Il remboursera ensuite le prêt qu'il a contracté comme s'il s'agissait d'une transaction légale. De cette façon, il ne fait que rapatrier son argent : il a également la possibilité de payer à sa propre entreprise des intérêts qu'il pourra déduire lorsqu'il fera sa déclaration d'impôt, au Canada (Gendarmerie royale du Canada, 1985. p. 206).

Enfin, certains trafiquants utilisent la technique de sur-facturation–sous-facturation :

> Tel individu résidant dans un pays à contrôle des changes achètera par exemple certaines marchandises à un exportateur d'un pays tiers où il souhaite abriter des capitaux, en annonçant aux douanes un prix largement surfait. De la sorte, il pourra faire sortir de son pays plus d'argent qu'il n'en a besoin pour régler son fournisseur [...] Des antibiotiques sont ainsi exportés des États-Unis vers la Colombie à un prix 6 000 fois plus élevé que le prix mondial moyen. À l'inverse, des émeraudes sont importées du Brésil vers les États-Unis à un prix huit fois inférieur au prix mondial. Le prix déclaré pour des mitrailleuses exportées des États-Unis vers la France était cinq fois inférieur au prix mondial, mais le prix de téléphones portables exportés de la France vers les États-Unis était 88 fois plus élevé que le prix mondial (Observatoire géopolitique des drogues, 1993a, p. 305-306).

Un certain nombre d'initiatives, que beaucoup qualifient de timides, ont été entreprises afin de combattre cette criminalité transnationale. Ainsi, la Convention des Nations unies contre le trafic illicite des stupéfiants[226] oblige les 106 pays signataires à conférer un caractère d'infraction pénale au blanchiment d'argent (Picca, 1992). De plus, des mesures de coopération visant à suivre la piste de l'argent sale sont mises en place. Au Canada, depuis l'instauration du

225. Voir également Laughton (1987), Picca (1992), ainsi que Sabourin (1991).

226. Entrée en vigueur en 1990.

Programme des enquêtes économiques antidrogues (1981), près de 150 millions de dollars en espèces et en biens ont été saisis ou sont en voie de l'être (Gendarmerie royale du Canada, 1992).

On peut facilement comprendre la difficulté éprouvée par les enquêteurs face à la complexité, l'envergure, ainsi que les intérêts financiers reliés à de telles opérations, d'autant que le système bancaire qui représente le principal acteur susceptible de fournir l'information dans ce genre d'affaire, est peu coopératif en raison des bénéfices qu'il peut tirer des opérations de blanchiment (Schiray, 1992).

De nouvelles possibilités s'offrent également aux blanchisseurs : l'utilisation du système bancaire à l'intérieur des politiques de privatisation des ex-pays communistes. Ainsi, à titre d'exemple, on croit que les trafiquants occidentaux dirigent de plus en plus leurs opérations vers la Hongrie. Ce pays risque donc de jouer un rôle clé dans le domaine du blanchiment d'argent au cours des prochaines années :

> Bien qu'une seule affaire ait jusqu'ici défrayé la chronique et donné d'ailleurs lieu à des interprétations contradictoires de la part des autorités hongroises, le système bancaire de ce pays, dans sa structure actuelle, offre d'incomparables facilités au blanchiment. Pour éviter la fuite des devises, en particulier vers l'Autriche, pays particulièrement laxiste en ce domaine, tout citoyen hongrois peut en déposer dans les banques sans limitation de montant et sans avoir à justifier leur provenance. Le directeur d'une importante institution financière a déclaré à un envoyé de l'OGD [Observatoire géopolitique des drogues] qu'il estimait que sur les 2 milliards de dollars représentant, à la fin de l'année 1992, les avoirs détenus par des particuliers hongrois, 500 millions avaient, à son avis, des « origines douteuses ». Quant aux étrangers, ils n'ont pas à justifier la provenance de l'argent qu'ils investissent dans des entreprises. 27 000 entreprises doivent être encore privatisées (Observatoire géopolitique des drogues, 1993a, p. 117-118).

À cela, il faut également ajouter l'ouverture des frontières européennes et la création d'un marché financier unique au sein de la Communauté européenne. Le bouleversement politique des dernières années est donc susceptible d'introduire certaines modifications importantes en ce qui concerne les pratiques utilisées pour blanchir l'argent.

Le papier utilisé pour cette publication satisfait aux exigences minimales contenues dans la norme American National Standard for Information Sciences – Permanence of Paper for Printed Library Materials, ANSI Z39.48-1992.

Achevé d'imprimer en septembre 1996 chez

à Boucherville, Québec